LA
NOUVELLE
LITTÉRATURE
ROMANDE

C.F. RAMUZ (À DROITE) AVEC MAURICE ZERMATTEN
EN 1936

ALBERT COHEN (À DROITE) AVEC JEAN STAROBINSKI
ET CLAUDE GALLIMARD (AU CENTRE), À GENÈVE, EN 1972

LE JURY DU PRIX DE LA GUILDE DU LIVRE À LA FIN DES ANNÉES CINQUANTE, À LAUSANNE: GEORGES ANEX, DOMINIQUE AURY,
JACQUES CHENEVIÈRE, ALBERT MERMOUD, GUSTAVE ROUD

L'ACADÉMIE GONCOURT À LAUSANNE, POUR LA REMISE DU PRIX GONCOURT 1973 À JACQUES CHESSEX. LE LAURÉAT ENTRE ROBERT SABATIER ET HERVÉ BAZIN

ANNE CUNEO AVEC JAMES BALDWIN, EN 1965

LE PRIX RAMUZ 1965 REMIS À MARCEL RAYMOND (À GAUCHE) PAR DANIEL SIMOND

JEAN-MARC LOVAY AU NÉPAL AVEC UN COMPAGNON DE ROUTE, EN 1969

JEAN PIAGET

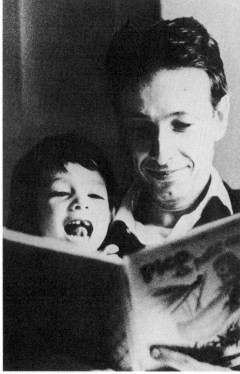

PHILIPPE JACCOTTET

JEAN-PIERRE MONNIER, ALEXANDRE VOISARD, ANNE-LISE GROBÉTY, DOMINIQUE BURNAT, MAURICE CHAPPAZ À LA NEIRIGUE (FRIBOURG)

Manfred Gsteiger

professeur de littérature comparée
à l'Université de Lausanne

LA NOUVELLE LITTERATURE ROMANDE

Essai

Préface d'Etiemble

ex libris

Editions Bertil Galland

Traduit de l'allemand par Pierre Hugli en collaboration avec l'auteur
Maquette du Studiopizz à Lausanne

Titre de l'édition originale: *Die zeitgenössischen Literaturen der Schweiz.* (Fragment de l'introduction et partie III: *Französischsprachige Literatur.*)

© 1974 by Kindler Verlag GmbH, Munich.
Pour la version française revue et augmentée et pour la préface:
© 1978 by Editions Bertil Galland, 29, rue du Lac, CH-1800 Vevey
et Editions Ex Libris, Lausanne et Zurich.
ISBN 2-88015-081-7

PRÉFACE

En épilogue à ses Helvetica, *essais de littérature comparée, François Jost se demandait, voilà une quinzaine d'années : « Y a-t-il une littérature suisse ? » et se répondait : non ; « une nation bilingue ou polyglotte demeure à jamais dépourvue d'une littérature nationale, plusieurs langues supposant plusieurs littératures ». Ce ne fut pas le premier, ce ne sera pas le dernier à poser cette question. Ainsi Manfred Gsteiger au chapitre XVI du livre qu'on va lire. Selon cet érudit, « on peut dire que les littératures de la Suisse appartiennent naturellement aux grandes littératures de leurs langues respectives, elles appartiennent par là à la littérature universelle ; elles gardent cependant un caractère particulier, autre. » Qu'adviendra-t-il alors de la littérature ladine, rhéto-romanche ? L'exclurons-nous de la littérature universelle ? Pour moi, je dis non, car tout ce qui existe en fait de monuments littéraires, tant écrits qu'oraux, doit être pris en compte par quiconque étudie la littérature, et la théorie de la littérarité.*

Parce qu'il nous parvient après plusieurs autres, espérons que, par un effet en tout cas cumulatif, l'essai de Manfred Gsteiger, mon collègue en comparatisme, permettra aux Français de se délivrer de la condescendance impériale que trop souvent encore ils accordent aux écrivains romands. Faussement naïf, Jean Paulhan fut choqué, en 1945, de découvrir que Genève n'est pas la capitale fédérale de la Suisse ; on reconnaît bien là le Guerrier appliqué, *le partisan de l'Algérie française* [1]. *Impérialisme ici*

---

[1] A l'occasion d'un colloque tourangeau sur l'idée de nation dans ses rapports avec la littérature (mai 1978), Jeannine Kohn-Etiemble démonta cet ingénieux patriotisme impérial, directement hérité des instituteurs de la Troisième République. C'est elle qui me remit en mémoire le passage sur Genève et le « lac de Berne »...

IX

doublé d'ingratitude, car enfin, de 1939 à 1945, nos écrivains résistants, dont Jean Paulhan d'emblée fit partie, ne furent-ils pas tout heureux et tout aises de trouver aux «Cahiers du Rhône», qu'animait Albert Béguin, aux Editions des Portes de France, qu'organisait à Porrentruy Pierre-Olivier Walzer, un accueil généreux et désintéressé. Qu'attendent-ils donc pour accueillir enfin en égaux les écrivains de la Suisse romande, et pour cesser de «s'adjuger» (comme l'écrivit Bertil Galland) Rousseau, Constant, Mme de Staël ou Cendrars (auxquels j'ajouterais, plus près de nous, Jean-Luc Godard), laissant volontiers aux Helvètes le beau légionnaire qui martèle en alexandrins le pas des képis blancs:

> *La treille sur le seuil des auberges fleuries*
> *Nous invite à conter dans l'ivresse d'un soir*
> *Nos souvenirs d'Afrique aux filles du terroir*
> *Qui nous versent le vin rouge de Barbarie.*

Comme Weber-Perret, comme Bertil Galland, et à non moins bon escient, Manfred Gsteiger reproche à la France de «s'approprier les plus célèbres auteurs, de Rousseau à Cendrars, considérés comme des Français de facto, et [de] ne laisser à la littérature romande que les gloires locales», celles dont Weber-Perret écrivait en 1951 qu'illustres à Lausanne elles sont à Genève inconnues.

En attribuant à Georges Borgeaud le Prix des Critiques puis le Renaudot, en décernant à L'Ogre de Chessex un Goncourt cette fois justifié, la France s'appropriait-elle deux écrivains romands, ou amorçait-elle une résipiscence? Je souhaite que l'avenir prochain corrige ce trop long passé: le démente. Aussi ai-je trouvé de bonne guerre (plus iréniquement: de bonne politique) que Manfred Gsteiger annexe à la Romandie le bordelais Guillemin, neuchâtelois d'adoption.

Selon Weber-Perret, cette infortunée littérature romande, que grignote ou s'annexe l'impérialisme culturel de la France — impérialisme favorisé par la bonne circulation des livres entre Paris et la Suisse, par une distribution parcimonieuse et cahoteuse du livre romand chez nous autres hexagonaux —, ne serait pas moins menacée par la «lente, sûre progression de la langue germanique», ce que contestera plus tard François Jost dans l'article auquel je me référais tout à l'heure, mais que confirme Le Monde, en 1978: relayant les doléances du maire de Lausanne, M. Jean-Pascal Delamuraz, qui déplore «le rôle croissant que joue l'allemand au détriment du français dans l'administration fédérale», le quotidien du soir observait que si les Romands représentent encore 21 pour cent de la population suisse, ils n'occupent plus guère que 12,50 pour cent des postes de hauts fonctionnaires. Ce qui s'explique aisément, puisque, n'en déplaise à Paulhan, la capitale fédérale de la Suisse est bien Berne, en Teuthonia, selon la carte linguistique de l'Encyclopædia Universalis. Ainsi coin-

cée entre une littérature française centripète, soumise aux chapelles ou cliques de la Rive gauche, quand ce n'est pas aux normes de l'académisme, et la puissance d'une langue, d'une administration allemandes, la pensée romande sera-t-elle « asservie », comme le redoutait un de ses historiens?

Toujours est-il que plus d'un écrivain romand se sent le champ clos d'un combat pour lui cruel : « sentiments nordiques incompatibles avec le génie de la langue », d'une part (ce qui semble rapide, car les Français de l'hexagone, qui parlent une langue latine, furent très bien germanisés, durant les grandes invasions) ; de l'autre, volonté de ne pas « situer [...] à Paris » ce qu'on appelle un peu vaguement « l'âme romande ». Fort bien, mais Clarisse Francillon, Monique Saint-Hélier, Robert Pinget, Philippe Jaccottet aliènent-ils leur « âme » en résidant hors de Suisse, en imprimant chez nous certaines au moins de leurs œuvres? Ramuz lui-même, qui publie à Paris son Paris *de 1939, aurait donc trahi son canton? Faut-il enfin ne voir dans les lettres romandes qu'une « réaction provinciale, fédéraliste et protestante à la pensée française »? Il me semble que plus d'un canton réagirait plutôt catholiquement à (et contre) l'esprit voltairien qui souffla quelque temps aux* Délices. *Bref, l'affaire est merveilleusement trouble. Reste qu'en effet, si l'écrivain romand se veut, se sent le frère des écrivains français, ceux-ci trop souvent le traitent en cousin.*

*

Pour infirmer certaines de ces craintes, voici que le traité le plus récent et, pour la période qu'il couvre, le plus complet, des lettres romandes est l'œuvre d'un universitaire alémanique installé depuis vingt ans chez les « francophones »; traité qu'il a diffusé en Allemagne avant de nous en offrir une version française, çà et là mise à jour. Voilà qui devrait rassurer ceux qui redoutent que l'Allemagne et sa langue ne contribuent de parti pris au déclin d'une littérature concurrente. Partisan de la convivencia, *Manfred Gsteiger l'Alémanique contribue loyalement à faire connaître et goûter les écrivains de langue française. N'est-ce pas l'une des fonctions de cette littérature comparée sur laquelle tant de gens crient haro sans l'avoir exercée, sans même en soupçonner les fins et les moyens?*

Certes, la bonne volonté de Manfred Gsteiger ne suffira pas à guérir de leur souffrance ceux des écrivains romands qui vivent déchirés. Jaccottet, par exemple, ne prenait-il pas pour épigraphe à son Requiem *ce texte-ci de Dante : « Qui pourrait, même avec des paroles libres des gênes de la poésie, même en y revenant à plusieurs fois, dire tout le sang et toutes les plaies que je vis alors?» L'objectivité du critique alémanique ne saura pas ressusciter ceux qui, trop déchirés, choisirent la paix du suicide. Si généreusement qu'il apprécie l'œuvre de Jacques Chessex, Gsteiger guérira-*

t-il cette « *blessure inguérissable* » dont pâtit l'auteur notamment des Saintes écritures, *recueil d'essais en l'honneur de la Romandie ? Blessure dont plus d'un écrivain
accuse le calvinisme. Tous ces fous de Dieu, tous ces esprits prométhéens, tous ces
cœurs insatiables qu'il sonde, le fils en esprit de* L'Ogre, *tous ces beaux monstres qui
foisonnent en ce canton de Vaud que « taraude » toujours Dieu, Manfred Gsteiger les
catalogue à sa manière, moins lyrique sans doute, mais aussi attentive.*

Comme des Saintes Ecritures, *on sort de Gsteiger bien décidé à ne plus tolérer les
âneries de rigueur sur le Suisse-en-soi ; celles par exemple que proférait Balzac en
esquissant, à la seconde partie des* Paysans, *un docteur Gourdon, médecin de campagne « semblable à un banquier genevois, car il en avait le pédantisme, l'air froid, la
propreté puritaine sans en avoir l'esprit calculateur ». Relisant ces jours-ci la thèse
d'Alexandre Ganoczy sur* La Bibliothèque de l'Académie de Calvin, *force
m'était de vérifier que les* fabulae amatoriae *y manquaient fâcheusement, alors qu'au
chapitre de la sotériologie calviniste quelques érotiques n'eussent pas été déplacés (s'il
est vrai que tout sert au salut du chrétien,* etiam peccata*). J'observai toutefois que
Pindare, Théocrite, Térence, Ovide, Horace offraient aux assidus de cette « librairie » leur « langage hardi sur l'amour ». S'il est vrai que les Suisses des cantons catholiques n'écrivent que pour « étancher l'hémorrhagie » qui depuis Calvin les épuise,
qu'ils ne s'en prennent qu'à la France ! Car c'était un Français que Calvin, comme
Voltaire, l'autre Genevois. Ceux que blessa Calvin, qu'ils tâtent donc de Voltaire !
Car Genève, un temps, ce fut aussi Voltaire, ce fut aussi Coppet. Et puis, quoi !
quel écrivain n'est pas un écorché vif ? Pourquoi donc les Romands feraient-ils exception ? N'eûmes-nous pas nos protestants, nos Camisards, notre Révocation de l'Edit
de Nantes ? Nos guerres de religion ne valent-elles pas le bûcher de Servet ?*

*Si j'étais écrivain romand, je remercierais mon pays de ces souffrances qu'il m'in-
flige, des tensions dont il me secoue. Un homme heureux, fût-il Romand, n'écrit pas.*

*Supposons les Helvètes conformes à ceux d'*Une Suisse au-dessus de tout soupçon, *« matérialiste[s], égoïste[s], mené[s] par le bout du nez par les puissances de
l'argent » ; du coup, plus de Pierre-Louis Matthey, ce « romantique anglais d'expression française » qu'on avait en lui décelé avant que Jacques Chessex ne le haussât au
ton « panique » ; plus de Gustave Roud à célébrer quand il meurt ; plus de Maurice
Chappaz pour fouailler les marchands du Temple, pour vilipender les bradeurs du
Valais ; plus de Tanner enfin (non pas « enfin », mais enfin, il faut bien en finir avec
les énumérations) pour nous délecter avec son* Jonas, *son* Charles mort ou vif *en moi
désormais à jamais survivant et cette* Salamandre *qui me brûle encore le souvenir ;
plus d'écologie bohémienne et féministe. Alors, tout est pour le mieux dans la seule
Romandie possible, celle où les écrivains, les cinéastes, les architectes nous font oublier
le paradis fiscal, le secret bancaire, les comptes à numéro et tous les pétrodollars.*

Lisez donc Manfred Gsteiger, qui ne nie point que cette Suisse existe, «au-dessus de tout soupçon» — et quand elle serait par Ziegler un peu chargée — mais qui affirme aussi, avec savoir et sympathie, que les lettres romandes, ce n'est pas rien, au XXᵉ siècle.

Canton par canton, genre par genre, individu par individu, il scrute une littérature qui lui est à la fois étrangère et prochaine. Excellent point de vue pour la juger sans préjugé : riche, eu égard au nombre de ceux qui vivent en Romandie ; variée (avec, jusqu'ici, mais ça change, quelque faiblesse dans l'ordre du théâtre, ce qu'explique assez bien l'exiguïté du public, car le théâtre c'est de la littérature sans doute, mais c'est aussi beaucoup de fric) ; ouverte au monde, et bien plus qu'on ne pense. N'en restons pas à La Voile latine, *à Gonzague de Reynold le maurrassien. Si la Suisse romande c'est Ramuz le bourgeois de Lausanne, Chessex le Vaudois, Chappaz le Valaisan, c'est aussi Albert Cohen le juif de Corfou, Charles-Albert Cingria qui se voulait constantinopolitain (adjectif digne de son maniérisme) et ne répugnait point à quelque trait byzantin, Georges Haldas, né en Suisse, mais Grec d'origine et dont je déplore, non pas seul j'espère, qu'il ait dû interrompre, aux Editions Rencontre, son programme cosmopolite, Lorenzo Pestelli, Italien né à Londres, que je connus à Paris, où nous parlâmes de poésie japonaise, auteur de* Haikous pour un automne fou, *recueillis au tome Iᵉʳ du* Long été. *Non pas seul, Pestelli, à évoquer ses heures javanaises, cingalaises, dravidiennes, népalaises, chinoises, balinaises, indiennes, tibétaines, et j'en passe. Ou je ne m'y connais pas ou voilà bien la «renaissance vaudoise» qui précisément publia en ses* Cahiers *les deux volumes de Pestelli. A sa façon, dès avant la guerre de 39, Léon Bopp avait à sa guise, très différente, romancé des* Liaisons du monde, *ouvrage auquel Manfred Gsteiger accorde moins de poids qu'aux travaux du même écrivain sur* Les Fleurs du mal. *Depuis lors, Bertil Galland s'en fut en Chine, en revint les yeux pleins d'elle. Comme était voilà beau temps revenu du Japon Nicolas Bouvier, le préfacier du* Long été, *celui qui nous propose l'*Usage du monde, *non pas au sens salonnard, mais planétaire de l'expression. Et c'est une Genevoise aujourd'hui septuagénaire, Ella Maillart, qui parcourut à dos de chameau les oasis interdites d'Asie centrale. Or, de tous nos fanatiques d'Alexandra David-Neel, combien ont lu Ella Maillart? Pourquoi ces deux poids deux mesures? Certes, Gsteiger n'a pas tout à fait tort de rappeler qu'il serait exagéré de prétendre que la Suisse romande tout entière donne dans l'esprit planétaire. Reste que, si Amiel s'enfermait en soi et en son journal, si d'autres se replient sur leur canton, Chappaz le Valaisan n'est pas insensible au meilleur du bouddhisme, et que nombreux en ce siècle les Suisses romands qui pourraient se réclamer de Mᵐᵉ de Staël, celle qui ouvrit la France aux lettres allemandes ; ou de Blaise Cendrars, ce routier, ce roulier ; ou de ce Rougemont qui sans effort troqua le statut d'intellectuel en chômage pour celui de* *codirecteur en esprit d'une Europe future, confédérée selon précisément le modèle helvétique, toutes littératures équitablement concurrentes.*

Autre ouverture au monde, en Romandie, par le truchement de la critique littéraire. Manfred Gsteiger a raison de noter que les critiques et universitaires romands sont en ce siècle assez nombreux, assez curieux d'esprit, pour s'imposer à la République du savoir, qui vaut bien la feue République des lettres, aujourd'hui agonisante sous le faix de son gigantisme, aggravé de narcissismes par milliers. Tauxe, Jotterand, c'est quand même autre chose qu'André Rousseaux ou Robert Kemp! Même si leur bigoterie agace, Albert Béguin, Marcel Raymond se sont imposés comme historiens de la littérature. La surexploitation du «baroque» depuis les travaux de Rousset prouve en tout cas qu'ils ont marqué ce siècle. Et lorsque Starobinski essaie de fondre, sans les confondre en quelque marécageux éclectisme, la sociocritique, l'analyse formelle, le freudisme, il se classe parmi les écrivains qui nous aident à comprendre que, dans la Chine traditionnelle, l'essai avait en littérature priorité sur le théâtre et le roman. Un mauvais poète, un piètre romancier, un dramaturge médiocre ne sont pas des écrivains. Un bon critique est un bon écrivain. La Suisse romande les collectionne. S'étonnera-t-on du peu d'influence perceptible en Suisse francophone de la pensée qui se réclame de Marx, d'Engels, ou de Trotsky? Ce serait oublier que le jeune Velan, l'auteur du mémorable Je, *et le jeune Chessex lui aussi en furent marqués, si plus tard ils s'en détachèrent. En dépit de Budapest et des coups de Prague, en dépit de tous les dissidents malgré soi, certains Romands sont assez intelligents pour comprendre que si le marxisme est bien mort dans tous les pays qui se réclament de lui, la pensée de Marx, revue et corrigée selon nos acquêts, peut encore secourir les écrivains, et notamment les critiques, du monde capitaliste. Grand Prix du roman catholique, si Zermatten répond exactement à notre idée d'une Suisse avant tout bien-pensante, l'engagement d'Anne Cuneo, proche des miséreux, des exploités (cette «Mary Mc Carthy suisse» selon Gsteiger) ne devrait pas nous surprendre. Ou serait-il interdit aux seuls Romands d'imaginer une société moins inique?*

Non, décidément, les écrivains romands n'ont plus aucun sujet de macérer dans le «complexe d'infériorité» que diagnostique leur ami alémanique. Saussure, Piaget, Le Corbusier n'appartiennent-ils pas à la planète tout entière? Le livre de Gsteiger devrait imposer au public français la reconnaissance de la renaissance au XXe siècle de ces lettres romandes un peu engourdies à la fin du XIXe. Et si «le pluralisme stylistique est une caractéristique de la littérature moderne, d'une littérature "alexandrine"» (je cite l'auteur de cet ouvrage), s'il est une «preuve de l'ouverture au monde et à l'époque, une manifestation de vitalité, une promesse pour l'avenir», la France peut espérer des écrivains romands qu'ils la guérissent un jour de son provincialisme.

Etiemble

LA NOUVELLE LITTÉRATURE ROMANDE

Ce livre n'a pas été écrit par un Romand, mais par un Alémanique — qui, il est vrai, vit en Suisse française depuis bientôt vingt ans. Dans sa version primitive cet ouvrage n'a pas été rédigé à la demande d'un éditeur suisse; il n'a pas fait l'objet d'une commande de la part d'une institution culturelle helvétique. Il a été réalisé grâce à l'initiative d'un éditeur d'Allemagne fédérale. L'auteur a pu assumer sa tâche parce qu'il s'y sentait préparé par dix ans d'activité critique et surtout parce que le projet de l'éditeur, M. Helmut Kindler, de consacrer un volume entier aux quatre littératures de la Suisse dans le cadre de sa *Literaturgeschichte der Gegenwart (Histoire de la littérature contemporaine)* correspondait à une idée qu'il avait à cœur depuis longtemps. Le livre des Editions Kindler est paru en 1974. Il contient une introduction générale sur l'image actuelle de la Suisse et ses rapports avec les lettres; nous n'en avons repris que certains éléments que nous donnons en appendice. Des sections du livre étaient consacrées aux littératures de langue allemande (parlée par septante-cinq pour cent des citoyens de la Confédération), de langue italienne (à peine cinq pour cent), rhéto-romane ou romanche (50000 habitants du canton des Grisons, soit à peine un pour cent des Suisses); ces trois parties avaient été confiées à autant de spécialistes. L'auteur avait reçu la tâche de coordonner l'ensemble et s'était réservé, en plus de l'introduction générale, la partie consacrée

1

à la littérature de langue française — la langue d'un cinquième de la population suisse, de trois cantons entièrement francophones (Vaud, Genève et Neuchâtel), du futur canton du Jura, francophone lui aussi, et de trois cantons bilingues (Fribourg, Valais, Berne). C'est ce texte, revu et remis à jour, que nous soumettons aujourd'hui au public dans sa version française.

Tel qu'il se présente, ce livre appelle quelques remarques et soulève une série de questions. A la différence du volume assez composite publié en 1974 par les Editions Kindler, *La Nouvelle Littérature romande* possède une unité et une cohérence indéniables quant au sujet — unité très relative néanmoins. L'usage du français, l'appartenance au monde francophone, d'un côté, la participation politique à la Confédération suisse, de l'autre, indiquent assez exactement les limites tracées, mais on pourrait se demander au nom de quels critères *littéraires* on sépare les écrivains romands de leurs confrères français, belges ou canadiens. Disons donc tout de suite que dans notre esprit il n'est pas question de distinguer l'apport des écrivains romands de celui des autres pays francophones: bien au contraire notre livre se propose de faire connaître ces écrivains non seulement dans leur pays, mais aussi dans cette aire française qui, pendant des siècles, les reléguait volontiers dans une position marginale ou intermédiaire. Or la littérature française se fait non seulement en France, mais également en dehors d'elle. A cet égard le présent livre tient du plaidoyer pour la reconnaissance d'un état de fait: l'intention critique se double d'un dessein touchant à la «politique culturelle».

Cela dit, il serait aussi faux de mettre l'écrivain romand exactement sur le même pied que ses collègues français. Même si l'on estime, comme l'auteur, qu'il n'existe pas à proprement parler de littérature suisse, il faut admettre qu'il y a en Suisse une littérature écrite par des Suisses, en l'occurrence des citoyens helvétiques s'exprimant littérairement en français. Davantage d'ailleurs que par leur qualité de Confédérés, la plupart de ces écrivains se définissent par leur origine cantonale, leur appartenance locale; dans ce sens il serait même plus exact de parler d'une littérature vaudoise, genevoise, jurassienne, etc., plutôt que d'une littérature suisse française ou romande. Quoi qu'il en soit, nous avons constamment essayé de tenir compte des différents éléments qui déterminent le caractère particulier de la création littéraire dans ce pays, en nous fondant, de cas en cas, sur

2

des critères plutôt psychologiques, plutôt ethnopolitiques, plutôt formels, plutôt structuraux. Ainsi, les chapitres consacrés aux différents cantons sont complétés par des chapitres traitant de la poésie, de l'essai, de l'évolution du roman ou du théâtre.

Une autre question concerne la compétence de l'auteur. Les temps sont heureusement révolus où l'historien des lettres pouvait s'ériger en juge absolu. Nous savons bien que toute entreprise d'histoire et de critique littéraires implique une prise de position (souvent inconsciente) dont il faut tenir compte. A mi-chemin, pour ainsi dire, entre l'*insider* et l'*outsider*, l'auteur n'est pas complètement étranger au milieu littéraire romand, mais il n'en fait pas non plus partie à plein titre : il a donc essayé de tirer avantage de cette position à la fois délicate et intéressante. Il s'est, d'une part, senti pleinement indépendant, sinon «objectif», et, de l'autre, il n'a jamais — ou presque jamais — renié sa sympathie pour les œuvres et les auteurs traités. Assez souvent d'ailleurs il se réfère aux jugements des autres — public ou critiques romands dont il cite des passages d'articles ou d'essais. En tant que Suisse, en tant que comparatiste littéraire, il s'est efforcé de mettre en pratique ses expériences personnelles et certains principes de sa discipline. Sur le plan quantitatif, la littérature comparée peut circonscrire des domaines très divers, qui vont du grand (théorie littéraire) au plus petit (littératures marginales, phénomènes de transition et de médiation). Dans le cas présent, il s'agissait avant tout de prendre au sérieux, selon ses divers mérites, une littérature trop souvent méconnue.

Il va de soi que le problème des critères esthétiques qui débouche sur celui du choix, des lacunes, des oublis même, reste posé. *La Nouvelle Littérature romande* est un ouvrage subjectif ; c'est un essai et non pas un manuel ou un lexique. Beaucoup de noms et d'œuvres sont mentionnés, mais les perspectives que l'auteur a voulu dégager de l'ensemble sont volontairement centrées sur certains écrivains, sur certains phénomènes qui prennent souvent une valeur d'exemple.

Notre ouvrage ne saurait donc être complet et impartial. Il fixe un moment de la vie littéraire d'un pays, avec des échappées sur le passé immédiat, c'est-à-dire sur cette renaissance des lettres romandes de la génération de Ramuz, qui a préparé la *nouvelle littérature* des trente dernières années. Dans la mesure où le livre présente, malgré tout, le caractère d'un inventaire, celui-ci, à une ou deux exceptions près, ne

3

va pas au-delà de l'année 1976. Nous pensons que l'impression de richesse, voire d'abondance, qui se dégage de ces pages n'est pas fausse; mais nous savons également que les difficultés et les antagonismes que nous faisons entrevoir sont réels. Il nous importait, sans fausse modestie ni satisfaction facile, de montrer ce qui est.

M. G.

Première partie

Œuvres, thèmes et courants

I
LA LITTÉRATURE ROMANDE ET SON PUBLIC

Le champ culturel et linguistique de la Suisse française est défini par deux caractères: d'un côté l'appartenance à la langue et à la littérature de la grande sphère française, de l'autre l'indépendance politique et culturelle face à la centralisation de la France. Dans la présentation de sa *Littérature en Suisse romande*, conçue il y a plus d'un quart de siècle à l'intention des gymnases et universités suisses, Pierre Kohler affirme que la Monarchie française n'a certes jamais soumis les territoires se trouvant à l'est de la chaîne du Jura, mais que les Etats souverains de la vieille Confédération n'auraient jamais non plus essayé sérieusement d'imposer l'allemand à leurs territoires autrefois sujets ou à leurs alliés. «Indépendance politique à l'égard de la France, autonomie linguistique par rapport à la Suisse. Cette double liberté, le Pays romand l'achète au prix de dépendances et insuffisances assez onéreuses.»[1] Liberté: c'est d'abord la possibilité d'opposer à Paris, dominant la vie intellectuelle et économique de la France depuis des siècles, une autre solution, en l'occurrence le fédéralisme. Robert Escarpit parle d'un «équilibre» entre Paris et la province[2]. Il s'agit en fait d'un déséquilibre, comme on sait. Paris a grandi aux dépens de la province: cette grandeur est en même temps

---

[1] Les notes se trouvent en fin de volume.

une faiblesse. Pour la Suisse romande, la question se pose autrement : le polycentrisme facilite les forces autonomes dans leur aspiration à se développer indépendamment d'un milieu normatif ; mais il subsiste malgré tout le modèle hautement attractif de Paris, qui implique constamment une chute de tension entre la «grande» et la «petite» littérature. Il en résultait autrefois — et il en résulte encore — un sentiment d'infériorité. Nous touchons ici une des insuffisances auxquelles Kohler fait allusion, et qui sont la rançon de la liberté. Dans ses relations avec la France, l'écrivain romand a une attitude traditionnellement définie par l'ambivalence de l'appartenance et de l'altérité. Cela peut avoir des effets positifs et négatifs. Rétrospectivement, on peut dire que la conscience d'une autonomie littéraire, telle qu'elle résultait de l'helvétisme de la fin du XVIIIe siècle, fut ressentie comme un élément résolument positif. Le XIXe siècle a conservé quelque chose de cette fierté à «devenir soi-même». Preuve en soit le terme de *littérature romande*, devenu usuel à l'époque, et employé encore aujourd'hui, par opposition à celui de *littérature française*[3]. D'un autre côté, cependant, un sentiment de frustration littéraire a fait un peu partout son apparition dans la Suisse française du siècle dernier.

Une question symptomatique ne cesse de se poser : quelle doit être la place des écrivains romands dans les ouvrages sur l'histoire de la littérature française : ils ont droit la plupart du temps à un supplément très sommaire, mais ne sont pas intégrés à la grande littérature. Tout aussi caractéristique est le reproche — entièrement justifié — fait à l'adresse de la France de s'approprier les plus célèbres auteurs, de Rousseau à Cendrars, considérés comme français *de facto*, et de ne laisser à la littérature romande que les gloires locales. On entend occasionnellement prononcer le terme d'impérialisme culturel. Au XXe siècle, surtout depuis 1945, le problème est vu sous un éclairage différent. La décentralisation prônée par la France elle-même, dans un intérêt littéraire et culturel bien compris, y est sans doute pour quelque chose. La fameuse formule de Ramuz : «Une province qui n'en est pas une», prend un sens nouveau. La Suisse française n'a pas besoin de faire machine arrière. Elle a constamment vécu à contre-courant, et cette attitude se voit confirmée aujourd'hui. Pour le Canada d'expression française, et aussi, en un certain sens, pour la Belgique, les relations sont analogues ; l'idée d'une «francité» (ou, moins doctrinairement, d'une «francophonie», c'est-à-dire une manière d'être français par-dessus les frontières, de par la langue) représente à cet égard une forme moderne de polycentrisme culturel. L'attitude traditionnellement dominatrice de Paris, quelque peu affaiblie après la débâcle de 1940, s'était de nouveau renforcée immédiatement après la deuxième guerre mondiale envers l'intelligentsia romande; mais en 1973 un journaliste lausannois pouvait, à la suite d'un voyage en France, se poser cette question: pourquoi le pays de Camus, de Sartre, de Jean Vilar, de Gérard Philipe n'était-il plus qu'un «pays muet, morose, incapable d'apporter au monde, aux francophones d'abord, ces bouffées de génie dont se sont nourries des générations»? (Vincent Philippe[4].) Et, lors d'un entretien, son partenaire français lui réplique: «Ce que vous attendiez de nous, vous êtes obligé de le trouver en vous-même.» Si l'on se reporte à l'histoire de la littérature, cette recherche en soi a déjà commencé au début du siècle, avec la génération de Charles Ferdinand Ramuz et d'Edmond Gilliard.

Il reste cependant l'élément de la langue, décisif dans le domaine littéraire. En se référant à la langue commune, la Suisse française participe à une grande tradition littéraire européenne, elle l'entretient et l'enrichit. Les liens entre la France et la Suisse romande ne se sont jamais interrompus; Sainte-Beuve donna des cours à l'Académie de Lausanne, Albert Thibaudet manifesta sa présence à Genève; inversement, Edouard Rod put occuper à Paris une importante position de critique, et le romancier Georges Piroué est aujourd'hui l'un des animateurs d'une grande maison d'édition française. La conscience de la langue est très vive parmi les intellectuels romands, et ce n'est pas seulement à cause de la position minoritaire du français dans la Confédération et de la constante pression de l'allemand (pression également exercée de nos jours par l'anglais sur l'ensemble du français). Car la langue commune et la tradition littéraire, si elles créent une solidarité avec la France, relient aussi en un certain sens les régions, les cantons romands entre eux. Aujourd'hui encore, en effet, le concept d'une Suisse romande n'est, dans une large mesure, qu'une construction de l'esprit. La réalité historique met en scène une série de différents Etats particuliers: de là l'importance du problème du Jura, qui pourrait sembler anachronique à l'époque de l'intégration européenne.

Si nous parlons donc du champ de la littérature et de la culture françaises en Suisse, en fait nous avons plutôt affaire à une multiplicité d'espaces plus ou moins reliés entre eux. Des facteurs historiques, économiques, confessionnels et autres diversifient, même en littérature, le dénominateur commun de la langue. Il y a le groupe des trois cantons protestants, avec leur tradition littéraire fortement orientée du côté académique : Vaud, Genève et Neuchâtel. Il y a la tradition catholique, universaliste à Fribourg, ainsi que le Valais archaïque jusqu'à il y a peu ; et enfin il y a le cas particulier du Jura, «bernois» ou non. En face des centres de gravité urbains — Genève, Lausanne, Neuchâtel dans une moindre mesure — s'étendent les grands territoires campagnards comme le Gros-de-Vaud ; à côté de régions traditionnellement «sous-développées» on trouve de vieux centres de l'industrie de précision et du commerce. L'image d'une Suisse française unitaire se décompose ainsi en un dessin multicolore[5].

Le régionalisme, l'appartenance au sol, les liens avec la nature sont, en même temps que le sentiment religieux ou moral, proverbiaux dans la littérature romande ; une formule comme celle du «génie du lieu» le confirme tout comme un événement bien connu de l'histoire littéraire : la découverte du sentiment moderne de la nature par le Suisse Rousseau. En 1951, un écrivain critique qui se situe politiquement à gauche, affirme lui-même : «Le Romand est un enraciné. Son sang charrie de la terre qui le rattache à la terre générale...» (Yves Velan[6].) Il y a en Suisse un «roman paysan» de coupe traditionnelle, d'un niveau littéraire souvent trivial, et qui atteint jusqu'à nos jours de larges couches de lecteurs, par exemple dans les éditions «Mon Village» qu'Albert-Louis Chappuis dirige à Vulliens près de Moudon[7]. Il perpétue la plupart du temps l'image d'un monde campagnard sain, échappant à toutes les difficultés de la société industrielle moderne. Les lecteurs cherchent dans de tels livres la «réalité» et non l'«art» (qui s'est approprié ce monde paysan avec un Ramuz). La littérature plus exigeante, dans sa forme esthétique, a un rôle pénible, en face de tels produits : ses représentants se voient souvent acculés à des positions solitaires, marginales, ils fuient dans un individualisme introverti. La solitude de l'écrivain, l'absence de contact entre le public et les artistes, les difficultés de l'édition sont en quelque sorte des thèmes classiques de la vie intellectuelle romande.

Mais, dans les dernières décennies, les réactions contraires se sont précisées. Le critique et romancier Jean Vuilleumier écrit, en 1965: «Il n'y a pas de fatalité. La névrose d'échec, la solitude, la fuite dans le 'paysage' qui caractérisent au premier abord la littérature de Suisse française ne relèvent d'aucune prédestination. Un jour viendra où l'industrialisation qui métamorphose le pays se reflétera dans les livres qui s'y élaborent...»[8]

Le public de la littérature romande est restreint. La population des cantons et régions d'expression française s'élève à environ un million d'habitants. Une vie littéraire propre n'existe guère que dans les villes de Genève et Lausanne. Traditionnellement elle est le fait d'une mince couche de la population de culture essentiellement universitaire, bourgeoise, libérale; à quoi s'ajoute plus récemment une jeunesse estudiantine issue de cette classe libérale (et qui a des chances d'y retourner), professant des idées de gauche, parfois marxistes, et ouverte à la critique sociale. Il y a beaucoup de tentatives, qui çà et là réussissent, dans le domaine de l'animation littéraire et culturelle; mais dans l'ensemble la population industrielle et paysanne ne s'intéresse que rarement à la littérature de qualité, ce qui n'est certes pas un trait particulier à la Suisse romande. Les auteurs romands ont parfois, aux yeux de la jeunesse, un parfum de province. Lors d'un débat sur la lecture, une écolière, un gymnasien et un apprenti de Genève ont unanimement affirmé qu'on lisait à peine les écrivains du pays; le gymnasien précisait: «Leurs livres ne soulèvent pas de problèmes fondamentaux»[9]. Mentionnons tout de même ici une différence entre Genève d'une part, et Vaud, ou plus récemment le Valais et le Jura, où la conscience de l'autonomie littéraire semble plus forte.

Que des structures littéraires aient pu se développer dans un terreau aussi défavorable, voilà déjà un petit miracle: c'est un étonnant tour de force. Ces structures existent donc, et se renforcent, malgré toutes sortes de difficultés. D'abord l'édition. En 1969 parurent en Suisse française 346 titres relevant des belles-lettres, et 53 titres de critique littéraire ou de linguistique; le nombre total des livres parus dans tous les domaines s'élevait à 1341[10]. C'est à Lausanne que se concentre une activité d'édition d'un haut niveau; Henry-Louis Mermod, l'éditeur de Ramuz, était un homme d'une culture rare et d'un prestige littéraire international. A côté de maisons comme Payot et

VLADIMIR DIMITRIJEVIC (ÉDITIONS L'ÂGE D'HOMME)

PIERRE-B. DE MURALT (ÉDITIONS RENCONTRE)

HERMANN HAUSER (ÉDITIONS DE LA BACONNIÈRE)

EORGES ANEX

FRANCK JOTTERAND

HENRI-CHARLES TAUXE

NEST DUTOIT

RÉDACTION DU «SAMEDI LITTÉRAIRE» AU JOURNAL DE GENÈVE: JEAN-CLAUDE POULIN ET ISABELLE MARTIN.

L'Age d'Homme (où, à côté des auteurs romands, paraissent de nombreux livres slaves), on a vu naître deux grands clubs de livres dont les membres étaient nombreux hors de Suisse. La Guilde du Livre, fondée en 1936, fut longtemps une sorte de port d'attache pour quelques-uns des meilleurs auteurs romands. Le géant de l'édition, Rencontre, issu de débuts modestes, fonda la coopérative autonome L'Aire qui, après la maison mère, continua à publier de nouvelles œuvres romandes et des «classiques» contemporains (ainsi les romans de Catherine Colomb, les traductions d'André Bonnard); le déclin des Editions Rencontre, survenu au début des années septante, avec le départ de Pierre-B. de Muralt, mit fin à une activité souvent débordante. Un franc-tireur, Bertil Galland, fit de la série des *Cahiers de la Renaissance vaudoise* un important podium littéraire, puis créa sa propre maison d'édition. Des séries de livres comme *Le Livre du Mois* et la *Bibliothèque romande* ont rassemblé, dans des présentations homogènes, un corpus de la tradition littéraire romande du XVIe siècle à nos jours. A Boudry, près de Neuchâtel, Hermann Hauser réalise depuis des dizaines d'années un programme important, à La Baconnière: il publia notamment pendant la guerre, dans les *Cahiers du Rhône*, de nombreux auteurs français. Les tirages des nouveautés littéraires atteignent en général des chiffres situés entre 500 et 3000 exemplaires: à noter qu'à Paris, malgré un public environ cinquante fois supérieur, le tirage des écrivains débutants est à peine plus élevé. La Suisse romande a même vécu récemment la promotion de quelques best-sellers de qualité, par exemple le *Portrait des Vaudois* de Chessex. Incontestablement, il existe aujourd'hui pour l'auteur romand (et même occasionnellement pour le français) une autre solution que celle, traditionnelle, de *publier à Paris*, et qui n'a plus guère d'arrière-goût provincial.

«La vraie province est celle qui est incapable d'exprimer un jugement littéraire de poids sur un auteur nouveau»[11], affirmait Galland en 1966. Il mentionnait les quelque dix journaux grâce à qui se manifestait la ferme volonté de servir la littérature par la critique. Il est vrai que ces critiques, comme Georges Anex, Ernest Dutoit, Charles Beuchat, Roger-Louis Junod, Henri-Charles Tauxe, Doris Jakubec, Richard Garzarolli, ou naguère Georges Nicole et Alfred Wild, ont fait honneur à leur tâche — la plupart travaillant en dehors de leur activité professionnelle principale: il s'est ainsi établi un dialogue critique d'un bon niveau. Et si les revues littéraires, à commencer par *Présence* et *Rencontre*, en passant par *Labyrinthe, Domaine suisse, Pays du Lac*, jusqu'aux tentatives les plus récentes, ont presque toujours une courte existence, on a vu cependant plusieurs bons suppléments littéraires aux quotidiens, qui se sont maintenus depuis des années, malgré des tassements et des remaniements. C'est notamment encore le cas du «Samedi littéraire» du *Journal de Genève*, dirigé par Isabelle Martin, alors que l'excellente *Gazette littéraire*, jadis animée par Franck Jotterand, a cessé de mener une existence indépendante. Les pages littéraires de quotidiens tels que *24 Heures* ou d'hebdomadaires tels que *Coopération* ou *Construire* ne suppléent que partiellement à une telle lacune. La crise de la presse a eu pour effet, dans les années septante, de réduire, parfois brutalement, l'espace qui était consacré aux rubriques culturelles et notamment à la critique littéraire. Il subsiste néanmoins une revue littéraire annuelle, *Ecriture*, qui paraît depuis 1964 à Lausanne et maintenant à Vevey, et l'excellente *Revue de Belles-Lettres*, rédigée tour à tour à Lausanne et à Genève. N'oublions pas non plus les émissions littéraires de la Radio suisse romande, tout particulièrement la «Librairie des Ondes» de Gérard Valbert, ainsi que les contributions d'Yvette Z'Graggen. Les émissions littéraires de la télévision ne semblent pas avoir trouvé l'approbation de la plupart des écrivains, lecteurs et éditeurs de ce pays. Un signe, et non le moindre, qu'on prend au sérieux les productions autochtones: l'existence depuis 1965 à l'Université de Lausanne du Centre de recherche sur les lettres romandes dirigé par Gilbert Guisan.

Il ne manque certes pas de difficultés, d'insuffisances, de lacunes, aujourd'hui comme hier. Pourtant nous avons atteint un «point de non-retour», si l'on se réfère à ce qui s'est passé durant les cinquante dernières années.

II
UN RENOUVELLEMENT, UN HÉRITAGE

L'histoire de la littérature romande du XXe siècle commence par un courant de renouvellement qui détermine à divers points de vue le début d'une littérature autonome et moderne: c'est la «Renaissance des lettres romandes». Même la période qui suit 1945 reste marquée par cet élan. Dans le souvenir d'un des principaux acteurs, Gonzague de Reynold, cela sonne presque comme un conte: «En été 1904, six jeunes écrivains se rencontrèrent et se conjurèrent pour le renouvellement et l'illustration de la littérature romande. Ils se nommaient: Ramuz, Alexandre et Charles-Albert Cingria, Adrien Bovy, Henry Spiess et le nommé Reynold...»[1] Gilbert Guisan, qui a rassemblé les documents biographiques, sociaux et historiques se rapportant à la naissance et à la réalisation de l'œuvre de Ramuz, parle du long et dur combat qui avait alors commencé en Suisse romande pour façonner une nouvelle conception artistique[2]. Reynold le confirme: «Nous étions très différents les uns des autres. Mais nous avions une idée commune, une idée de bataille: nous en avions assez de la médiocrité qui flottait à ras le sol sur une Suisse romande endormie; nous en avions assez d'une littérature bien-pensante et mal pensée...»[3]

Le chemin passa d'abord par la création de la revue *La Voile latine*. Aux personnages déjà mentionnés s'ajoutèrent Robert de Traz et d'autres. Un conflit éclata quelques années avant la première guerre

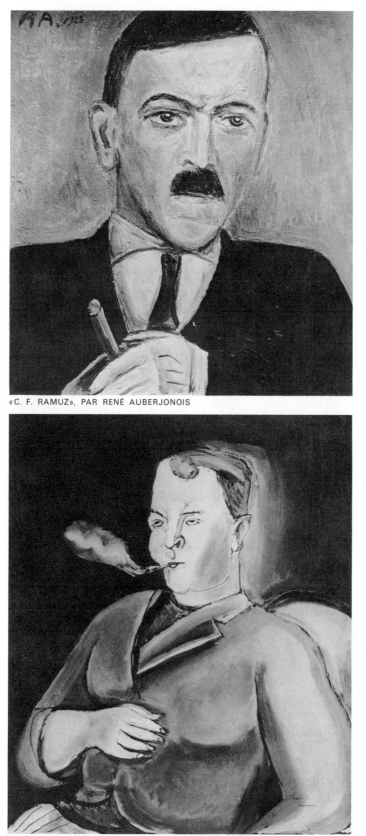

«C. F. RAMUZ», PAR RENÉ AUBERJONOIS

«CHARLES-ALBERT CINGRIA», PAR RENÉ AUBERJONOIS

mondiale entre les esprits orientés vers une conception «nationale» de la culture, vers l'helvétisme, et les «latins», avec Cingria, les auteurs «vaudois» mettant l'accent sur la définition de leur propre identité culturelle et linguistique: c'est en 1914 que sont nés avec Paul Budry et Edmond Gilliard, les *Cahiers Vaudois*, où le programme de ces derniers trouva en même temps sa formation et sa première manifestation littéraire.

L'œuvre de Charles Ferdinand Ramuz (1878-1947) est l'expression littéraire concrète de ce que revendiquait la génération des *Cahiers Vaudois*[4]. La physionomie de cette œuvre et de son créateur se trouve dans une relation précise avec le développement de la littérature romande. Werner Günther parle de la saisissante transformation qu'elle a opérée: «La province située au-delà des frontières françaises est devenue consciente de sa propre force, elle a gagné une identité et une indépendance, dans le domaine artistique, qu'elle n'avait pas auparavant. Cette transformation est indéniablement et principalement l'œuvre de Ramuz. L'idée naquit très tôt.»[5] Et il cite la phrase de Gilliard, parue en 1913 déjà dans *La Bibliothèque universelle*: «On pourra dire: la littérature romande, ou, si vous voulez, la littérature vaudoise d'avant M. Ramuz et la littérature vaudoise d'après M. Ramuz.»[6] Elisabeth Brock-Sulzer écrit de son côté: «La Suisse romande intellectuelle doit à Ramuz d'avoir regagné le sentiment de sa dignité.»[7] Cette singulière fonction sociale ne compensa nullement d'ailleurs la solitude de l'existence de Ramuz, son caractère exclusif, partial, obstiné, qui définirent avant tant de violence ses prises de position culturelles et politiques. Ramuz pouvait, entre autres raisons, devenir le représentant le plus «complet» de la nouvelle littérature romande, parce qu'il incarnait aussi personnellement les vieux thèmes, les habitudes de l'esprit romand; il en donnait une vision poétique et typée: c'est l'isolement de l'intellectuel, c'est le *Besoin de Grandeur*, c'est *Une Province qui n'en est pas une*; c'est *La Séparation des Races* — volonté critique de se distancer de la majorité alémanique de la Confédération, ou encore l'appel à une justification existentielle, artistique, spirituelle, à un sens de la vie: *Raison d'être*. C'est à ces notions que tient la mise en œuvre, dans ses romans, des paysans et des vignerons vaudois ou valaisans (au sujet de qui sont nés d'innombrables malentendus), à cela tient aussi ce qu'il appelle, dans une note de son journal, en 1946, le «magnifique grand style paysan». Que Ramuz soit devenu ce qu'il est, ce qu'il reste aujour-d'hui, il le doit certes à son génie, chose impondérable, mais il le doit aussi à des traits de caractère, comme la volonté et la patience dont parlent Albert Béguin[8] et Gilbert Guisan[9], à l'opiniâtreté avec laquelle il a suivi sa voie et assumé la création d'une forme, d'une écriture foncièrement originales. Il n'était ni un artiste naïf ni un écrivain paysan. Sa préoccupation fondamentale était une esthétique orientée vers une simplicité travaillée et l'idée de l'élémentaire créé avec tous les moyens de l'intelligence artistique: Ramuz est le premier écrivain total de la Suisse française, et comme tel il est irremplaçable.

Reste la question de savoir à quel point son art vaut comme modèle pour les générations suivantes. Ramuz est mort en 1947, à 68 ans; son œuvre se termine pratiquement avec la deuxième guerre mondiale. L'édition complète que Mermod fit de ses œuvres en 1940-1941 a été republiée, avec les compléments de 1954, en vingt volumes, facilement accessibles; «Vingt ans ont passé, écrivait en 1967 Daniel Simond dans l'introduction de cette édition commémorative; l'arbre est là devant nous. Jamais vœu ne connut plus noble accomplissement»[10]. Il ne manque pas non plus d'éditions isolées; le Livre de Poche a même publié récemment quelques-uns de ses romans les plus connus. Mais une enquête dans trois classes gymnasiales du canton de Vaud fait douter «que la jeunesse du Pays vaudois reconnaisse encore pour sienne la langue de l'écrivain», selon Jeanlouis Cornuz[11]. Sur Ramuz, Yves Velan écrit: «Qu'est-ce que je lui dois? Rien. Qu'une manière de s'obstiner»[12]. Cependant Alice Rivaz trouve en lui un précurseur du style du roman moderne, qui n'est pas encore pleinement réalisé dans ce pays: «Ecritures inspirées du langage parlé, du langage murmuré, chuchoté, rêvé, du langage à peine formulé»[13]. Et Jacques Chessex voit en lui, hier comme aujourd'hui, le poète de l'élémentaire et de l'universel[14]. Sans doute avons-nous besoin de corriger l'image que nous nous faisons de l'œuvre de Ramuz, reposant schématiquement sur l'évocation de la campagne; il faut pénétrer sa modernité, l'engagement dans l'avant-garde d'un écrivain qui créa avec Stravinsky *L'Histoire du Soldat*, en 1918; et ainsi on peut mieux éprouver son influence. Un point semble acquis: un quart de siècle après sa mort, Ramuz est devenu un classique, avec tout ce que cela peut avoir de solide, mais aussi d'ambigu, lorsqu'il s'agit d'un tel écrivain.

Edmond Gilliard

Le compagnon de route de Ramuz, Edmond Gilliard, né en 1875, au caractère entier, obstiné, a pris part à la vie intellectuelle romande d'une manière tout autre; il a écrit, il a parlé avec un détachement et une distance critiques. Il est mort à Lausanne le 11 mars 1969, à l'âge vénérable de 93 ans. Et, pour finir, le non-conformiste qu'il avait été toute sa vie avait presque pris les traits du patriarche de la littérature. En 1964, il avait reçu le premier Prix culturel de la Ville de Lausanne. Auparavant, d'avril à juin 1958, il avait eu avec Georges Anex une série d'entretiens à la Radio romande (qui furent d'ailleurs publiés aux Trois Collines en 1960 et font partie des documents importants sur la vie intellectuelle romande au XXe siècle)[15]. En 1965 paraissaient ses *Œuvres complètes*[16] en un volume tiré sur papier bible, à l'occasion de son nonantième anniversaire. En 1967, encore, Gilliard avait été nommé par la France officier de la Légion d'honneur... On voyait dans ces honneurs comme une manière de le mettre en effigie. On pensait au couronnement poétique de Voltaire: sur scène, la statue de l'écrivain est couronnée, et lui, le vieil homme, est assis au milieu du public, il regarde. Cela ne convenait pas trop mal à Gilliard, honoré comme vieillard par la société qui l'avait condamné jeune homme. Voltaire-Gilliard! Le Vaudois était aussi une Lumière, à sa manière. Il lutta contre les préjugés, contre l'obscurantisme, contre tout ce qui était figé, embourbé, dans la vie, dans la pensée. Il était tout entier du côté de l'homme, du présent. La vie était tout pour lui, au-delà il n'y avait rien. Il s'est fait une propre mystique de ses expériences existentielles et spirituelles: *La Dramatique du Moi* (1936-1940), c'est le moi sur l'éternel chemin menant vers sa propre identité. Il tenait Rousseau et Alexandre Vinet pour des modèles et des adversaires. Son art de parler et d'écrire était tantôt un monologue passionné, abîmé en soi, tantôt un dialogue, non moins passionné dans son agressivité intellectuelle.

Siegfried Lang écrivit un jour sur Gilliard qu'il avait interprété d'une manière si convaincante l'âme de son pays et l'existence de ses habitants qu'il était devenu quelque chose comme le phare ou la conscience des jeunes intellectuels vaudois[17]. En 1926, Gilliard publia le livre *Du Pouvoir des Vaudois*: c'est le manifeste de la prise de conscience d'une génération littéraire qui découvrait dans le régionalisme l'universalité de l'esprit et dans la revendication du particularisme culturel ce que Gilliard appelait la «force de création française», en opposition à la simple «littérature patriotique». Ce ne fut certes pas l'unique mérite de Gilliard, ni le principal, mais il a trouvé le mot juste au moment où l'idée était dans l'air au Pays de Vaud. Le programme du *Pouvoir des Vaudois* s'étayait d'ailleurs sur celui des *Cahiers Vaudois* que Gilliard avait fondés avec Budry en 1914.

Gilliard a enseigné au collège, puis au Gymnase de Lausanne (sans d'ailleurs jamais y être nommé à titre définitif). Son influence comme maître fut extraordinaire. D'après les témoignages unanimes de ses élèves, on apprenait chez lui le courage de penser d'une manière propre — le courage d'être soi-même. Gilliard a aussi prononcé des conférences, publié des articles, fondé, dirigé des maisons d'éditions et des publications, enfin rédigé sa propre œuvre d'écrivain qui se trouve à la frontière de la métaphysique et de la prose lyrique. La forme qui lui convient le mieux est le journal: *Journal I* (1945), *Journal II* (1952), *Outre-Journal* (1953), *Supplément au Journal* (1965). Ses autres œuvres, philosophiques, poétiques ou critiques, ont aussi, au fond, un caractère de journal. Un écrit tardif, paru en 1963, s'intitule *Tout-y-va*. Si l'on parcourt l'édition complète des œuvres de Gilliard, ce tout-y-va sonne juste: parfois on a l'impression d'une abondance, d'une plénitude confuse, bariolée. En certaines pages il devient insupportable de devoir écouter les rhapsodies de ce moi qui se cherche et se célèbre inlassablement. Mais l'essentiel, chez Edmond Gilliard, se situe plus haut: c'est la profession de l'authenticité d'une démarche. C'est le langage, reconnu comme chez les surréalistes, dans sa force créatrice autonome.

Jusqu'à une époque récente Charles-Albert Cingria (1883-1954) n'était guère plus prisé qu'un «clandestin» parmi les écrivains et les lecteurs. L'histoire officielle de la littérature l'avait tout au plus mentionné comme un collaborateur un peu bizarre des *Cahiers Vaudois*; en 1958 dans ses *Quatre Littératures de la Suisse*[18] Calgari ne lui consacrait qu'une ligne et demie, qu'il devait encore partager avec son frère Alexandre le peintre. L'écrivain, mort en 1954, était un peu responsable de ce manque de considération; il ne s'était soucié ni de sa réputation immédiate ni de sa gloire future, il n'avait réuni qu'une petite partie de ses écrits dans des livres — en des éditions difficilement accessibles d'ailleurs; la plupart de ses textes étaient disséminés dans des journaux et des périodiques. D'un autre côté, des hommes comme Paulhan, Claudel, Jouhandeau, Etiemble, Cocteau l'esti-

maient comme un artiste de haute volée, comme un maître à l'observation aiguë, comme un lecteur d'une érudition alexandrine[19]. Cingria avait la passion de la recherche, de la collection, il chassait les
trésors: c'était un chroniqueur à qui l'espace et le temps étaient
ouverts; il faisait étinceler l'abondance de cet univers multicolore
dans toutes les facettes de sa prose ciselée. L'artifice, au sens même
du maniérisme, est manifeste chez lui. Ses œuvres contiennent certes
des passages de pure description, réaliste et objective — paysages,
maisons, hommes, animaux, machines — mais ces pages sont enro-
bées dans un contexte de références érudites, de digressions philosophiques, de discours détaillés, de miroitantes figures de style.

Ses écrits sont au fond une série de souvenirs et de références d'un
égotisme tout stendhalien, fier de sa culture et heureux du plaisir de
sa formulation. Qu'il ait aussi écrit quelques récits «purs» et des
traités d'histoire culturelle ne change pas grand-chose à l'affaire.
Jacques Chessex a pu dire de lui qu'il était un écrivain secret qui
échappait à toute saisie parce qu'il ne s'était jamais livré[20]. Cela
correspond au caractère discret, pour ainsi dire souterrain de
l'influence qui a émané de lui jusqu'à maintenant. (Chessex lui-même
est un exemple de cette influence.) Un critique pouvait récemment
caractériser, mi-sérieux, mi-plaisantin, Ramuz et Cingria comme les
Goethe et Schiller de la littérature romande. La position de Cingria
(même si les hommes ne se ressemblent pas du tout) est ainsi fort
bien indiquée, ainsi qu'on s'en aperçoit toujours mieux depuis sa
mort. A la fin des années soixante parut une édition complète qui
avait longtemps fait défaut: dix volumes généreusement imprimés,
dont les trois quarts environ étaient inédits — des textes jamais
publiés en volume, une abondance d'esquisses en prose, de chroniques, d'essais, de feuilletons, d'histoires, d'études. A côté des
œuvres de Ramuz et de Gilliard, les écrits de Cingria marquent une
nouvelle étape dans l'inventaire de cette renaissance littéraire qui
représente pour nous à la fois la tradition et l'initiation à une littérature contemporaine.

Cingria était cosmopolite, d'une tout autre manière que Ramuz:
«Je ne suis même pas Suisse. Je suis Constantinopolitain, c'est-à-dire
Italo-franc-levantin.» Son père était un Dalmate établi à Genève.
Charles-Albert passa une partie de sa vie en route, toujours en
voyage, quelque temps à Paris, puis de nouveau en Suisse. Il tirait

ses références esthétiques de la littérature mondiale a priori ; il disait de la littérature romande que, à l'exception de Ramuz, elle était «fort médiocre»[21]. En contrepartie, il pouvait s'enthousiasmer pour les dialectes suisses allemands, comme il aimait d'ailleurs tout ce qui était primitif, resté authentique. Il mettait très haut le respect de la tradition : la langue (sa langue maternelle française) représentait pour lui l'instrument de cette tradition, et se trouvait investie de composantes mythiques, religieuses. La «nation» joua aussi un rôle, du moins épisodiquement à ses yeux, à l'époque du nationalisme intégral de Charles Maurras, dont l'influence sur l'intelligentsia romande de l'entre-deux-guerres fut de toute manière très importante. Mais évidemment, il s'est aussi très tôt moqué des partisans romands de l'Action française et a attaqué ces «néo-réactionnaires venus trop tard». C'est que Charles-Albert n'était pas un idéologue ; c'était un «inconfortable», un indépendant. Il possédait de vives antennes pour percevoir le présent ; le monde technique, l'art de l'avant-garde ne lui étaient nullement indifférents ; il pouvait considérer une machine avec le même intérêt qu'une église romane, et il écrivait déjà en 1930 un texte sur Alberto Giacometti, qui était alors à peu près inconnu. Il pouvait prendre position pour ou contre son époque — mais il le faisait toujours en indépendant, en marginal, comme commentateur critique et poétique — ainsi ce fut une chronique du monde et des êtres qu'il donna à la *Nouvelle Revue Française*, pendant des années, dans la rubrique «L'Air du Mois», pour ainsi dire en marge des grands textes littéraires et critiques.

Un pur conservateur, donc, mais non un réactionnaire. Son traditionalisme n'a rien à faire avec la mesquinerie, l'étroitesse ; il est clair, ouvert au monde, aimable, intelligent. Ainsi qu'il le décrit dans un morceau de prose contant la recherche d'un cours d'eau souterrain recouvert par une ville en expansion, il chercha dans le passé le symbole d'une universalité permanente. Le moyen âge catholique (qu'il présenta, entre autres, dans un grand livre sur la culture de l'abbaye de Saint-Gall), la philosophie thomiste, le Royaume de Bourgogne disparu de la reine Berthe, dont il trouva des traces dans l'abbatiale de Payerne, étaient pour lui des symboles. Il a aussi cheminé sur sa propre voie comme artisan de la langue, il s'est créé un style très personnel dans l'expérience et la réflexion sur les choses : un style tantôt vif, ironique, polémique, tantôt solennellement pompeux, précieux — typique, par exemple, l'emploi du mot *pyroscaphe* au lieu du vulgaire *bateau à vapeur*! Chessex l'a appelé un poète-chroniqueur. La littérature française lui doit une nouvelle forme de prose réfléchie et poétique. La Suisse lui doit une nouvelle dimension de son univers intellectuel.

Ce renouvellement littéraire et son héritage sont d'ailleurs toujours un thème d'actualité dans la littérature des derniers trente ans. La génération des *Cahiers Vaudois* demeure présente grâce à ses œuvres. Un de ses plus jeunes représentants d'alors, Gustave Roud (1897-1976), travailla avec une force intérieure continue; son influence fut et demeure considérable. Les filiations entre générations anciennes et nouvelles sont souvent vigoureuses. Ramuz fut attentif aux débuts littéraires d'un Maurice Chappaz. Ramuz, Gilliard et Cingria sont d'une certaine manière restés ou redevenus actuels. Il est vrai que d'autres auteurs, comme le poète Henry Spiess, mort en 1940, n'appartiennent plus qu'à l'histoire de la littérature. En va-t-il

SOIXANTIÈME ANNIVERSAIRE DE PAUL BUDRY (1943): EDMOND GILLIARD, BUDRY, RAMUZ, ÉLIE GAGNEBIN, FLORIAN DELHORBE, FRÉDÉRIC GILLIARD

de même du cofondateur des *Cahiers Vaudois*, Paul Budry (1883-1949)? Chroniqueur de voyages, rédacteur de tableaux historiques d'une grande fantaisie baroque (*Le Hardi chez les Vaudois*, 1928), il semble, depuis sa mort, tombé dans l'oubli d'où Chessex, Borgeaud et quelques autres tentent de le sortir en nous invitant à «retrouver Budry»[22].

Il y a enfin des découvertes tardives, tels les écrits du peintre vaudois René Auberjonois (1872-1957), dont on savait qu'il était un peintre et dessinateur remarquable, ami de route des Ramuz, Cingria, Stravinsky — bref l'une des figures dominantes de la renaissance artistique des bords du Léman — mais qu'on apprit à connaître sous un jour nouveau en 1972, lors de la publication d'un volume de choix de *Lettres et Souvenirs* révélant un talent d'écrivain[23].

Par leur originalité, leur mise en œuvre, leur érudition, leur profondeur un peu curieuse qui ornent le style d'Auberjonois, ces lettres et ces mémoires ont leur place dans l'histoire de la littérature européenne du moi, ainsi, bien sûr, que dans l'histoire de la culture suisse de ce siècle. Les textes sortent du cadre des communications privées et professionnelles, ils projettent des vues vivantes sur les relations en Suisse française avant et après la deuxième guerre mondiale. Maints propos pourraient être de nature à démentir d'éventuelles illusions sur le caractère «populaire», collectif du renouvellement vaudois. On se rend compte qu'il s'agit en définitive d'un travail accompli par un petit nombre d'individus qui avaient à s'imposer face à l'indifférence ou même à l'hostilité de leurs contemporains. «Mon seul mérite à moi c'est d'avoir pu résister pendant quarante ans à cette atmosphère débilitante d'un pays où l'art est jugé comme un luxe», écrivait Auberjonois en juin 1953, près de quarante ans après que la première guerre mondiale l'eut forcé à quitter Paris. Il l'écrit sans amertume, soulignant avec reconnaissance, au contraire, l'appréciation et l'encouragement qu'il rencontrait en Suisse alémanique. Vers la fin de sa vie, son intérêt pour le public diminua constamment. Silencieux, avec sa simplicité propre, il se sépara du monde environnant: «Je ne veux absolument rien garder», écrit-il dans un de ses derniers souvenirs, le 2 mai 1955.

III
FRIBOURG:
CONSERVATISME
ET CATHOLICITÉ

Dans l'avant-dernier chapitre de *Mes Mémoires* qu'il a publiés de 1960 à 1963, Gonzague de Reynold (1880-1970) a écrit qu'il avait chaque fois ressenti une subite excitation, en revenant à Fribourg, à la vue de la haute tour de la Cathédrale consacrée à saint Nicolas, entre les branches de grands arbres : il avait en effet en face de lui la cellule initiale de sa citoyenneté, « le générateur de la ville et notre lieu sacré »[1]. Comme nul autre, Reynold a incarné l'esprit fribourgeois conservateur et catholique, francophone et helvétique — un « homme de lettres », un érudit, moins certes un artiste aspirant à une nouvelle réalisation dans le champ d'action de la langue qu'un conservateur ; un traditionaliste plus qu'un critique — bien que la raillerie et l'ironie ne lui fussent pas étrangères. La vieille lignée, noble et fière, des Reynold est originaire de Fribourg et de Cressier, village fribourgeois situé à la frontière exacte entre l'allemand et le français : le château familial de Cressier, avec son coup d'œil sur les tombeaux des aïeux, fut pour l'écrivain, durant toute sa vie, une charnière entre deux mondes. Dans son livre *Cités et Pays suisses* (1914-1920) Reynold a décrit Fribourg et la campagne fribourgeoise tels qu'il les voyait : au bout de la plaine Avenches, la vieille capitale de l'Helvétie, incarnation du monde latin, et pourtant, non loin, les derniers restes de l'immense forêt germanique ; là, les colonnes des temples romains, au milieu des champs, ici le bois sacré de chênes —

26

et dans ses souvenirs, écrit-il, les vers de Virgile répondaient aux strophes des Nibelungen, les odes homériques aux paroles des Eddas. Dans ce paysage, dans la Nuithonie, «obscure frontière des deux Empires», ainsi qu'il la nommait, commença et finit sa carrière, celle d'un homme travaillant dans la tranquillité de son cabinet, construisant son œuvre comme la demeure de la tradition[2].

Reynold était une personnalité publique, en tant qu'écrivain, professeur et politicien, et il jouait très consciemment ce rôle. Professeur de littérature française à l'Université de Berne, et plus tard professeur d'histoire de la civilisation à l'Université de Fribourg, cofondateur de *La Voile latine*, revue qui conduisit la littérature romande vers un renouveau, puis cofondateur de la Nouvelle Société helvétique, qui, en des temps difficiles, aspira à une nouvelle prise de conscience commune des Suisses, membre de la délégation suisse à la Société des Nations, Reynold s'est illustré encore dans bien d'autres activités. Cependant la notion de cité resta toujours pour lui le fondement de la civilisation. Il développa son interprétation de l'Etat confédéral à partir d'elle, et plus loin encore celle de l'Europe, ainsi qu'il le montre dans sa principale œuvre historique *La Formation de l'Europe* (1944-1957). Reynold exposa ses premières vues dans des poèmes patriotiques et lyriques de jeunesse et dans une grande étude sur la littérature suisse au XVIIIe siècle[3]. De la définition de l'esprit suisse, tel qu'il le trouva dans la littérature de l'helvétisme, son chemin le conduisit au plus grand problème de l'esprit européen. Comme pour lui la question de la civilisation passait avant l'esthétique, le poète, le spécialiste de la littérature devint un historien de la civilisation. Jusqu'à la fin de sa vie, son intérêt pour les questions publiques est resté en éveil: il chercha encore en 1968 à interpréter le séparatisme jurassien d'un point de vue historique[4].

On ne peut comprendre l'Europe sans avoir compris le Saint Empire romain germanique, écrivit-il un jour. Le vieil empire était pour lui le modèle de l'universalité, avant tous les nationalismes et au-delà d'eux. Comme sa patrie fribourgeoise, cet empire est en même temps allemand et roman. Il est aussi saint. La superstructure de l'univers de Reynold naît de la synthèse de l'héritage antique avec le message chrétien transmis par l'Eglise catholique. Le dernier volume de son histoire de la civilisation s'intitule *Le Toit chrétien* (1957); il s'en dégage deux perspectives: la première sur l'Europe, la

27

seconde sur la Suisse. Car dans sa structure fédéraliste la Confédération incarne pour lui l'actualité de la vieille idée de l'Empire, c'est la diversité dans l'unité: un de ses nombreux livres s'appelle précisément *La Suisse une et diverse* (1922)[5].

La conception du monde du patriarche fribourgeois s'élabore à partir de trois cercles concentriques: la ville-patrie, la Confédération, l'Europe chrétienne. Mais cette image idéale, presque médiévale, fermée, n'est-elle pas un anachronisme? On peut poser la question plus directement encore: Reynold a-t-il toujours eu une vue claire de la réalité, du présent, du monde dans lequel nous vivons? Il y a des indices qui prouvent que ce n'était pas toujours le cas. Ses paroles ambiguës (du moins pour celui qui essaie de comprendre) sur le nouvel ordre politique, dont il usa au temps des victoires de Hitler, sa prise de position en faveur du despotisme patriarcal d'un Salazar, son refus de la Révolution française, et, avec elle, de l'émancipation de la bourgeoisie sont autant d'indices. Ils dénotent vraisemblablement, non pas tant les faiblesses isolées d'une œuvre imposante en dépit de tout, mais bien plutôt quelque chose d'essentiel, c'est-à-dire le caractère utopique d'une vision et d'un caractère orientés vers le passé, d'une conception du monde étroitement conservatrice; avec cela un dédain croissant vis-à-vis de l'évolution historique.

Reynold était, de par son origine sociale et sa tournure d'esprit, un aristocrate, mais aussi un parent de la droite européenne, dans le cercle français d'un Barrès, d'un Maurras et de leurs successeurs, qui se sont en partie compromis avec un antisémitisme agressif, avec cette «révolution conservatrice» où la réaction entre en collusion avec le fascisme. Il se garda de telles exagérations grâce à son orientation cléricale et catholique accentuée, à son intelligence naturelle et à son sens du fédéralisme. On peut dire qu'il représente une forme typiquement suisse de mesure dans les tendances de la droite européenne, une forme où l'emportent les éléments positifs: attachement à la patrie et à la neutralité, foi profonde, conscience de la tradition. Peut-être une telle synthèse ne pouvait-elle naître que sur le sol fribourgeois, relativement peu marqué par le libéralisme bourgeois et le mouvement ouvrier.

A la ville de Fribourg il faut ajouter un arrière-pays agricole qui s'étend des lacs de Neuchâtel et de Morat jusqu'aux Alpes. En Reynold (et aussi, dans une mesure moindre, en René de Weck, diplomate mort en 1950) l'aristocratie de la ville, classe sociale largement ouverte au monde grâce à l'Université catholique internationale, a possédé et possède ses représentants les plus éminents. Des auteurs «mineurs» comme Auguste Overney (*1899), Eric E. Thilo (*1908), ainsi que la plupart des poètes et écrivains réunis dans la Société des écrivains fribourgeois et dans l'«Institut fribourgeois» apparaissent pour ainsi dire comme les variations d'un thème. Ce que Zermatten a dit de Reynold, que «l'esprit et le cœur, l'érudition et l'accord intime avec les forces de la terre et de l'histoire se sont trouvés étroitement liés»[6], est aussi caractéristique de leurs aspirations littéraires — parfois non sans une certaine pose.

Cependant le monde paysan primitif de l'époque préindustrielle arrivé presque à l'instant de sa disparition, a trouvé une expression d'une originalité inattendue, parce que directe, dans les mémoires d'Alexis Peiry (1905-1968). Peiry est né dans une famille de paysans montagnards des Préalpes de la Gruyère. Comme Reynold il fréquenta le Collège Saint-Michel, de Fribourg, riche en traditions, car on le destinait à la prêtrise. Il devint plus tard maître au Collège de Saint-Maurice en Valais. En 1941 il abandonna les ordres et vécut comme professeur de langue à Lausanne. Publié à titre posthume, son livre *L'Or du Pauvre* est la première partie de ses mémoires restés incomplets. Peiry y décrit ses années d'enfance et de jeunesse, ses privations, ses joies, dans une société paysanne encore totalement fermée sur elle-même, autochtone, primitive. La dénonciation ou la revendication sociales sont absentes; c'est l'histoire d'une découverte du monde, racontée avec une sensibilité sans fard, souvent presque avec des mots d'enfant, mais sans trace non plus de sentimentalité, comme il s'en trouve si souvent dans la «littérature campagnarde»; c'est exact, parfois d'une impitoyable précision dans l'évocation de l'obscurité, de la pesanteur, de la menace. Claude Mettra reconnaît justement dans ce livre «cette émotion quasi exotique qui habite les grands documents de l'ethnographie moderne, ceux qui nous révèlent l'homme dans sa nudité primordiale, dans son expression la plus matérielle»[7]. Ici nous n'avons pas affaire au folklore, mais à la réalité quotidienne de cette «Suisse primitive» paysanne, qui existe encore aujourd'hui à l'état de survivance. L'image d'un Fribourg aristocratique, urbain, incarnée par Reynold et consacrée par l'histoire de la littérature, connaît en Peiry son complément

contradictoire qui ne va certes pas à l'encontre de la ville conservatrice et catholique, mais ouvre des perspectives complètement autres
sur le plan social et psychologique.

Un cas particulier de la littérature fribourgeoise, qui est en même
temps l'exemple du fait que le «sentiment régional» n'est pas forcément fonction du lieu de naissance ou d'origine, nous est donné par
Léon Savary, originaire du Jura neuchâtelois (1905-1968). Cet écrivain a très fortement éprouvé l'empreinte du Collège Saint-Michel et
de l'Université de Fribourg. Il s'est détourné du protestantisme
romand de tradition calviniste et s'est converti au catholicisme. Fribourg lui apparut comme le symbole de la catholicité et de la latinité
opposées aux défauts de caractère des Suisses, à leur étroitesse
d'esprit, à leur perte de sensualité. «Ce Fribourg-là donne à ceux qui
l'ont connu durable nostalgie. C'est lui qui ouvre à nos pauvres
esprits de Suisses romands que desséchèrent quatre siècles de prêchi-
prêcha, d'amour de la laideur, de mépris des sens, la route éblouissante qui descend vers le sud, vers l'Italie, vers Rome»[8]. Savary a
nommé Fribourg «une cité de rêve». Le journaliste, le «polémiste
redoutable et redouté»[9] qu'il était aussi s'est créé une patrie spirituelle grâce à une telle vision. Mais la cité de rêve commence à se
tourner vers la réalité d'aujourd'hui. Fribourg a une merveilleuse
architecture et la gardera, espérons-le, mais les alentours s'industria-
lisent. Le vieux pays est gagné par une nouvelle inquiétude, il
s'agite. L'Université, le clergé, la littérature et l'art ne sont pas épar-
gnés. Pendant l'Exposition nationale, le Fribourgeois Tinguely fait
cliqueter et broyer sa *Métamécanique*. Le jeune écrivain Jean-Baptiste
Mauroux (*1941) proclame dans son récit surréaliste *Glas Martre*
(1969) la révolution permanente, «embrasement sauvage en même
temps que notre libération»[10]. On ne peut certes juger une telle
incitation en fonction de sa valeur politique (dans le récit lui-même
la révolte échoue et débouche sur le «grand espoir»). Mais elle
témoigne du fait que la barrière de la tradition ne peut tenir éloignée
l'agitation de l'époque. Il est vrai qu'on peut encore donner raison
au critique Frédéric Wandelère, Fribourgeois lui-même: Fribourg ne
peut prétendre aujourd'hui à aucun courant littéraire significatif[11].
Cependant des tentatives comme celles du Théâtre du Stalden,
l'effort de l'éditeur Paul Castella, résidant à Albeuve (Fribourg avait
d'ailleurs une édition littéraire dans les années quarante avec l'édi-

GONZAGUE DE REYNOLD

ALEXIS PEIRY ET EDMOND HUMEAU À L'ABBAYE
DE SAINT-MAURICE

LÉON SAVARY

JEAN-BAPTISTE MAUROUX

teur Egloff), un auteur de veine populaire comme Netton Bosson (*1927) prouvent bien que la littérature vit. En une époque de mutation, l'héritage de Fribourg ne devra pas seulement être conservé, mais confirmé à la lumière des temps nouveaux.

IV
VAUD:
LA CAMPAGNE
ET LA VILLE

Par sa situation, son étendue et son poids politique, le canton de Vaud apparaît comme la pièce de résistance de la Suisse romande. Ce canton est de création relativement récente. Jusqu'à 1798 ce territoire jadis savoyard, entre le Léman et le Jura, était assujetti à l'Etat de Berne. A la différence des vieilles Cités-Républiques comme Fribourg et Genève, Lausanne joua d'abord un rôle assez effacé. Le caractère du pays tout entier est déterminé aujourd'hui encore par la population paysanne, du Jura à la Broye, du Gros-de-Vaud au Pays-d'Enhaut, et par les vignerons des bords du lac — Lavaux et La Côte. (On ne parle bien entendu pas du *Lac de Genève*, mais du *Léman*.) Malgré le fait statistique que 92 pour cent de cette population travaille dans l'industrie et les services, il y règne toujours un certain esprit campagnard. Il est vrai que Lausanne, siège épiscopal, exerçait un rayonnement particulier au moyen âge. La Réforme lui apporta de nouvelles impulsions spirituelles, décisives. Au XVIIIe et au début du XIXe siècle, la bourgeoisie aisée s'éveilla à la vie intellectuelle, d'autant plus d'ailleurs que le pays, devenu célèbre grâce à Rousseau, attira des visiteurs de toute l'Europe à l'époque romantique: le canton s'ouvrit aux influences anglo-saxonnes et germaniques. Il fallut cependant l'évolution économique du XXe siècle pour faire naître, sur le territoire délimité par Lutry, Morges et Renens, une «mégalopolis» romande qui ne correspond plus guère à

33

l'image traditionnelle de la «belle paysanne qui fait ses humanités». L'agglomération de Lausanne comprend environ un quart de million d'habitants; elle n'est plus seulement un centre administratif, mais aussi un centre commercial et culturel, avec tous les problèmes que pose la concentration de la population. Cependant la tradition paysanne se maintient, dans une assez large mesure, dans le vaste arrière-pays et dans les vignobles. C'est sous ce double aspect qu'on doit se représenter le canton de Vaud aujourd'hui. La très belle *Encyclopédie illustrée du Pays de Vaud*, en cours de publication depuis 1970, en montre d'ailleurs fort bien les différents «visages». On retrouve les polarités de la ville et de la campagne dans la littérature de ces derniers trente ans, s'articulant sur le capitalisme industriel moderne, d'une part, et le traditionnel commerce rural, de l'autre; sur la conscience sociale critique et sur le sentiment primitif de la nature. Certes, une telle distinction est schématique: les diversifications, les nuances, les transitions déterminent l'empreinte individuelle des écrivains, ainsi d'ailleurs que s'entrecoupent et s'interpénètrent les mondes urbain et agricole.

Chez Ramuz, la littérature sur la paysannerie vaudoise est devenue un grand art. En va-t-il de même pour les successeurs? Qui pouvait, en 1947, avoir le droit de se réclamer de la succession de Ramuz? C'est à peine si Charles-François Landry (1909-1973) a émis une telle prétention, même si, par sa signature C.-F. Landry, il rappelait les initiales du grand écrivain; mais nombreux furent ses lecteurs qui virent et voient en lui l'héritier de celui qui créa le mythe de la poésie et de la terre pour les Vaudois. A l'occasion de la remise du Prix Ramuz à Landry, en 1960, le poète Philippe Jaccottet précisa les liens unissant le cadet à l'aîné: Landry avait trouvé en Ramuz un grand exemple qui l'aurait confirmé dans son goût pour un monde simple, élémentaire, libre d'intellectualisme et d'abstraction, «monde qui leur a paru à tous deux se maintenir, se perpétuer autour des artisans, des bergers, des nomades, partout où les grandes vérités, les grandes saveurs terrestres sont encore perceptibles»[1]. Mais quand Landry tenta de se libérer de Ramuz, sur le plan de la langue, il eut de la peine à trouver sa propre expression. On le doit sans doute au fait qu'il ne possédait pas une forte sensibilité artistique. Un jour il raconta que, jeune écrivain, il était allé demander conseil à Jean Paulhan, et il avoua ingénument: «Peut-être que je n'aime pas les mots. Les mots, en eux-mêmes, ne sont que des mots»[2]. L'un de ses derniers romans, qui, comme beaucoup d'autres de ses livres, se passe dans le Midi de la France où il avait passé une partie de sa jeunesse, contient la description d'une scène d'amour, avec cette formule: «... cette joie profonde du sang, que le langage, pauvre machine, appelle seulement — du plaisir»[3]. Ce passage est révélateur, non pas tant parce qu'il définit le langage: «pauvre machine» — quel écrivain n'a jamais ressenti l'insuffisance de la langue? — mais bien davantage par le fait qu'il s'en tient là et que la «pauvre machine» ne réussit pas à produire autre chose que le cliché «joie profonde du sang».

Il faut pourtant porter à l'actif de cet auteur des pages d'une pénétration presque naïve, dans leur convention et parfois leur maladresse: c'est le cas du roman *La Devinaize*, distingué par le Prix Veillon en 1951, où le paysage du lac de Bret, sur les hauteurs du Léman, ne saurait être oublié, ou encore du portrait sensible de Charles le Téméraire (*Charles, Dernier Duc de Bourgogne*, 1960). Mais l'originalité de Landry, c'est d'avoir pu vivre de sa plume pendant presque un demi-siècle. Voilà qui ne relève pas de l'«art», mais bien de la «littérature», en ce sens que celle-ci ne peut être l'objet d'une génération spontanée, mais qu'elle naît dans une situation précise. Landry apporta la preuve, en suivant d'ailleurs aussi l'exemple de Ramuz à cet égard, qu'une existence matérielle ne reposant que sur le métier d'écrire était possible en Suisse française: cela fit apparaître d'autant mieux les ombres d'une telle existence. Lorsqu'il mourut au début de 1973, à l'âge de 63 ans, ses amis étaient persuadés que la Suisse romande avait perdu un écrivain important, alors qu'en dehors de ce cercle d'admirateurs on saluait en lui le témoin qui tint bon, le représentant à peu près unique et conséquent de sa profession.

Parmi ses nombreux livres, on en relève un, l'un des meilleurs, sur le major Davel, le héros vaudois de la liberté. Ce militaire organisa une «marche sur Lausanne» en 1723 dans l'intention de provoquer une insurrection et de soulever le Conseil de Ville contre la domination bernoise. Il fut désavoué par le Conseil de Ville lui-même, arrêté et exécuté. Devenu indépendant en 1798, le canton idéalisa le modeste putschiste pour faire de son aventure un mythe national. Il est étonnant de constater la vitalité de ce mythe en pleine seconde moitié du XXe siècle. Un Jacques Chessex voit en Davel l'incarnation de la force créatrice du Pays de Vaud qui s'élève contre l'oppression — lisez le refoulement — empêchant l'affirmation de soi-même; un Gaston Cherpillod découvre en lui l'anti-héros, l'«ange blanc», un progressiste, et même un artisan de la révolution sociale[4]. De tels propos nous indiquent l'importance que revêt dans ce canton paysan l'héritage historique pour la formation d'un sentiment national propre — processus qui, même aujourd'hui, n'est pas terminé, puisque y participent aussi bien des écrivains conservateurs que des progressistes.

Autre exemple, le livre *Les Brigands du Jorat* (1968) de Richard Garzarolli (* 1945), qui relate l'histoire des bandits de grand chemin exerçant leur activité à la fin du XVIIe et au début du XVIIIe siècle en Pays de Vaud. La description des injustices, des révoltes, des violences subies par le peuple, sur fond de magie noire, de meurtres, de viols, débouche sur l'effrayante relation de la fin des hors-la-loi, pourchassés par les seigneurs bernois, arrêtés, torturés, passés par douzaines au supplice de la roue et brûlés. La pure narration historique gagne chez Garzarolli une intensité et une puissance étincelantes, grâce à une langue lyrique, qui paraît tantôt sauvage et agressive, tantôt sensible, pleine de nuances. Il est intéressant que, à la fin des années soixante, le thème très actuel, mondial, de la révolte ait trouvé une incarnation typique, régionale, pour ainsi dire patriotique, dans la figure des vagabonds du Jorat — un massif forestier vaudois. Les brigands se dressent, dans leur particularité, comme des solitaires, comme les contradicteurs du pouvoir établi, comme une exacte préfiguration des contestataires de 68. On ressent ainsi une actualisation de l'histoire vaudoise qui confère une nouvelle force explosive à de vieux sujets, usés en apparence: ce qui transforme la poétique région du Jorat campagnard en un théâtre du monde où éclate une crise universelle. Un passage est caractéristique, à la fin du livre: «Terre aimée du Jorat, tu reposes, tranquille; les poètes te parcourent, et chantent. Tu appartiens désormais au silence, au calme, à la joie. Les terres envahies sont ailleurs.»[5] Propos significatifs, parce que si Garzarolli ne nie pas l'idylle campagnarde, il ne s'enferme pas non plus en elle: il la relie, par le biais de l'histoire, aux problèmes sociaux et politiques du monde moderne.

On peut estimer qu'une telle prédilection pour l'histoire, même si elle est consciemment actualisée, relève d'une attitude romantique.

Tout en laissant ouverte d'ailleurs la question de savoir si le mot romantique implique un jugement d'ordre littéraire. Il n'en reste pas moins que la littérature de la Suisse romande, paysanne principalement, met en œuvre la conscience de l'appartenance à un «pays», à un peuple, à une langue, à une histoire, et cela jusqu'à nos jours : de telle manière que la catégorie diachronique de l'ethnie, du cru, de la nature — point de départ d'une détermination et d'une affirmation personnelles — domine ou efface même en quelque sorte la catégorie synchronique du social et de l'économique; ainsi les valeurs sentimentales comme la patrie, la campagne conservent leur crédit, aujourd'hui comme autrefois[6]. Elles sont d'ailleurs souvent liées — pas toujours — avec un certain conservatisme de la langue, avec un style imité par exemple de Ramuz, Giono, d'un certain Balzac, de Töpffer, de l'André Gide de la *Symphonie pastorale*. Il serait cependant faux de cantonner à ce seul point de repère la «littérature de la patrie» de Vaud ou celle du Jura, qui lui est souvent apparentée à cet égard. Au contraire on y trouve des formes d'expression hautement originales, des empreintes individuelles extrêmement marquées. Chez le poète du Jorat Gustave Roud, l'image de la campagne est intégrée par une langue d'une grande rigueur, à une expérience mystique[7].

On objectera que Roud n'est pas un représentant typique de la littérature née depuis 1945, puisqu'il fréquenta la génération des *Cahiers Vaudois*; dans les années cinquante, en effet, la littérature vaudoise a également cherché un engagement moderne, social, critique, surtout dans le cercle de la revue *Rencontre*. Mais *Rencontre* est tombé, fut remplacé dans le canton de Vaud par la revue *Pays du Lac*, et plus tard par la publication annuelle *Écriture*. Ces deux périodiques substituèrent à la littérature politique une conception littéraire essentiellement fondée sur l'esthétique. «Pays du Lac»: ce titre qui fait allusion à la nature et à la patrie est caractéristique de la transformation. Le jeune Jacques Chessex y expliquait que les aspirations des auteurs réunis autour de cette revue étaient «spécifiquement littéraires», déterminées par «les exigences de notre position de Romands»[8]. On n'est d'ailleurs pas arrivé à la formation d'un groupe particulier; si *Pays du Lac* eut une existence éphémère, Chessex a montré dans ses propres livres comment il comprenait ces exigences. Par son importance, par son évolution ambitieuse, par sa trace nette, son œuvre peut être considérée comme l'exemple même de cette «littérature nationale» vaudoise et moderne.

Débutant par des poèmes (*Le Jour proche*, 1954), Chessex se fit connaître en France avec ses premières proses (*La Tête ouverte*, 1962); il s'est manifesté — et s'affirme encore — comme critique et essayiste, publia un court roman dont le personnage principal est une figure traditionnelle de la littérature romande: le pasteur (*La Confession du Pasteur Burg*, 1967); puis il trouva son inspiration dans la vie populaire, qu'il évoqua à travers ses propres souvenirs dans *Reste avec nous* (1967) et proposa enfin, avec le *Portrait des Vaudois* (1969), une sorte de fresque du caractère populaire vaudois, née d'ailleurs à l'instigation de l'éditeur Bertil Galland. Cette tentative rencontra un enthousiasme exceptionnel. Le livre est un recueil d'histoires imaginées ou vécues, d'observations, d'expériences. Que Chessex décrive le travail des paysans au champ, qu'il évoque des chansons enfantines, qu'il représente l'abattage d'un porc au village ou ces dames de la bonne société lausannoise, qu'il médite sur une affiche d'apéritif ou vomisse la laideur accumulée des hôtels montreusiens, qu'il s'intéresse aux sectes religieuses ou à la misère d'un asile de vieillards, qu'il présente le travailleur italien soupirant après ses tagliatelle devant un plat de choucroute et de pommes de terre, les mots et les phrases touchent juste, les descriptions sont exactes, construites avec soin, jusque dans le moindre détail; et cependant le déploiement verbal est d'une richesse foisonnante, rabelaisienne. Tel qu'il est brossé, ce portrait des Vaudois est l'image d'un peuple de paysans, dont le caractère résulte du mélange curieux d'une joie de vivre débordante et d'une secrète mélancolie, de traits méditerranéens et nordiques, d'une sensualité primitive et d'une réflexion abstraite, protestante. A travers cette ambiguïté, on en vient à des contradictions et à des complexes. La mémoire d'une morte est évoquée en des gestes cérémonieux, cette femme qu'on a martyrisée jusqu'à la tuer; ou bien c'est Georges qui, après une orgie villageoise au bistrot, à la Saint-Sylvestre, rend visite à sa femme malade, à l'hôpital, les larmes aux yeux, le Premier de l'An. Folklore? «Il n'y a pas de folklore vaudois», répond Chessex, «mais des coutumes douces comme des habitudes de tribu» — et il les décrit: fêtes de tir, de chant, réunions de gymnastique, assemblées de contemporains, cortèges dominicaux dans les rues des petites villes campagnardes, «musiques » dans les petites gares[9]. Le canton est devenu pour cet écrivain l'objet d'un engagement affectif. Au-delà du présent, il recherche, dans un passé bourguignon et savoyard, le modèle originel d'un monde vivant dans l'harmonie de l'esprit et des sens. Il porte un regard amer, parfois perplexe, sur un temps qui commence à corrompre le caractère authentique du peuple, grouillant, multicolore, où s'incarne de manière si originale chaque figure, du colporteur au conseiller municipal: voici le temps du modernisme international et anonyme. La connaissance de son pays conduit l'écrivain à la connaissance de soi. La recherche des racines des Vaudois devient la quête de sa propre origine. A la patrie s'associe chez Chessex la figure archétypique du père suicidé; la connaissance du passé difficile du Pays de Vaud, de son avenir non moins problématique, est identifiée avec son propre destin, entre la vie et la mort.

Le thème du livre suivant, *Carabas*, reprend et accentue cette tendance à l'orientation individuelle[10]. Paru en même temps à Lausanne et à Paris, ce titre évoque le marquis du conte de Perrault; le chat botté présente au roi les riches domaines dudit marquis, bien que ceux-ci ne lui appartiennent nullement. Chessex se présente comme le marquis de Carabas, qui possède tout et ne possède rien: un tissu de mensonge et de vérité, d'outrances et d'arrière-pensées, agissant par volupté et peur de la mort. Autoportrait baroque, *Carabas* contient parfois ce qu'on aimerait appeler de l'exhibitionnisme littéraire conscient, avec ses superlatifs amenés avec tant de raffinement, ses fortissimi orchestrés avec tant d'art, qu'ils peuvent finalement lasser.

Chessex s'avoue anticlassique, se révèle contradictoire, maniéré même. La baroque, c'est, pour lui, le cortège haut en couleur du Saint-Sacrement, une bagarre dans une pinte, une moustache gauloise comme il en porte lui-même, une nuit de ribote, le dépeçage d'une bête par un boucher, le corps d'une femme qu'il décrit pendant plus de dix pages ainsi qu'un poète maniériste du début du XVIIe siècle. Baroque, Chessex l'est lui-même, et c'est pourquoi le monde l'est pour lui, et son langage. Cette langue est caractérisée par l'antithèse, l'énumération, les séries, les répétitions qui s'étagent en des variations toujours plus aventureuses ainsi que des tours ou des tourelles de Babylone, le pathos et l'emphase, le mélange du disparate — par exemple des figures de style intellectuelles mêlées à des régionalismes populaires — l'abstraction et l'image, le mouvement circulaire, l'écriture qui s'enroule autour de son objet, la richesse qui va jusqu'à la trivialité, la jonglerie avec les résonances verbales et le jeu des allusions, le spectaculaire, l'habillement et le déshabillage — ce caractère de jeu total est le fait d'une langue devenue à elle seule peine et plaisir.

Carabas est aussi la prise de conscience du Vaudois qui s'est transformé, qui a renoncé à une littérature abstraite, intellectuelle, progressiste, à gauche, comme celle de l'avant-garde parisienne. Soulignant cette opposition, Chessex écrit: «Je ne veux pas jouer au Français de France, singer quiconque, me mettre des plumes... Je suis un écrivain français, mais je suis d'abord Vaudois.»[11] Il avait su mythifier sa patrie et sa propre personnalité: dans *Les Saintes Ecritures* (1972), recueil d'essais littéraires sur les auteurs romands, il transporte leur monde spirituel en un mythe stylisé. Chez chacun des écrivains qu'il traite, Chessex trouve une «métaphysique naturelle»; ils sont tous à la recherche de Dieu, jusque dans le pur exercice de l'art, qui n'est jamais cultivé pour lui-même, mais porté par une aspiration supérieure. Cependant, parce que cette quête métaphysique ne peut conduire à aucun absolu, elle est tragique. De Ramuz à Catherine Colomb et Maurice Chappaz, les auteurs romands sont pour Chessex des damnés — c'est le premier mot du livre — des errants, des inassouvis, des êtres brisés. Ainsi cet inventaire glorieux des écrivains débouche sur un chapitre de l'histoire tragique de la littérature, sans toutefois que le dessin formulé dans le titre du livre soit abandonné. Au contraire: les métaphysiques individuelles se révèlent, si l'on suit Chessex, comme les témoins d'une esthétique à résonances théologiques ou mystiques.

En 1973 parut à Paris le roman *L'Ogre*. Dans ce livre le romancier Chessex réussit à transposer son extrême subjectivité: même si l'on se souvient combien les principaux thèmes traités sont déjà déterminés dans les œuvres antérieures, fortement autobiographiques, on les ressent maintenant comme objectivés. On retrouve donc la lutte contre l'image paternelle écrasante, le problème de l'impuissance, au direct et au figuré, l'autodestruction, l'isolement, le motif du suicide. *L'Ogre* met en scène un maître de latin de quarante ans, à Lausanne, un intellectuel de cette génération moyenne dont la conception du monde et l'attitude sont encore tributaires des vieilles conventions, face à une jeunesse émancipée, libérée des tabous. L'ogre, le Saturne avalant ses enfants, le «Kindlifresser» que le protagoniste reconnaît sur la fameuse fontaine de Berne lors d'une course d'école, ce sont les incarnations du père tyrannique, plein de vitalité, qui a engendré ce fils peu sûr de lui; ce Jean Calmet se sent observé par son père mort dont le regard le scrute hors de la tombe, exigeant, sarcastique — et finit par fuir cette obsession dans le suicide. Au premier plan, une tragédie de l'impuissance, au centre le procès du monde paternel, de l'absence de liberté, de la fixation dans une intériorité désespérée: le roman offre des images de la mythologie classique ou populaire, des visions de rêve, des types psychologiques; il allie la topographie minutieusement décrite, l'atmosphère de Lausanne, les élèves, les intellectuels, les bourgeois présents d'une manière fort réaliste, avec le fantastique d'un monde surréel où la dimension temporelle semble parfois abolie. Comme adversaire déclaré du *nouveau roman*, Chessex ne cherche jamais à transposer littérairement son langage. Son vocabulaire est différencié, mais clair, la syntaxe est normale, jamais brisée, la structure du récit est nette. Et cependant la forte personnalité de l'auteur marque l'œuvre entière. Ce sont de telles qualités qui ont contribué, à côté d'autres circonstances tenant à la politique des éditions françaises et à un courant vers la reconnaissance culturelle des territoires francophones, au fait que le roman fut distingué en automne 1973 par le prix littéraire le plus convoité de la langue française, le Prix Goncourt — c'est le premier livre romand à remporter un tel honneur: Ramuz, en 1907, n'avait pas réussi à s'imposer, parce qu'il n'était pas Français. L'événement fut très important du point de vue de la politique culturelle. Après ce succès, qui fut d'ailleurs discuté, on attendait avec curiosité l'«après-Goncourt» de ce Vaudois promu au rang des écrivains français qui comptent. Ce deuxième grand roman, *L'Ardent Royaume* (1975), est aussi lyrique, sensuel, pathétique, aussi expressif et vécu qu'on pouvait l'attendre de l'auteur du *Portrait des Vaudois* et de *Carabas*, aussi peu expérimental, aussi peu interrogateur sur la valeur de la langue. Comme tout ce qu'écrit Chessex, *L'Ardent Royaume* met en œuvre une extrême subjectivité, qui ne semble pas avoir de frein. En même temps cependant la mise en scène «objectivée» des figures vivant d'après leurs propres lois apparaît plus convaincante, plus réussie encore que dans *L'Ogre*. Cela vaut pour le protagoniste Raymond

Mange, l'avocat à succès de Lausanne, dont la ruine sociale constitue la ligne narratrice du livre, cela vaut pour sa maîtresse, la jeune Italienne Monna, provenant d'un milieu louche, et qui ouvre au quinquagénaire frustré l'«ardent royaume» d'une nouvelle sexualité, totale; cela vaut aussi pour les figures secondaires comme l'inspecteur de police Renard ou le grand-maître de la loge maçonnique à laquelle appartient Mange. L'histoire de l'avocat — «La chute, Me Mange. La chute après le monceau de merveille», comme l'écrit Chessex — fait non seulement penser au professeur Unrat de Heinrich Mann, mais aussi au thème du film de Tanner *Le Milieu du Monde*: là aussi, la dialectique de la sexualité et de la morale bourgeoise est une mise en accusation de la même société helvétique. Mais en matière de critique sociale, Chessex est resté fidèle à lui-même, à son style porté à la rhétorique, à ses accumulations de mots, aux murmures qui s'élèvent à la dimension mythique, à son caractère direct, à son art des images et des métaphores, à une naïveté qui peut occasionnellement manifester la dernière absence de discipline: on peut ressentir ce style comme une manière de provocation, davantage même que ses crudités sexuelles et sa réflexion psychologique.

Chez Chessex le régionalisme va de pair avec une forte exigence littéraire. On peut dire que l'exemple de Ramuz a fait autorité en ce domaine, et pas uniquement pour Chessex. Mais le régionalisme naïf, sans réflexion artistique, n'est pas encore mort pour autant au milieu du XXe siècle. Si l'on fait abstraction du cas complexe de Landry, ou d'un autre côté si l'on écarte un auteur qui s'avoue lui-même populaire comme Albert-Louis Chappuis, il reste encore suffisamment d'écrivains dont les ouvrages, travaillés selon un métier solide, s'appuient sur la vie réelle et savent passionner leurs lecteurs en témoignant de leur époque, de leur société, sans pourtant sortir ni d'une thématique, ni de recettes littéraires éprouvées. Ainsi en allait-t-il de Benjamin Vallotton (1877-1962), qui, au cours de sa longue vie, a écrit une cinquantaine de reportages, de livres de voyage, de biographies, de romans, et dont on peut dire avec Alfred Berchtold qu'ils sont l'expression du petit milieu paysan de la patrie vaudoise [12]. Bourgeois de Vallorbe, Vallotton a situé ses derniers livres, comme Landry, dans le Midi de la France: Ramuz a lui-même fait de la Suisse romande une terre mythique «savoyarde-latine», reliée à la Méditerranée par le Rhône, ce qui incline naturellement beaucoup de

42

Romands à se retrouver dans le Midi paysan, et leur donne ainsi des prétextes faciles à en exploiter le folklore.

On pourrait qualifier de document *L'Alphabet du Matin* (1969) d'Alice Rivaz (*1901), Vaudoise vivant à Genève, dont le nom, emprunté à un village lémanique, est un pseudonyme. Cet écrivain a témoigné de son talent et de sa sensibilité dans des romans et des nouvelles psychologiques solides, ainsi que dans une sorte de journal lyrique d'une grande pénétration (*Comptez vos jours...*, 1966); elle renonce à tout style pittoresque douteux, comme d'ailleurs à tout maniérisme littéraire. Dans une langue simple et objective, elle conte son enfance au bord du Léman, et en même temps elle «raconte» toute une époque de l'histoire romande: Clarens, le village idyllique sur la rive, «découvert» par Rousseau, tel qu'il était avant la guerre 14-18, le mariage mouvementé des parents, le père, pédagogue, socialiste militant animé d'idéaux humanitaires, la mère, bourgeoise, pratique et affectueuse, la promenade sur le rivage, le jardin, le monde des hôtels, des riches étrangers de Montreux, et, au milieu, les travailleurs en grève, les longues visites chez grand-mère, chez la grand-tante bigote, dans une maison impeccablement astiquée, la tante d'Athènes, haute comme un échalas, qui tout à coup surgit, apportant avec elle comme une bouffée d'un monde lointain, les vacances chez l'oncle du Jorat dans un village situé à l'orée de grandes forêts, enfin un déménagement à Lausanne, dans un immeuble locatif, et le père, un jour, qui jette le journal sur la table: «Jaurès... assassiné... c'est la guerre!» C'est une véritable recherche du temps perdu que le lecteur entreprend en compagnie d'Alice Rivaz, d'un temps et d'un pays qui reposent déjà, très loin, «un pays où régnait le plus plat des conformismes bourgeois et religieux»[13]. Ce morceau de littérature est moins qu'un livre d'histoire et en même temps beaucoup plus, dans la mesure où il est poétique, personnel, humain, vécu dans sa réalité historique.

Un rayonnement et une intensité comparables, liés à un sens très vif de la situation historique, caractérisent les souvenirs du chansonnier Jean Villard (*1895), devenu célèbre sous le nom de Gilles[14]: *Mon Demi-Siècle* (paru en 1954, et complété en 1970 sous le titre *Mon Demi-Siècle et Demi*). Il est originaire de la Riviera vaudoise, ce rendez-vous des aristocrates et des grands bourgeois de 1900 qui fréquentaient places et promenades. Influencé par Ramuz, Stravinsky

43

et Auberjonois, il devint acteur, tint le rôle du diable dans la première exécution de *L'Histoire du Soldat* (1918); puis, attiré par Jacques Copeau, Gilles alla à Paris, parcourut la province française, revint à Paris, et regagna enfin le canton de Vaud. La dialectique entre le «pays» et la France est un leitmotiv de sa vie, comme chez la plupart des artistes et des intellectuels romands. Gilles est un homme d'esprit et même de spiritualité, c'est un non-conformiste et un sentimental. A la fin de ses mémoires, écrites sans ambition stylistique particulière, Gilles entre comme à l'improviste de plain-pied dans le patrimoine de l'intériorité romande: c'est un dialogue entre Gilles et Jean, les deux composantes de son existence; ils font d'abord un bilan contradictoire, puis peu à peu entrent en connivence et finissent par tomber d'accord sur la reconnaissance de la *réalité spirituelle*.

Chez Alice Rivaz donc, et d'une autre manière chez Gilles, la patrie vaudoise entre dans un rapport naturel avec le «grand monde». Un rapport de ce genre, avec des nuances personnelles, qui tend vers une synthèse du régionalisme et de l'écriture moderne, caractérise également ce qu'on appelle le *roman psychologique*, qui se trouve dans la ligne de la grande tradition française du XIXe et du début du XXe siècle, et qui ne renie nullement son origine bourgeoise et citadine. Né à Lausanne en 1910, Jacques Mercanton peut être présenté comme le plus éminent représentant du genre. Il enseigne la littérature française à l'Université de Lausanne et accomplit une œuvre remarquable de critique et d'essayiste[15]. Son premier roman, *Thomas l'Incrédule* (1942), distingué par le Prix Rambert deux ans plus tard, est la description de l'âme d'un homme tourmenté, avec en toile de fond la seconde guerre mondiale: un portrait artistique où se mélangent et s'entrecroisent l'actualité, les souvenirs, l'espérance, le renoncement. «Ce qui demeure présent, inspirant l'auteur et son lecteur, c'est une voix qui s'élève et qui retombe, un timbre, un accent confondus avec le mouvement et la figure des mots»[16], a écrit Georges Anex. Citoyen du monde, intellectuel, Mercanton ne se sent nullement lié à un *terroir*. Ses romans, ses nouvelles peuvent se dérouler en Suisse aussi bien que dans le sud de l'Allemagne, en Autriche, en Italie. Son livre *La Sibylle*, paru en 1967, est une collection de *récits italiens*; le Maroc, l'Espagne, *Les Châteaux magiques de Louis II* (1963) lui ont inspiré des textes sensibles et poétiques. La psyché humaine, avec ses profondeurs difficilement sondables, ses contradictions, ses pressentiments de choses supérieures, est un phénomène individuel, mais il se reflète de multiples manières à l'extérieur, dans les paysages, dans les gestes, dans le mot dit, et aussi dans les sphères de l'univers littéraire et de la mythologie classique. Les livres de Mercanton ne sont pas seulement bien écrits, composés avec un grand sens du style, ils sont nourris d'une profonde culture, d'une science solide et d'une authentique expérience intérieure[17]. Ami de Massignon, il a évoqué l'influence exercée sur lui par les mystiques chrétiens et ceux de l'Islam.

En 1974 parut le grand roman *L'Eté des Sept-Dormants*, sans conteste le sommet, l'accomplissement de la carrière de Mercanton romancier. Le lieu de l'action est un home d'enfants de Haute-Autriche, Waldfried, au confluent du Danube et de l'Inn. L'histoire s'étend sur plusieurs années, avec des interruptions, de la première rencontre fortuite du personnage qui parle à la première personne, un jeune Romand nommé Nicolas, avec le domaine de Waldfried, jusqu'à son adieu définitif à l'endroit et aux survivants d'une tragédie à laquelle il participe. Cette tragédie: l'accident, peut-être le suicide de Bruno van der Weiden, de «Lohengrin», comme l'appellent les paysans, intervient d'une manière fatale dans le réseau des relations spirituelles et amoureuses des habitants de la maison; tout cela est présenté avec autant de discrétion que d'insistance, avec un talent de miniaturiste réaliste et de psychologue profond. En face du «prince de Brabant», mi-élu, mi-damné — une sorte de dieu-enfant, et en même temps un buveur, un séducteur adonné aux stupéfiants, se tient mystérieusement la figure de l'épouse vieillissante du directeur de la pension, Maria Laach, originaire de Bohème, menant elle-même une existence étrange et ambiguë, à la fois provocatrice et secourable, mère originelle pleine de sagesse, magicienne et tzigane. A cette symbolique des personnages s'ajoutent les paysages, qui sont davantage qu'un cadre, d'ailleurs, une sorte de miroir des relations psychiques: les bois, accessibles par d'innombrables promenades, les prairies, les collines, les églises et les couvents baroques, le lointain pays de montagne de Bohème, et surtout le Danube, la *Doana*, avec sa sombre menace reflétant un autre monde. *L'Eté des Sept-Dormants* s'apparente à maints égards à l'œuvre de l'écrivain autrichien Adalbert Stifter, et tout particulièrement au *Nachsommer*, non seulement

JACQUES MERCANTON

C.-F. LANDRY

ALICE RIVAZ

ANDRÉ GUEX

JACQUES CHESSEX

GILLES (JEAN VILLARD)

RICHARD GARZAROLLI

sur le plan des motifs, dans une écriture exacte, réaliste, lente, dans un style épique qui laisse transparaître des mouvements cosmiques — mais aussi dans cette tentative de dévoiler le modèle, devenu étranger, brisé par des expériences dissonantes et finalement irréalisables, d'une société fermée sur elle-même, d'un monde préservé. Ce doute tout moderne, malgré le lien formel à la tradition, montre donc une différence avec Stifter. Finalement, *L'Eté des Sept-Dormants* n'est pas seulement un produit tardif du «roman de formation» («Bildungsroman»), c'est un roman jouant à dissoudre le temps dans l'interaction du présent, du passé et de l'avenir.

L'intelligence, l'urbanité et la culture littéraire d'un Mercanton se retrouvent chez d'autres écrivains de l'ancienne et de la moyenne générations, par exemple chez un Emmanuel Buenzod (1893-1971), qui, à côté de romans et de récits, publia des essais de critique musicale et des biographies, chez un Bernard Barbey (1900-1970) qui fut distingué en 1951 par le Grand Prix de l'Académie française pour son roman *Chevaux abandonnés sur le Champ de Bataille* et exerça une importante activité de politique culturelle en tant que délégué suisse à l'Unesco, chez un Alfred Wild (1899-1976), et, avec une moindre accentuation de l'élément psychologique au profit de l'élément descriptif, chez André Guex (*1904), essayiste et auteur de livres sur la montagne, la navigation, les voyages.[18]

Le roman psychologique est d'ailleurs devenu principalement l'apanage de la bourgeoisie, urbaine ou campagnarde, et souvent féminine: femmes écrivains nées et pour la plupart fixées autour de Lausanne (tandis que les *hommes de lettres* se tournent plutôt vers l'essai, la publication scientifique, la monographie spécialisée). Marie-Louise Reymond (1885-1976), Elisabeth Burnod (*1916), Mireille Kuttel (*1928), Suzanne Deriex (*1926), en sont des exemples. D'un point de vue sociologique, le phénomène peut s'expliquer de différentes façons; il tient entre autres au fait qu'une bourgeoise, mariée ou indépendante sur le plan professionnel, n'a guère besoin de faire attention à la rentabilité matérielle de son activité d'écrivain, exercée comme profession secondaire, mais qu'elle peut ainsi augmenter son prestige social. Pour ses collègues masculins, le problème se pose assez différemment, comme le démontre d'une manière extrême le cas de Landry: d'autant plus s'il doit entretenir une famille. On n'a bien entendu rien dit, avec cela, de la valeur esthétique des livres en question — même la grande et originale artiste qu'était Catherine Colomb (1899-1965) semblait simplement une de ces *femmes de lettres* exerçant son activité littéraire en amateur: dans le dictionnaire de l'Association des écrivains suisses, elle se nommait modestement, en 1962, «maîtresse de maison et écrivain».

A ce propos on doit ajouter un mot sur Alice Rivaz, dont les romans et nouvelles contiennent presque toujours un élément auto-biographique, le plus significatif étant *Comptez vos Jours...*, qui est déjà plus un morceau de journal intime qu'un récit. A l'art psycholo-gique de cet auteur appartiennent l'inlassable questionnement, l'inquiétude, le tourment intérieur d'une confession ininterrompue, qui doivent être mis en étroite relation avec sa féminité et avec les complexes non résolus de ses expériences enfantines. Marcel Ray-mond parle de la «religion trop masculine qui fut celle de son enfance», qui apparaît sous les traits d'une nouvelle religiosité[19]. Dans le dernier récit du volume *De Mémoire et d'Oubli* (1973), elle rencontre dans la masse des passants citadins la figure du père, mort (cette ville n'est pas Lausanne, mais Genève: dans le monde de rêve et de souvenir, les points géographiques se confondent). Proche d'Alice Rivaz, Alice Curchod (1907-1971) est l'auteur des *Pieds de l'ange* (1950), un livre à redécouvrir.

Si l'on considère les œuvres en elles-mêmes, la dénomination glo-bale de «roman psychologique» est une catégorie trop peu différen-ciée. Maintes fois il s'agit davantage des rapports entre les êtres, de l'amour, du mariage, de l'éducation, de l'apprentissage de la vie, de l'insertion dans la société et de la connaissance des tâches de la vie, de la religion et de la morale, plutôt que de la présentation d'états d'âmes individuels. Cependant, ce qu'il y a de commun à ces romans et à ces récits, c'est la croyance à la réalité du monde «tel qu'il est» et à la possibilité de narrer les événements, si bien qu'on pourrait égale-ment parler de réalisme bourgeois. Dans la conscience de l'auteur le réalisme ne se rapporte pas néanmoins à une classe sociale détermi-née, mais à un univers individuel qui n'est pas fondamentalement remis en question. Et lorsque le souvenir, qui est le plus souvent le souvenir d'enfance, prend quelque importance, des éléments lyriques se combinent d'une manière complexe avec le style réaliste. Dans l'ensemble des œuvres narratives de ce genre, les relations avec la langue n'apparaissent reflétées que dans la mesure où elles permettent de mouler la réalité dans des moyens stylistiques conventionnels. La langue elle-même ne devient pas un objet de littérature, la position de l'auteur comme souverain disposant à sa guise des figures et des événéments n'est pas non plus remise en cause. Le métier, plus ou moins adroit, est au service d'un sujet plus ou moins intéressant. *La Fille du Pasteur* (1965) d'Hélène Perrin, par exemple, c'est avant tout une histoire: celle d'une jeune Vaudoise vivant au milieu de personnes de son âge dans une maison de l'Oberland bernois; *L'Enfant et la Mort* (1969) de Suzanne Deriex expose l'histoire d'une enfance dans une famille typique de la classe moyenne vaudoise. Ainsi racontés, de tels thèmes agissent parfois facilement, platement — mais il n'en est pas toujours ainsi! Un commentateur remarque, à propos de Janine Marat: «Ses personnages ne semblent pas avoir grande confiance dans l'écriture»[20], cela en dépit du fait que cet auteur se soit révélé bon critique. Bertil Galland concède, dans une postface à un livre d'Hélène Perrin, qu'elle a «ses limites et quelquefois ses maladresses», tout en ajoutant: «Ses récits vivent, et l'art, c'est ça.»[21] Que cette forme traditionnelle du récit n'ait aucunement besoin de ressortir à la littérature locale ou même régionale, sa réussite, finalement, le prouve: Janine Marat et Hélène Perrin ont publié leurs romans chez des éditeurs parisiens importants, et Suzanne Deriex s'est vu couronner par le Prix Veillon pour *L'Enfant et la Mort*.

Un panorama de la littérature contemporaine dans le canton de Vaud aurait besoin de beaucoup d'autres noms pour être complet. Un poète tel que Philippe Jaccottet (*1925), qui, depuis ses débuts dans le pays, est devenu un personnage européen, ne devrait certes pas manquer à l'appel, ni Henri Debluë (*1924), auteur du texte et du scénario de la Fête des Vignerons de 1977, ni Vio Martin (*1906) au talent plus modeste mais très pur. Citons encore les romans «africains» de Jacqueline Ormond (1934-1970); ou les essais dramatiques et les romans d'Eric Schaer (*1920), Bernois d'origine, traducteur de Diggelmann; le fantastique calculé de *Lausanne ou les Sept Paliers de la Folie* (1970) de Claude Frochaux (*1935); la description, sous forme de confession, d'une révolte contre l'ordre établi, de Jean Matter (*1915) dans *Parsifal ou le Pays romand* (1969); le lyrisme intériorisé d'Anne Perrier (*1922) ou encore l'agressivité verbale, critique envers la société, de Gaston Cherpillod (*1925)[22]. En outre, presque

chaque année apparaissent de nouveaux auteurs de la jeune génération. *O terrible, terrible Jeunesse! Cœur vide!* s'écrie le jeune journaliste
Jean-Louis Kuffer (*1947) en publiant en 1973 son premier récit.

En 1971 se révéla Etienne Barilier (*1947). Après des études
littéraires classiques, il se mit à publier régulièrement des romans,
actuellement au nombre de sept; ses œuvres, d'ailleurs, n'ont pas
toutes la même valeur: dans son *Orphée*, l'antique mythe renaît selon
un esprit tout à la fois romantique et actuel. Mais au-delà de ce
romantisme demeure une résignation fondamentale: les adultes
peuvent-ils réussir à saisir quelque chose de la totalité enfantine, de
la foi absolue des premières années? Dans ses livres suivants, Barilier
a façonné une connaissance de soi critique, distanciée, ironique, qui
ici est éminemment sensible dans le langage; il en a fait un style
propre, presque une manière. Ainsi, dans *Laura* (1973) il conte l'histoire d'amour d'un jeune peintre cynique et de sa victime consen-
tante. Ce narrateur à la première personne est, comme le remarqua
Georges Anex, un «héros bavard comme tous les personnages en
proie au narcissisme, à l'écœurement, au néant»[23]. Cette remarque,
ainsi d'ailleurs que la comparaison avec *L'Immoraliste* de Gide,
indique que l'individualisme et l'esprit romantique d'*Orphée* n'ont pas
été dépassés, mais seulement exagérés, devenant une sorte de pose.
Dans le roman *Le Chien Tristan* (1977), c'est l'idée même de la
Beauté qui est mise en cause à travers des personnages mi-fictifs, mi-
réels, portant des noms tels que Wagner, Chopin ou Nietzsche, mais
vivant dans la Rome d'aujourd'hui et impliqués dans une affaire de
vol et de meurtres. Ce livre subtil et cruel résume et dépasse tout ce
que Barilier a tenté jusqu'ici.

Le Prix Georges Nicole, fondé en 1969 et décerné par un
jury formé de Corinna Bille, Maurice Chappaz, Nicolas Bouvier,
Jacques Chessex, Jean-Pierre Monnier, Alexandre Voisard et la première lauréate, Anne-Lise Grobéty, fit connaître en 1974 les noms de
Marie-José Piguet et de Dominique Burnat. Le roman *Reviens ma
Douce* de Marie-José Piguet conte l'histoire d'une enfance et d'une
jeunesse, sans prétention, avec simplicité et sensibilité. *Le Mouroir* de
Dominique Burnat (*1955) est un recueil de nouvelles décrivant le
terme de l'existence humaine: l'âge, la maladie, la mort. L'auteur a
lui-même travaillé un certain temps dans un asile de vieillards.
L'unité du livre n'est pas seulement thématique, elle est sensible dans

la langue, d'un réalisme prudemment insinuant: cette langue emploie les éléments d'expression populaire et régionale, exactement calculés, sceptiquement contenus — d'une manière assez analogue à la «littérature des petits pas» de Suisse alémanique. En parcourant journaux et revues, il est loisible de découvrir d'autres auteurs jusqu'ici inconnus[24]. De nombreux écrivains de la vieille, de la moyenne et de la jeune génération appartiennent à l'Association des écrivains vaudois. Lorsqu'on prend connaissance, année après année, des livres qui paraissent, se dessine un tableau d'une étonnante diversité; les œuvres sont bien entendu d'une qualité inégale, mais s'il arrive que l'originalité fasse défaut, on est frappé cependant par une certaine tenue[25].

Or l'étude de tendances particulières présente davantage d'intérêt qu'une impression générale. On observe, à côté du roman terrien traditionnel, du roman psychologique, du réalisme bourgeois, d'une poésie fortement introvertie, d'un art poussé de l'essai, que la littérature d'un engagement social militant s'est plus abondamment manifestée ces derniers temps, d'une manière significative, par exemple, chez Anne Cuneo (*1936)[26]. Le déplacement de l'accent est la conséquence de l'évolution moderne du vieux pays agricole; derrière l'image de l'«éternelle» paysannerie s'esquissent d'une manière camouflée les thèmes de la société de consommation, de la seconde révolution industrielle, anonyme, à mobilité croissante. A Lausanne existe dans les cercles intellectuels, depuis bien avant 1945 d'ailleurs, un courant cosmopolite important, ouvert aux problèmes de l'époque: il fut encouragé par l'esprit citadin de l'Académie, les liens de l'Eglise protestante avec la France, l'Allemagne, les pays anglo-saxons, au cours de siècles précédents; mais depuis 1945 ce courant s'est renforcé, et a pris une orientation sociale et politique nettement plus affirmée, dans une ligne idéologiquement ou parfois utopiquement marxiste. Le remarquable helléniste André Bonnard (1888-1958), dont Jean-Luc Seylaz a souligné combien il avait rendu présente la Grèce antique, grâce à ses traductions[27] et au rayonnement de son verbe, a témoigné d'un talent créateur éminent dans ses transcriptions des tragiques grecs; il exerça une activité politique qui exprimait avec cohérence ses convictions marxistes. Le Prix Staline de la Paix, qui lui fut décerné en 1954, s'adressait davantage, certainement, au communiste qu'à l'helléniste: c'est pour cette raison que Bonnard dut supporter, longtemps et injustement, les stigmates du «mauvais Suisse». Aujourd'hui, il est plutôt de bon ton de se tenir «à gauche», dans l'intelligentsia lausannoise, dans la mesure où l'on est ouvert au monde; de même on s'intéresse à l'avant-garde artistique (si l'on excepte la recherche musicale): il peut en résulter certains frottements avec un public plutôt conservateur dans son ensemble. Un homme comme Franck Jotterand (*1923) a été le type même de l'homme de lettres aux contacts internationaux, avec un flair remarquable pour découvrir des formes nouvelles et intéressantes d'un art «progressiste»: tout d'abord en tant que rédacteur en chef de la défunte *Gazette littéraire*, puis comme critique libre, enfin comme directeur du Centre dramatique de Lausanne. Jotterand a publié une présentation documentaire du *Nouveau Théâtre américain* en 1970[28]. Le critique d'art René Berger (*1915), qui dirige le Musée cantonal des Beaux-Arts à Lausanne, et y expérimente différentes formes de la technique moderne d'exposition, a trouvé, avec des livres comme *Découverte de la Peinture* (1958), une audience mondiale, tandis que Michel Thévoz a publié une très belle étude sur le peintre «maudit» Louis Soutter (1975). D'un autre côté, le grand chef d'orchestre Ernest Ansermet, né à Vevey (1883-1969), dont le nom restera lié à la vie musicale de ce siècle en général et à l'Orchestre de la Suisse romande en particulier, a fait dans ses écrits de théorie musicale, dans ses exposés et dans ses articles, une profession de foi qui est allée bien au-delà des frontières: ses *Fondements de la Musique dans la Conscience humaine* (1961), admirables, agressifs, expriment une conception de la musique où le «langage du cœur» est lié à de strictes règles physiologiques ou mathématiques, et à une philosophie qui lui a inspiré une critique vigoureuse de la technique dodécaphonique.

Sans préjudice pour ces tendances cosmopolites, la littérature vaudoise actuelle est cependant loin de quitter le sol où elle a pris pied, même là où elle tend à se distinguer du régionalisme antérieur. Au contraire, ses plus jeunes représentants se donnent justement pour tâche de trouver, de formuler l'originalité, la particularité de notre présent, ici, et nullement d'une manière folklorique. Chessex en est un exemple, de même que Garzarolli; c'est aussi le cas d'Emile Gardaz (*1931), qui, dans son livre *Frères comme ça* (1970) met en scène les figures colorées de la petite bourgeoisie et du prolétariat lausannois; il s'empare du style populiste français pour en faire quelque chose d'original, de vaudois — c'est l'alliance de l'esprit français et de la tonalité helvétique, du lien paysan avec la terre et de l'anonymat citadin. Ces faits divers, ces souvenirs présentent au lecteur des fragments de destins d'êtres blessés : l'ancien de la Légion étrangère, le placeur de cinéma, avec sa sœur entretenue par toutes sortes d'amants, le vieux paysan dont les fils provoquent deux fois la mort, pour que l'assurance paie le double, l'Américain qui revient à Lausanne à l'occasion de l'Exposition nationale et qui ne trouve parmi tous ses anciens condisciples que Paul, qui croupit à l'asile de vieillards et ne reconnaît plus personne... A partir du parler de tous les jours, de la langue formellement réduite au bulletin des nouvelles radiophoniques, s'ébauche un style où l'auteur exprime l'émotion ressentie au contact de ses frères singuliers. Dans les fragments de cette comédie humaine, le caractère vaudois devient une manière d'être entièrement un homme.

Emile Gardaz, dont l'activité principale est vouée aux ondes, est l'auteur d'émissions régulières, d'humour et de poésie, de pièces radiophoniques et de nombreux textes de chansons, qui lui ont valu de hautes distinctions en Suisse et dans la communauté internationale de la radio et de la télévision. On retrouve la veine de *Frères comme ça* dans les billets qu'il donne à *24 Heures*. Ses poèmes, notamment ceux de *Saute-Saison* (1976), les pièces de théâtre qu'il a écrites pour des troupes de comédiens amateurs, constituent une œuvre dispersée dont l'ampleur et la qualité surprendront quand on en dressera l'inventaire.

V
VALAIS:
NATURE
ET TECHNIQUE

Le trajet ferroviaire de la ligne du Lötschberg-Simplon, qui conduit de l'Oberland bernois à l'Italie, nous fait voir l'un des plus beaux paysages européens. Lorsque le train quitte le premier tunnel des Alpes dans la direction de Brigue, le regard saisit, comme vu d'avion, la vallée du Rhône dans toute sa longueur, et en dessus les cimes de 3000 mètres, gris-vert, le Schwarzhorn et la Bella Tola, jusqu'aux monts neigeux des Hautes-Alpes; dans le fond de la vallée le groupe ramassé des maisons de Rarogne, avec l'église à la pointe d'un rocher, et le cimetière où l'on devine la tombe de Rilke. Là, il peut arriver, certains jours, que la lumière, claire, rayonnante, méditerranéenne du Valais soit obscurcie par les vapeurs et les traînées de fumée blanchâtre ou jaune qui s'étirent le long du fleuve et se rassemblent, toujours plus épaisses, au-dessus des industries de Viège et d'ailleurs. Cette tragique dualité d'une beauté naturelle originelle et d'une technique moderne l'agressant sans aucune précaution, c'est le signe sous lequel vit le Valais d'aujourd'hui: un pays qui, jusqu'en 1945, perpétuait des formes de vie directement héritées du moyen âge, et qui depuis lors cherche à rejoindre l'époque contemporaine à une cadence toujours plus rapide.

Comme beaucoup de Vaudois, André Guex est étroitement attaché au Valais; il a présenté une œuvre historique largement documentée, *Le Demi-Siècle de Maurice Troillet* (1971), où revit le passé le plus récent du canton, avec ses bouleversements sociaux et économiques[1]. Troillet devint conseiller d'Etat en 1913 et dirigea pendant quarante ans le Département cantonal de l'Intérieur: une personnalité volontaire et controversée, mais sans conteste le « maître artisan » dans la construction du Valais moderne. L'industrialisation du canton, la modernisation de l'agriculture, l'implantation d'une industrie étrangère, enfin, après son départ du gouvernement, la création du tunnel du Grand-Saint-Bernard, qui établit une liaison routière sûre avec l'Italie durant toute l'année, sont essentiellement son œuvre. C'est dans cette période que le Valais abandonne son moyen âge, entrant pour ainsi dire sans transition dans le XXe siècle. Le pays des bisses devient un chantier aux gigantesques barrages, le Rhône est dompté, le terrain d'alluvions s'est transformé en vergers de fruits et en potagers à légumes, à la place des mulets avancent jeeps et tracteurs, la faucille étant remplacée par les pelleuses et les trax. Et déjà l'on passe de la pauvreté et de l'isolement, dont longtemps souffrit le Valais, à l'extrême contraire, c'est-à-dire aux vices du confort.

Littérairement parlant, le pays fut d'abord découvert par des non-Valaisans. D'Albert de Haller et de Rousseau aux *Quatrains valaisans* de Rilke (1926) et à plusieurs romans de Ramuz, les témoignages d'admiration devant la nature et les habitants de ce pays ne tarissent pas[2]. C'est dans les années trente de ce siècle qu'une littérature autochtone trouva courageusement, non sans tâtonnements, une expression propre, un peu à l'ombre de l'originalité créatrice de Ramuz. Le juriste Jean Graven (*1889), l'ecclésiastique Marcel Michelet (*1906) ont dédié des poèmes soignés à leur patrie, Jean Follonier (*1920) décrit *Le Valais d'autrefois* (1968) d'après ses propres souvenirs, et la poétesse Pierrette Micheloud (*1920), originaire du Valais mais vivant plutôt à Paris, laisse à l'occasion percevoir dans ses vers des accents allégrement folkloriques. Les romans de Georges Borgeaud (*1914), qui vit également à Paris, ont un tout autre poids, surtout *Le Préau* (*1952) et *Le Voyage à l'Etranger* (1974).

Le Préau, c'est l'histoire d'une enfance, entre Valais et Vaud, dans l'atmosphère du collège catholique de Saint-Maurice, riche de traditions, qu'a fréquenté Borgeaud lui-même, et près des rives du Léman, à Aubonne. La vie y frémit à chaque page. *Italiques*, paru en 1969, est un recueil d'esquisses en prose, le journal d'un voyage en Italie écrit en un style élégant et discret. La culture de l'écrivain ne dresse aucun obstacle à la rencontre immédiate de la nature et des gens et à l'invention spontanée de l'expression. Par exemple lorsque Borgeaud raconte comment il est couché dans un énorme lit de bois noir, en une mansarde tendue d'une tapisserie rose vieilli, ce lit devient une «sorte de pépin qui serait monstrueusement développé au centre d'une pastèque». Quelle trouvaille que cette image, et en même temps quelle finesse! Ce sont des clins d'œil auxquels le lecteur remarque que l'écrivain est bien plus original qu'il ne s'en donne l'air.

La carrière littéraire de Borgeaud, aux publications espacées, a connu deux consécrations françaises, le Prix des Critiques pour *Le Préau*, et le Prix Renaudot pour *Le Voyage à l'Etranger* (1974). Cette dernière œuvre appartient sans nul doute aux livres les plus séduisants de la littérature romande. Il faut bien souligner que ses qualités ne tiennent pas à un brio superficiel, mais au contraire à une forte intériorité: dans l'approfondissement psychologique, dans un humanisme naturel, nullement dogmatique. Le roman a des traits autobiographiques: il conte l'histoire du jeune Jean Noverraz, un Romand en Belgique, qui, après un temps peu convaincant passé au couvent, revient au «monde» et trouve une place de précepteur dans une famille aristocratique. Le château néo-gothique de Moressée, avec son existence quotidienne précisément réglée, et le voisinage d'une communauté russe vivant dans une maison à moitié en ruine situent les deux pôles entre lesquels le jeune homme cherche sa voie: convention et liberté, désaisissement de soi et formation personnelle. Une passion qui donne presque l'impression, dans sa réserve, d'être médiévale, pour une jeune Parisienne; le paysage belge des côtes de la mer du Nord; la rencontre d'une famille de paysans, qui lui rappelle ses origines campagnardes; le vélo longtemps convoité — symbole de la mobilité, du caractère mercurien auxquels aspire Noverraz pour sortir des entraves de sa pénible enfance: avec de tels motifs, Borgeaud orchestre, en une langue toujours mesurée et cultivée, une quête du moi dans laquelle nous rencontrons un des grands thèmes de la littérature suisse, l'exil comme miroir de l'intériorité. «Comment dire le charme pénétrant de ce livre tellement insolite dans la littérature d'aujourd'hui?», écrivit lors de sa parution une critique parisienne. «Non pas parce qu'il va de l'avant, mais parce qu'il nous ramène loin en arrière, au lent et subtil roman d'analyse où s'est épanoui le classicisme français...»[3]

Maurice Zermatten (*1910) a passé pendant des années comme le plus important représentant de la littérature valaisanne, voire romande, atteignant même une réputation supra-régionale; on a pu le considérer comme le véritable créateur d'une littérature. Henri Perrochon rapporte combien l'avait profondément marqué la lecture du premier ouvrage de Zermatten, *Le Cœur inutile* (1936)[4]. Une traductrice suisse alémanique reconnaît chez Zermatten une œuvre «qui, au cours des ans, s'est puissamment développée, une force de création poétique inhabituelle» et loue aussi son travail de premier plan au sein des organisations culturelles, ainsi qu'à l'armée, où il fut officier d'état-major, enfin les hautes distinctions qui lui furent conférées (entre autres le Grand Prix catholique du roman qui lui fut remis à Paris): tout cela est le «témoignage de l'intervention extraordinaire d'une puissante personnalité»[5]. Pour sa part Calgari assigne au Valaisan «une place pleine de dignité dans la littérature romande»[6], mais l'ambition et, durant une certaine période, le succès de Zermatten ont provoqué un malentendu: on a considéré cet auteur de romans et de drames régionaux comme le véritable successeur de Ramuz. C'est le même genre de confusion qui a fait passer Gotthelf et Ramuz pour des écrivains paysans. Zermatten dispose d'un métier solide, traditionnel, et sa productivité est en effet étonnante, mais le ton mélodramatique et les sentimentalités folkloriques dénaturent parfois le contenu de ses livres. Un exemple: dans son livre de souvenirs *Les Sèves d'Enfance* (1968), il décrit la vie dans un village valaisan des années vingt d'une manière aisée, parfois passionnante, s'égayant à l'occasion, d'autres fois pensif, avec une foule de détails curieux qui révèlent bien les dures conditions de vie, mais aussi l'harmonie de la communauté villageoise, avec la cuisson collective du pain au four banal, enfin la souffrance, la maladie, la mort. Mais ce monde archaïque subit une fâcheuse mise en œuvre littéraire. Ainsi Zermatten raconte son inclination enfantine envers une «petite fille au visage doux», ce qui lui arrache la question: «Lointain visage entrevu au seuil de l'adolescence, qu'es-tu devenu? O toi que j'eusse aimée!»...[7] Ce mouvement rhétorique de l'adulte, ainsi que la citation d'*A une Passante* de Baudelaire paraissent bien déplacés. Le sujet et la langue sont fréquemment victimes de telles conventions. Zermatten s'est exposé d'une manière répétée, ces dernières années, au reproche d'user d'un style pompier et patriotique. Le rôle malheureux qu'il joua dans la publication du petit *Livre de la Défense civile* compromit gravement son crédit[8]. Aujourd'hui, à l'observateur impartial, Zermatten apparaît presque comme un bouc émissaire de la gauche et d'un public littéraire aux idées plus avancées. Lui-même s'est en tout cas spectaculairement retiré dans son Valais natal où il ne semble pas manquer, aujourd'hui comme autrefois, de fidèles lecteurs[9].

Dans la génération qui suit Zermatten, Maurice Métral (*1929) alimente avec zèle une littérature de kiosque. Sa langue naïve en partie, artificielle aussi, est placée au service de la bonne cause, la présentation de la petite patrie, de sa nature, de ses conflits humains. Avec ses récentes productions, qui prennent peu à peu des allures de best-sellers, cet autodidacte atteint des tirages à cinq chiffres. En revanche, ce n'est pas au chapitre du simple divertissement qu'appartiennent les livres de Germain Clavien, originaire de Sion (*1933). Pendant dix ans, Clavien a vécu à Paris. L'expérience de ses premiers voyages a inspiré des poèmes qui parurent sous le titre *La Montagne et la Mer* (1971): brèves notations lyriques sur les états d'âme et les hésitations d'un jeune homme à la recherche de lui-même, partagé entre les montagnes du pays et la lointaine mer qui l'appelle. Clavien travaille à une suite romanesque autobiographique, *Lettres à l'Imaginaire*. Cette œuvre persévérante est une succession de récits à clé, situés principalement en Arvèche (le Valais), où les lieux et les gens, trop aisément reconnaissables, ont parfois quelque peine à accéder à la dimension romanesque.

Mais les deux représentants les plus éminents de la littérature valaisanne moderne ont renoncé à projeter sur le conflit créateur qui se trouve dans chaque œuvre d'art l'opposition de la patrie et de l'étranger: ils ont concentré toutes leurs forces à vivre et à rendre visible la polarité de l'homme d'aujourd'hui en Valais. Ce sont Maurice Chappaz et son épouse Corinna Bille.

Maurice Chappaz est né en 1916 à Martigny et habite près de Sierre. Ramuz remarqua déjà ses premiers textes non encore publiés. En 1944 parut aux Portes de France, à Porrentruy, dans le Jura, son premier ouvrage, *Les Grandes Journées de Printemps*, un hymne à la nature d'une grande force verbale. Chappaz vit, comme propriétaire

MAURICE CHAPPAZ À 20 ANS

ET À 50 ANS

GEORGES BORGEAUD

CORINNA BILLE

AURICE ZERMATTEN AVEC MADELEINE RENAUD

de vignes et montagnard infatigable, dans un constant contact avec la nature, mais c'est aussi un intellectuel qui reçut une formation classique au Collège de Saint-Maurice et traduisit Théocrite et Virgile. Au cours de sa première période créatrice, qui s'étend environ jusqu'à 1960, il modela dans des vers libres et dans une prose dense, lyrique, riche en images, le paysage de la vallée du Rhône, des vignobles et des pâturages alpins, des pentes rocheuses et des sommets enneigés — la passion secrète et la profondeur mystique du pays, de ses habitants. Dans le *Testament du Haut-Rhône* (1953), les poèmes sont encore dans la tradition romande de l'intériorité lyrique, et, en dépit de l'indubitable modernité du style, l'image du paysage est investie d'une charge affective qui exprime le regret d'un paradis terrestre. *Tendres Campagnes* (1966) est aussi caractéristique de ce rapport du poète avec la nature. Cependant dans *Le Valais au Gosier de Grive* (1960) et le *Chant de la Grande-Dixence* (1965) de nouveaux accents sont devenus perceptibles. A la place de l'événement naturel, qui se renouvelle au gré de l'année et dans lequel est inscrite l'existence humaine, entre la naissance et la mort, fait irruption le phénomène de la technique, jamais perçu jusqu'ici, et qui bouleverse le pays. L'expérience d'un monde primitif satisfaisant dans son ordonnance spontanée fait place à la reconnaissance douloureuse de la «seconde nature» créée par l'homme. La Grande-Dixence, centrale hydro-électrique construite dans les années cinquante, est devenue pour le poète le symbole du monde nouveau. Chappaz a participé à l'œuvre comme aide-géomètre, dans les chantiers et les mines. Dans son avertissement, il dit que les auteurs russes contemporains traitent des mêmes sujets. «On les leur impose, paraît-il. A moi donc la Grande-Dixence s'est imposée.»[10] Le chant débute comme un reportage, comme un rapport objectif de ce qui arrive dans la mine. Avec l'entrée dans la montagne commence «Le Voyage» — c'est le titre de la première partie. Obscurité, lampes isolées, odeur de pourriture, d'excréments. Loin au-dessus, il y a, invisible et à peine présent à la conscience, «le grand silence blanc, le soleil, le fond éternel du Valais». Le tractoriste nomme les glaciers sous lesquels on passe. A travers la boue et l'eau, on arrive au chantier où les perforatrices remplissent le petit espace de bruit, où les mineurs attaquent le rocher comme un ennemi. Bientôt «à fond la caisse, dans le vide, rapides et enterrés, les petits fleuves couleur de l'absinthe, furieux et bourdonnants, ils s'effaceront pour toujours de leurs vallées, de leurs villages!» Chappaz intitule la deuxième partie «La Nuit» et la troisième «La Lutte»: c'est un combat dans la nuit — une nuit pour les yeux, pour le cœur des hommes qui travaillent ici, les poumons pleins de poussière, menacés de mort rapide par les chutes de pierres et d'eau, de mort lente par la silicose. Chappaz a cette formule grande et menaçante: la culture est le mot d'un traître si elle ne s'adresse pas à eux. Enfin, «Le Mur», cette surface blanche qui, en haut, traverse le ciel, et qui, à l'intérieur, est une ville complète, avec ses corridors, ses chambres. Le poète a éprouvé la puissance de la technique. Il sait combien sont faibles, en face, le chant d'un rossignol, un vers de Rimbaud. Mais il a aussi cette intuition: «Il faudrait bâtir des barrages peut-être comme l'Angelico peignait.»[11] Ce *Chant de la Grande-Dixence* est ainsi un grand morceau de poésie, et en même temps, un rapport, un hymne, un pamphlet, une prière. La langue est âpre, pathétique, réaliste et lyrique: un style du pays dénué d'accents folkloriques, une modernité vierge de mode. La même année parut le *Portrait des Valaisans en Légende et en Vérité* (1965). Georges Borgeaud a caractérisé le développement poétique de son ami comme un chemin partant d'une magie intériorisée de la langue vers une puissance d'évocation débordante, expressive. Il a cette image pour décrire le *Portrait*: «Le poète est entré dans la superbe abondance de la maturité comme un verger voit ses pommes tomber dans l'herbe.»[12] «Je n'ai rien inventé, dit Chappaz au début de son livre, j'ai dessiné un Valais roman, roman sans d», c'est-à-dire non pas un Valais pittoresque traditionnel, mais un Valais latin et élémentaire. Et il continue: «...avec tout ce qui traînait: les propos de table des curés, les murmures des familles; les blagues enfantines, les histoires déjà retenues dans les cahiers du folklore, les anecdotes imaginaires, les on-dit, les incroyables histoires vraies, les confessions d'adolescents...» Pierre Imhasly, écrivain valaisan de langue allemande qui a traduit le *Portrait*, écrit: «Maurice Chappaz, c'est avant tout un tempérament, un rythme, une cadence, c'est l'intonation d'un pays.»[13] Là aussi le Valais moderne s'incarne dans la Grande-Dixence que le poète aperçoit à l'improviste, au loin, debout, alors qu'il est dans une prairie, tenant un bouquet à la main: «Merde pour les primevères» s'intitule, furieux, ce chapitre. Du vieux pays, lourd de son passé, lourd sous le poids de ses

4000 mètres, de ses glaciers, à peine grignotés par les cours d'eau, recouvert de mélèzes, de sapins, d'herbe, de mousse et de lichens, ainsi qu'une barbe non entretenue, se dégage «la course au progrès, la catastrophe en avant». Chappaz n'attaque pas de front l'évolution de l'époque, il la dépeint. Mais le «découvreur du Paradis terrestre» qu'il fut et qu'il est resté, en un certain sens, connaît le revers de la médaille: il est, comme l'écrit encore Imhasly, «un homme à qui une pomme est le paradis où l'on peut croquer; un homme qui sait aussi que dans la pomme se trouve un ver, la mort, et qui bat le tambour pour ce ver; un tempérament fou, un mélancolique raffiné, un poète».[14]

Dans *Le Match Valais-Judée* (1968) Chappaz emploie une prose large, entrecoupée par des effets lyriques de lumière, comme il l'avait expérimentée pour la première fois dans le *Portrait*. Il présente un théâtre du monde, reflété en Valais, d'une renversante plénitude verbale. C'est l'histoire d'une dispute que Dieu ordonne pour célébrer près de Sion le deux millième anniversaire de la religion catholique: les saints et les héros du pays, le cardinal Schiner et Georges Supersaxo, saint Bernard et saint Théodule, les présidents des communes, les avocats, les curés, les âmes pauvres, libérées des glaciers — tout ce monde est affronté par les prophètes, les rois et les apôtres de l'Ancien et du Nouveau Testament, en un ordre de bataille sauvage, humoristique et grotesque. A Sion, autour de Sion, et jusque dans les vallées montagnardes, les deux peuples élus de Dieu disputent leur match. Finalement les armes sont déposées, un repas et une beuverie d'une magnificence rabelaisienne réunissent les combattants à Savièse. Mais Dieu, qui est descendu vers les siens, voit, effrayé, le triomphe d'un nouvel esprit: un paysage de béton refoule les vignobles et les bois de mélèzes, partout résonnent les caisses enregistreuses, les aubergistes posent leurs filets... Le moment n'est-il pas venu de déclencher un nouveau Déluge? Mais Il se fait fléchir encore une fois: Il va mettre son peuple à l'épreuve. Si celui-ci réussit à faire prisonnier le Diable relâché, qui court çà et là dans le pays, la fin du monde sera retardée pour un millier d'années. Suit alors la chasse au Diable, fantastique tohu-bohu, folle confusion, course dans tous les sens, avec des moqueries, des perfidies, la colère et la peur: un jeu téméraire autour de l'âme du Valais. A la fin nous voyons saint Bernard partir, avec le Diable enchaîné, dans la nuit éclairée par la lune, par «son» col. Il y a dans ce livre une richesse de fantaisie, un merveilleux, qui vont du plus tendre au plus grossier, du raisonnable au détraqué, qui confondent sans transition le passé et le présent, l'ère technicienne et le moyen âge: à cela correspond une opulence verbale qui crée les mots et les expressions à partir de traditions populaires, du patois, du langage des cafés, du jargon militaire, avec la même liberté qu'elle aborde le vocabulaire de l'économie et de la société modernes ou le monde verbal de l'Eglise catholique, du mythe, de la sorcellerie ou de l'histoire. De ces éléments disparates naît un style vivant, organiquement articulé, exprimant les mouvements d'un esprit vif et d'un cœur palpitant. Avec *Le Match*, Chappaz a écrit un livre qui est à la fois pour et contre son temps. Patrie et monde, province et universalité, méditation et explosion, affirmation et négation se tiennent dans un rapport complémentaire. Son sujet, le Valais, est un thème universel, car il vit, il souffre, il espère, il craint, il grimace, il hurle au milieu des tensions qui polarisent toute notre expérience d'hommes.

A l'inverse de ce qui se passait pour son jeune collègue Chessex, il se fit les années suivantes un peu de silence autour de Chappaz. Thématiquement, Chappaz n'a certes dépassé, dans aucun de ses livres, les frontières du Valais, bien qu'il ait toujours mieux montré dans quelle mesure l'expérience limitée peut gagner un caractère universel. Ce qui a constitué un obstacle au rayonnement de tels livres au-delà de la Suisse romande, c'est la langue: une langue inhabituellement compacte, différenciée, personnelle, qui tient de l'expression introvertie d'un visionnaire, d'un mystique. Un style complexe, parfois paradoxal, plein de complications, d'expressions populaires, et en même temps très élaboré sur le plan artistique, qui n'est en tout cas jamais facile à la compréhension (pour ne pas mentionner la performance de qui le traduit). Cette qualité, qui est en même temps une difficulté d'accès, est manifeste dans son livre *La Haute Route* (1974). Vu de l'extérieur, il s'agit d'un sujet de la littérature montagnarde traditionnelle, c'est un retour à la poésie du majestueux monde alpin, des cimes sublimes, que les auteurs helvétiques de ce dernier quart de siècle ont presque systématiquement évitée[15]. Mais cette approche n'est valable que superficiellement. Chappaz tente en réalité l'exact contraire de ce que cette littérature a fait en son principe: à la place d'une majesté purement matérielle, qui toujours involontairement rapetisse son objet par une rhétorique démesurément sentimentale, on assiste chez Chappaz à la ré-invention d'un monde par l'expression: «En cours de route écrire par taches de couleur, par cris, par mots nouveaux et sur des plans différents selon une dictée du sentiment intérieur inavouable et des fantastiques apparences qui nous entrecoupent.» La route évoquée par ce livre, la haute route des montagnes qui va de la vallée aux verts pâturages, devient pour ainsi dire le symbole du défi que l'alpiniste, le mystique et le découvreur de langage Maurice Chappaz se jette, à lui-même d'abord, mais aussi à la traditionnelle littérature romande et en même temps au lecteur moderne: le défi au monde technicisé, dompté, au nom d'une nouvelle intériorisation de la nature, nullement sentimentale. C'est dans *Les Maquereaux des Cimes blanches* (1976), pamphlet poétique et réquisitoire contre les spéculateurs fonciers, que Chappaz a finalement lancé le cri d'alarme face à un Valais qui est littéralement en train de se dénaturer. «J'attaque pour un Valais plus propre et plus simple», a dit l'auteur. Certains n'ont pas voulu le comprendre, surtout dans son canton. On a crié au scandale, ce qui, finalement, montre qu'il a bien visé. Le voici donc engagé dans un débat qui nous concerne tous, puisqu'il concerne l'avenir même de ce qu'on nomme en jargon d'aujourd'hui notre environnement.

Comme son mari, S. Corinna Bille (*1912) est aussi originaire du Valais, où elle vit et trouve le cadre de beaucoup de ses récits. Mais, tandis que Chappaz transpose en un mythe l'irruption de la technique dans le vieux pays, chez Corinna Bille l'analyse intérieure et les rapports humains sous toutes leurs formes restent primordiaux. Et si la tonalité poétique de ses œuvres n'est pas moins authentique, pas moins dense que chez Chappaz, son art agit néanmoins d'une manière plus mesurée, plus discrète, plus onirique. Le Valais et ses habitants ne se trouvent pas au centre d'un «Grand théâtre du Monde», ce pays n'est pas le «sujet» de ses livres, et, comme le remarque justement la critique française Dominique Aury, il n'est même pas décrit, mais «il vit à travers les êtres auxquels il sert pour ainsi dire d'enveloppe, comme on veut que le corps serve l'âme».[16]

Depuis son premier ouvrage en prose, *Théoda* (1944), l'auteur a prouvé deux choses: la fidélité à soi-même et une capacité d'évolution artistique. L'éventail de cet art s'étend du sentimentalisme retenu de *Théoda* à la naïveté calculée du *Mystère du Monstre*, une histoire pour enfants (1968), et jusqu'au réalisme lapidaire des *Cent Petites Histoires cruelles* (1973). Dans ses nouvelles et ses récits (*Entre Hiver et Printemps*, 1967, *La Fraise noire*, 1968, *Juliette éternelle*, 1971), elle raconte et décrit, sans recourir à un appareil symbolique ou même allégorique; les objets d'un monde quotidien, un regard sur le paysage, un morceau de nature commencent ainsi à vivre de leur vie propre. Parfois sa langue est comme suspendue, les choses qu'elle pourrait dire et qu'on attend peut-être d'elle sont escamotées, et le lecteur est précipité dans un espace qui reste ouvert, en lui-même, laissé seul pour quelques instants. Alors, à l'improviste s'allume quelque chose de lyrique, de passionné, qui cherche dans et à travers les mots. Ainsi, une très jeune fille a la sensation de son corps aimant: «Et du mien s'élevait un chant, comme de mille oiseaux et de plantes et de feuilles, une joie terrible qui courait le long de moi et m'envahissait, enveloppait ma tête, voilant mes yeux d'un brouillard de plus en plus dense.»[17] Souvent Corinna Bille présente ce qui est à part, ce qui échappe à un ordre établi, ce qui se perd. Il peut s'agir du vieillissement, de la perte du pouvoir d'aimer, de la fin d'une sécurité existentielle, de la disparition de la jeunesse, de la séparation, du dégoût, de la déchéance, de la mort. Dans le «Journal de Cecilia» (1971) elle dessine par exemple l'effondrement d'une femme abandonnée, avec une exactitude presque clinique; et, dans «Masques» (1971), les vieux masques du Lötschental qu'un jeune couple désire acheter lors d'une promenade deviennent les reflets de rapports humains caricaturaux. Ou, dans «Veilleuse des Morts» (1968), une jeune femme malade est couchée, seule, l'homme est parti, elle croit mourir, et une vieille veilleuse lui apparaît en pensée, elle pleure silencieusement; et soudain la porte s'ouvre, l'homme entre, mais il a oublié le médicament, il a du travail à la cave, il vient d'un autre monde: «Elle ne voulait pas l'écouter, elle remontait d'un étrange sous-sol. Lui, il ne savait pas d'où elle revenait.»[18] Il n'y a pas d'histoire, ici, aucun dénouement n'est offert au lecteur; seul l'incident est là, en cinq pages imprimées, mais ce récit fait apparaître avec une retenue parfaite toute notre condition humaine. Corinna Bille possède l'acuité de l'observation et le sens de l'ordre artistique qui lui permettent d'évoquer les choses dans leurs détails significatifs: chez elle le portrait de la réalité devient aussi l'esquisse d'une existence au-delà de nos sens. Dans le très beau recueil de nouvelles

S. Corinna Bille

La Demoiselle sauvage, publié successivement à Lausanne et à Paris (1974) et honoré de la «Bourse Goncourt de la Nouvelle», l'écrivain se montre en pleine possession de son art. L'imaginaire et le réel, l'érotisme et la soif métaphysique, le tragique et parfois aussi le grotesque s'unissent dans une langue aussi simple que raffinée. Corinna Bille, à l'heure actuelle, nous apparaît bien comme la «grande dame» des lettres romandes.

VI
GENÈVE:
CALVINISME
ET COSMOPOLITISME

Genève a lié son destin politique à la Confédération helvétique tôt et de son propre gré, mais la ville a jusqu'à aujourd'hui conservé une étonnante indépendance extérieure et surtout intérieure envers cette association d'Etats dominée par l'élément alémanique — ce qui n'empêcha pas tel ou tel Genevois, comme Guillaume-Henri Dufour, de jouer un rôle décisif dans la naissance de l'actuel Etat fédéral. Par sa langue, par son histoire et sa situation, Genève est donc orientée davantage vers la France que vers la Suisse: une demi-douzaine de routes conduisent en France, une seule en Suisse; à l'espace vital naturel de la ville appartiennent les territoires français adjacents. Comme pour Bâle, avec laquelle les similitudes sont nombreuses, l'ouverture au monde n'est pas une ambition qui doit surmonter un repliement géographique et historique, mais un élan qui va de soi. L'élément paysan qui domine dans le reste de la Suisse (même s'il tend à diminuer aujourd'hui) n'a jamais joué un rôle déterminant à Genève; en revanche, la bourgeoisie marchande et la finance internationale se sont imposées. Au XVIe siècle, Genève devint avec Calvin la Rome protestante dont l'influence rayonna jusqu'en Angleterre et en Hollande. Le caractère calviniste de la ville s'est beaucoup estompé durant les dernières années, mais jusqu'à aujourd'hui, pour les esprits respectueux de la tradition, Genève est restée la Citadelle de la Réforme, couronnée par la cathédrale Saint-

Pierre, avec son vieux gymnase, le collège de Calvin, son Université issue de l'Académie de Calvin, et le siège du Conseil œcuménique des Eglises[1]. Mais, contrastant avec cette vieille tradition, Genève a également la réputation en Suisse allemande et à l'étranger, d'être un petit Paris élégant et frivole. Au XXe siècle, l'ouverture au monde s'est manifestée à maintes reprises, Genève devenant siège de la Société des Nations, ville du Comité international de la Croix-Rouge, siège européen de l'Organisation des Nations Unies et siège du Bureau international du travail. Immédiatement après la dernière guerre mondiale, des années avant que ne soit construit l'aéroport zurichois de Kloten, Genève, de sa propre initiative, s'était reliée au trafic aérien international avec l'aéroport de Cointrin. La proportion des étrangers dans la population résidente est plus forte à Genève que partout ailleurs en Suisse (31 pour cent en 1967). Le développement économique depuis 1945 a créé pour l'avenir de la ville de nouvelles conditions; un conseiller d'Etat, André Chavanne, les a définies: «Afflux de capitaux étrangers, installation d'organismes internationaux de plus en plus importants et diversifiés, extension des communes suburbaines qui prolongent sur des kilomètres le territoire de la cité, autrefois cœur et cerveau du canton.»[2]

On ne trouve que de faibles traces, à Genève, de la tendance littéraire illustrée dans les autres cantons romands à s'articuler comme un moyen de détermination de soi par l'écriture, en même temps que de se définir contre la Suisse alémanique et contre la France. Plus que partout ailleurs, il va de soi qu'un écrivain se considère comme un membre de la grande famille de langue française, comme Genevois et citoyen du monde. Le souvenir de Rousseau, le citoyen de Genève, est cultivé comme celui d'un grand compatriote, d'un écrivain français et d'un cosmopolite. Des auteurs régionaux d'une importance littéraire incontestable, comme Rodolphe Töpffer ou Philippe Monnier (*Le Livre de Blaise*, 1904) existent depuis le siècle dernier, mais un mouvement comparable à celui des *Cahiers Vaudois*, prônant une esthétique originale, fait défaut. L'Université, avec la tradition linguistique d'un Ferdinand de Saussure, avec une éminente école d'interprètes et de critiques littéraires (cette Ecole de Genève célèbre dans le monde entier), appartient sans discussion à l'univers intellectuel et au milieu des lettres françaises[3]. Le caractère international semble se refléter même dans la situation politique: le Parti du Travail, d'observance marxiste orthodoxe, est particulièrement fort à Genève, et conscient de sa valeur; mais le national-socialisme fasciste avait ici aussi son homme: l'écrivain Georges Oltramare, non dénué d'ailleurs de talent, fut l'un des principaux tribuns des années trente et quarante et devint un collaborateur actif du régime de Vichy[4].

Ils apparaissent ainsi typiquement genevois, au sens d'un libéralisme cosmopolite, les auteurs qui travaillèrent dans la *Revue de Genève* de l'entre-deux-guerres, à commencer par les deux éditeurs, Robert de Traz (1884-1951) et Jacques Chenevière (1886-1976). Ils réunirent dans les colonnes de cette revue les meilleurs esprits des années 1920 à 1930, de Gide à Giraudoux, de Joyce à Freud: c'est le reflet de l'idée de la Société des Nations, instaurant un dialogue international des écrivains et des érudits[5]. L'ouverture au monde, l'attitude de la grande bourgeoisie, la culture littéraire et psychologique déterminent le style des romans, des essais et des articles de Robert de Traz. Le titre d'un recueil posthume de ses chroniques parues dans le *Journal de Genève* et dans le *Figaro* parisien peut s'appliquer également à son contemporain Jacques Chenevière: *Témoin*. Chenevière a donné en effet des témoignages dans son livre de souvenirs publié en 1966: *Retours et Images*. Le Genevois natif, qui cependant passa sa jeunesse à Paris et y cueillit ses premiers lauriers littéraires, décrit avec exactitude et vivacité le Paris de la Belle Epoque, avec ses salons, ses salles de rédaction, ses théâtres, ainsi que les rencontres avec la Suisse et le Midi de la France, la patrie de sa mère; puis c'est l'activité de la Croix-Rouge pendant la première guerre mondiale, l'assistance aux prisonniers de guerre, plus tard ses missions officielles dans l'Europe déjà menacée par un nouveau conflit armé. L'œuvre narrative étendue de Chenevière a été encore récemment distinguée par le Grand Prix du rayonnement français de l'Académie française. Le titre d'un recueil de ses nouvelles, *Daphné ou l'Ecole des Sentiments* (1969), ne se borne pas à rappeler les expériences de l'amour mais apparaît aussi comme une formule frappante pour décrire l'art tendre, éclairé souvent de notations ironiques, de cet écrivain psychologue, situé entre Maupassant et Proust, dont le style évoque pour nous le temps déjà lointain des fiacres, des salles d'hôtels décorées de palmiers, des voyageuses anglaises et des petites couturières qui changent de métier à cinq heures du soir.

De nombreux narrateurs, de nombreux essayistes de la génération des de Traz et Chenevière ont marqué le climat littéraire de Genève, avec des intentions cosmopolites à peine moins affirmées, cela jusqu'aux années cinquante. Ainsi l'écrivain et historien d'art Daniel Baud-Bovy (1870-1958); Paul Chaponnière (1883-1956), historien local et journaliste, dont la fille, Pernette Chaponnière (*1915), a continué la tradition familiale; l'homme de lettres Henri de Ziégler (1885-1956), qui fut recteur de l'Université; le critique d'art François Fosca (pseudonyme de Georges de Traz, *1881); le poète et critique Maurice Kuès (1890-1959). Chez tous ces auteurs l'élément genevois se combine sans contradiction avec les composantes helvétique et européenne, la cité semble participer à une tradition humaniste universelle. D'un autre côté, la réalité vivante du prolétariat, pourtant très forte à Genève, n'effleure généralement pas leur conscience préoccupée des formes d'existence bourgeoise (on trouve un tel passage, rarissime, dans les souvenirs de Chenevière, lorsqu'il raconte comment, enfant, lors d'un retour de la gare, à Paris, il avait été étonné pendant tout le parcours en voyant une figure déguenillée courir à côté du fiacre, *un pauvre* qui espérait gagner quelque chose lorsque la compagnie sortirait). Les auteurs étrangers se sentent particulièrement à l'aise dans cette atmosphère internationale: ainsi le psychologue et poète Charles Baudouin (1893-1963), originaire de Lorraine, s'est établi à Genève (il a d'ailleurs bien mérité de la littérature suisse comme traducteur de Spitteler). Des Confédérés ont aussi adopté Genève: c'est le cas de Léon Bopp (*1896), natif du Jura neuchâtelois, et qui s'est consacré d'une part à d'importantes études critiques sur Amiel, Flaubert et Baudelaire, ainsi qu'à des traités de philosophie, et, d'autre part, à une œuvre narrative très riche. Inversement, des Genevois ont de tout temps échangé le monde littéraire limité de leur patrie pour la grande scène parisienne. Par exemple l'essayiste et romancier Edmond Buchet (*1902) mit sur pied dans la capitale française l'importante maison d'édition Buchet-Chastel: dans son journal publié en 1969, il évoque, c'est le titre, *Les Auteurs de ma Vie ou ma Vie d'Editeur*. Robert Pinget, né à Genève en 1919, a abandonné la Suisse à la fin de ses études: il est devenu à Paris l'un des principaux représentants du nouveau roman. L'ouverture au monde qui se manifeste à Genève est aussi sensible dans l'engagement socialiste, non dogmatique, de Jeanne Hersch (*1910), philosophe qui a enseigné à l'Université, élève de Karl Jaspers: ses livres témoignent d'une solidarité humaine et d'une liberté intellectuelle qui se placent au-dessus des frontières. Un roman de jeunesse, *Temps alternés*, paru pour la première fois en 1942, a retrouvé de nombreux lecteurs au moment de sa réédition en 1976. Nous reviendrons, dans le chapitre consacré à la critique, au rayonnement de l'œuvre de Marcel Raymond.

Un cas particulier, à l'intérieur de la littérature traditionnelle de Genève, nous est fourni par Pierre Girard (1892-1956), ami de Chenevière, qui travailla un temps dans la banque, puis comme journaliste et écrivain libre; il rédigea, à côté de poèmes, de récits, de romans, quelques centaines d'articles spirituels pour des journaux romands. Girard a déjà développé, dans les années vingt, une prose très personnelle, discrète, pleine de nuances, mais dont les finesses exigent une lecture attentive. Ses livres communiquent l'image d'un monde peuplé de figures tantôt bizarres, tantôt éthérées, un monde singulier qui ressemble exactement au milieu dans lequel vécut Girard — la Genève des grands bourgeois de la SDN, la France, l'Allemagne, les Etats-Unis où il voyagea — et en même temps un monde qui va son cours dans une totale irréalité. Les êtres s'y meuvent comme en dansant. Même lorsqu'ils trébuchent, il s'attache à eux quelque chose de clownesque, et de raffiné en même temps, comme dans un film de Chaplin; et les événements s'accomplissent selon une logique inconnue. Girard est beaucoup plus que l'humoriste, que le fantaisiste décrit par certains critiques: il a su créer un univers magique, obéissant à ses propres lois, dont la légèreté, l'enjouement, l'apparent détachement cachent les abîmes d'une secrète mélancolie. Jacques Buenzod dépeint Girard comme un écrivain qui «s'identifie au monde qui l'entoure, en perçoit intimement les harmoniques, correspond avec lui par tout un système de signes, de messages, de références»[6]. Comme les rêves, les histoires de Girard s'offrent à une signification, à une interprétation, mais, comme un rêve aussi, le sens ne se laisse pas appréhender d'une manière claire, non équivoque: «Au bout du compte, une littérature évidemment onirique», dit avec raison Jean Vuilleumier[7]. Tout se passe comme si Girard avait créé dans ses livres un complément naturel à l'atmosphère si puissamment empreinte de protestantisme et d'esprit mercantile de sa ville natale — et de la Suisse en général: c'est la fantaisie et la liberté d'une ambiguïté créatrice opposées au réalisme et au pragmatisme. Dans l'un de ses derniers ouvrages, *Charles dégoûté des Beefsteaks* (1944), il raconte l'histoire d'un banquier genevois doué, mais figé dans son austérité quotidienne, et qui est dérangé du train-train de sa vie par la vue d'un lézard mangeant une mouche — symbole: une soudaine aversion pour la viande cuite — et, grâce à une jeune nièce, il découvre une nouvelle vie et finit par renoncer à l'existence qu'il menait jusqu'alors. C'est l'élan nouveau d'un autre moi, refoulé, « romantique »: « Charles, le faible Charles, sourit. Dans l'aube poudreuse, les arbres du quai arrondissaient leurs coupoles. Il était venu quelquefois à Vevey, mais toujours pour les séances de la Nestlé. Alors, il sortait du train, tête basse, portant dans une serviette de cuir des papiers. Mais ce matin d'août, il ne donna pas une pensée à l'Anglo-Swiss. Il découvrait avec surprise qu'à son insu il possédait des notions romantiques. Il les avait réprimées toute sa vie, mais elles revenaient au jour... Et voici que soudain il ne se rappelait plus le taux de l'emprunt Ville de Vevey 1904... »[8] On ne trouve pas beaucoup d'œuvres, dans la littérature suisse, où est ainsi rendue plausible une solution de rechange aux vertus helvétiques courantes, qui sont aussi de mauvaises habitudes. Ce passage est d'autant plus impressionnant qu'il n'a pas été écrit au nom d'une quelconque révolution, mais dans un détachement souriant. On pense parfois à Robert Walser lorsqu'on lit Girard: une comparaison qui pourrait aussi bien se rapporter au niveau littéraire.

Un autre cas particulier, d'une tout autre espèce, nous est donné par Albert Cohen (*1895), qui, à l'âge de plus de 70 ans, avec le puissant roman *Belle du Seigneur* (1968), obtint publicité et célébrité — alors qu'il passait déjà depuis des décennies pour un auteur important aux yeux des connaisseurs. Si on le considère superficiellement, ce Genevois d'adoption, d'origine juive, né à Corfou, autorisé à se naturaliser dans le village alémanique de Mellingen, appartient à la société internationale de la ville de la SDN — qu'il a d'ailleurs présentée dans son roman avec une terrible ironie. En vérité, Cohen, ancien haut fonctionnaire de cette SDN, est un solitaire, sur le plan littéraire comme sur le plan humain[9].

L'essai et le roman psychologique sont les genres préférés de la vieille génération. Au commencement des années cinquante, de jeunes auteurs se réunissent à Genève, à l'enseigne de « Jeune Poésie», pour donner une nouvelle valeur à ce concept de poésie: une valeur plus actuelle, plus exigeante d'une discipline qui représente l'essence même de l'activité littéraire. A ce groupe d'auteurs appartiennent, entre autres, Charles Mouchet (*1920), Vahé Godel (*1931), Albert Py (*1923); quelques Vaudois et Jurassiens les fréquentent plus ou moins assidûment. Une série d'écrivains un peu plus âgés, qui se sont déjà illustrés par des publications et qui ont aussi à cœur de réaliser une œuvre exigeante, à l'inverse d'une littérature bien pensante établie qui va à l'encontre de leur sentiment, s'apparentent à ce groupe; ce sont aussi, avant tout, des poètes, comme Gilbert Trolliet, (*1907), Claude Aubert (1915-1972), Jean Hercourt (1912-1965), Georges Haldas (*1917), Jean-Georges Lossier (*1911). « Jeune Poésie» a une existence d'une quinzaine d'années, se manifeste par des lectures, des conférences, et deux séries de publications qui sont aussi ouvertes à l'échange littéraire (on publie notamment des poèmes de l'Espagnol José Herrera Petere et du Suisse alémanique Urs Oberlin). Dans une rétrospective de leur activité, les initiateurs expliquent qu'ils ont été conscients dès le début que l'expérience poétique signifiait aussi «en deçà de la parole, un lien avec la communauté humaine où elle se manifeste». Répudiation du génie du lieu aussi bien que de la contrefaçon d'un modernisme à la mode, mais la solidarité et la compréhension sont expressément affirmées pour «sympathiser avec ce qui se passe dans certains secteurs de l'Europe et du monde où des hommes sont aussi à la recherche d'eux-mêmes ainsi que d'une nouvelle conscience de la relation humaine»[10].

Le groupe « Jeune Poésie» n'a pas élaboré une doctrine cohérente à l'exception de ses affirmations générales: solidarité internationale, exigence d'une nouvelle expérience poétique, plus intense. Du reste on peut à peine parler d'une appartenance à un groupe, surtout si l'on pense aux auteurs de la génération moyenne. Ainsi Gilbert Trolliet, qui est Vaudois d'origine, né dans le canton de Fribourg, et qui appartient depuis longtemps au paysage littéraire de Genève, a suivi depuis toujours sa propre voie: éditeur de la revue *Présence*, auteur d'une œuvre poétique volumineuse, quelque vingt recueils, dans laquelle il se révèle un artiste de la forme extraordinairement divers, «interprète fidèle des aspirations, des goûts et des dégoûts de ses contemporains» ainsi que le dit Ernest Dutoit[11].

Claude Aubert, Georges Haldas

Mort en 1972, Claude Aubert avait dit de lui-même: «...l'écriture, mon pain quotidien, est le seul lien, l'arc-en-ciel, le pont sur l'abîme qui m'unit aux malades, aux bien-portants en apparence, aux oiseaux...»[12]. Chez lui, comme chez Jean Hercourt, on trouve l'héritage symboliste et surréaliste de la poésie française, dans un ton fondamentalement classique: une poésie qui n'est pas enracinée dans le terroir, mais s'exprime par une langue lyrique moderne, universelle, dans le domaine intemporel de l'âme et du mythe. L'œuvre d'Aubert appartient aux plus importantes contributions à la poésie romande, sans avoir pour autant un caractère proprement suisse; ses thèmes sont par exemple l'absence de patrie, la fuite, la recherche de l'amour; littérairement la leçon des surréalistes a été importante pour Aubert. Et cependant le sentiment tragique de la vie, chez cet auteur hautement doué, conséquent avec lui-même, se trouve dans un rapport étroit avec sa ville, dont il écrivit: «Genève a des visages divers. Certains me touchent, d'autres m'agacent.» La ville transformée de son enfance, qui n'est plus reconnaissable, avec ses images de rues, de places, de ports étrangers, signes de solitude, de l'irréparable, qui ne sont plus saisis que l'instant d'un poème, voilà l'un de ses leitmotivs. Le vieil antagonisme entre l'ordre et l'éclatement, la patrie et l'exil, la foi et la contestation, entre en jeu dans ses poèmes qui involontairement, sur ce plan, deviennent les témoins d'une situation marginale helvétique.

Dès ses premiers poèmes, Georges Haldas fut davantage touché par l'actualité, par le présent: c'est encore plus flagrant dans ses derniers textes. Né à Genève, Haldas est d'origine grecque; il a toujours pris position, mettant en question les rapports entre poésie et société. Comme traducteur, il a rendu accessibles des poèmes grecs, latins, italiens, espagnols; comme éditeur il a milité pour une conscience littéraire orientée vers l'Europe, vers le monde, en mettant par exemple à la disposition du public de langue française des chefs-d'œuvre parfois méconnus de la littérature espagnole, aux anciennes Editions Rencontre. Son œuvre en prose, qui commença en 1963 avec le livre *Gens qui soupirent, Quartiers qui meurent,* s'est poursuivie avec *Boulevard des Philosophes* (1966), *Jardin des Espérances* (1969), *La Maison en Calabre* (1970), *Chronique de la Rue Saint-Ours* (1973), *La Légende des Cafés* (1976), *A la Recherche du Rameau d'Or* (1976), affirmant un style intuitif et analytique; avec les années elle a révélé sa force et s'offre aujourd'hui comme un document littéraire vécu, humain, comme une connaissance de soi et du monde d'un écrivain qui a renoncé à la pure fiction et crée à partir de souvenirs concrets.

Chez les auteurs plus récents de « Jeune Poésie », le pur poème s'est aussi développé en une prose poétique où la traditionnelle distinction des genres est finalement niée[13]. Ainsi Mouchet esquisse dans le recueil *Morte ou vive* (1969) des vues de paysages réels et irréels d'une Genève devenue étrangère. Dans ses meilleurs textes, Godel — qui s'est aussi fait un nom comme traducteur de l'arménien et comme essayiste — exprime une ironie furieuse à l'égard d'un monde de l'absurde où la vérité fait la culbute, où la beauté ne peut en même temps être perçue qu'entre deux portes. Dans *Cendres brûlantes* (1970), sa première prose importante, Godel compose des variations sur le thème de la mort: les cendres brûlantes sont les restes, existant encore dans la conscience, des morts qui s'animent comme des ombres dans le récit. Godel y expérimente les figures stylistiques les plus diverses: lyrisme, analyse psychologique, description réaliste — ainsi la nécromancie devient un catalogue d'échantillons de l'écriture contemporaine.

Dans la Genève d'aujourd'hui, le roman et la nouvelle révèlent une vitalité et une diversité indiscutables. D'un côté et de l'autre se font jour des tendances modernes: foi en la réalité qui se met elle-même en doute, incertitude sur l'intelligibilité des événements: dans le ton d'un néo-réalisme riche en correspondances chez Georges Ottino (*1925) ou Pierre-Francis Schneeberger (*1918; il écrit aussi sur l'art), d'une manière complexe chez Jean Vuilleumier (*1934)[14], à la manière d'une confession chez Jean-Claude Fontanet (*1925), d'une façon prudemment exploratrice et en même temps précise chez Anne-Marie Burger (*1928). Doit-on toujours parler de réussite, ne serait-il pas plus loyal d'utiliser à leur endroit la formule d'« entreprises promettant beaucoup »? Plutôt que de distribuer de bonnes ou de mauvaises notes, citons deux exemples extrêmes dans l'écriture actuelle, l'un d'un modernisme forcené, l'autre d'un artisanat sans prétention, et en cela d'autant plus convaincant. Dans son roman *Le Chant des Eboueurs* (1968), Gérald Lucas (*1935) cherche à former, sur les traces de Boris Vian, une vision d'avenir amplement pourvue de motifs grotesques à la mode, néo-surréalistes. Mais son livre

77

CLAUDE AUBERT À 18 ANS

CLAUDE AUBERT, JÉRÔME DESHUSSES, JEAN STAROBINSKI
J.-TH. BRÜTSCH, E. ROGIVUE, JACQUES-RENÉ FIECHTER

CHARLES MOUCHET ET JEAN VUILLEUMIER, AVEC
JEAN-LUC SEYLAZ, PROFESSEUR DE LITTÉRATURE
FRANÇAISE À L'UNIVERSITÉ DE LAUSANNE

JEANNE HERSCH

ORGES HALDAS

JDOLPH MENTHONNEX

VAHÉ GODEL

prouve que l'imagination originale (qui parfois ne veut être que cela) ne suffit pas s'il manque une discipline esthétique. Lucas cherche l'effet pour l'effet; aucune allusion, aucun clin d'œil, aucun calembour, aucune réminiscence littéraire, aucun gag n'est trop bon marché pour lui. Ce constant fortissimo indispose et lasse le lecteur, et la langue, qui se voudrait originale, n'a pour finir qu'un effet plat et indifférencié. Il en va tout autrement d'Yvette Z'Graggen (*1920). Ses récits et romans sont écrits avec une grande exigence. Ils sont composés avec les données habituelles de la vie de petits et moyens bourgeois. Dans le recueil *Chemins perdus* (1971), voici un employé de bureau qui craint de perdre son poste; une femme qui arrive par hasard, lors de vacances balnéaires, là où elle vécut son premier amour; un médecin qui, après une longue absence, rend visite à son village natal. La qualité de l'auteur réside dans son don d'observation aigu. Chez elle les choses et les hommes sont vus, ressentis, les mouvements maladroits d'une secrétaire d'un certain âge aussi bien que l'organisation d'un bar à café italien. L'unité naturelle de la chose décrite et de la langue sont rarement en défaut.

Avec son héritage calviniste et cosmopolite, son vernis moderne, tantôt parisien, tantôt américain, ses problèmes sociaux et humains, la ville de Genève reste pour les narrateurs contemporains le lieu, le cadre, la «personne» visible, présente, l'exemple d'un monde contemporain, certes, tout en conservant une force d'inspiration individuelle contre l'anonymat interchangeable de notre époque. Cela n'est pas seulement valable dans le roman et la nouvelle. Les années soixante et septante ont témoigné d'un essor théâtral inattendu avec Louis Gaulis (*1932) et Walter Weideli (*1927). Dans son *Banquier sans Visage* (1964), une pièce sur Jacques Necker, le fameux financier genevois de l'Ancien Régime, Weideli a réinterprété, dans une perspective critique, un thème historique et social proprement genevois[15], comme Georges Haldas, plus récemment, dans son *Michel Servet*. Le nouveau film suisse n'est pas imaginable non plus sans Genève. Dans deux de ses grands succès, mérités, *Charles mort ou vif* (1969) et *Jonas* (1976), Alain Tanner montre la grande ville actuelle, avec ses prétentions calvinistes de zèle et d'ordre; mais sur cette toile de fond la question du sens possible (ou impossible) de l'existence est posée d'une manière neuve et fondamentale.

VII
NEUCHÂTEL:
INTELLECTUALISME
ET RÉVOLTE

Genève, Vaud et Neuchâtel forment le groupe des cantons romands de langue française et de tradition protestante qui possède une certaine homogénéité en face des cantons catholiques, Fribourg et Valais, avec leur minorité alémanique, et du cas particulier du Jura. Cette analogie n'est pas si forte, néanmoins, qu'elle efface le caractère propre à chacun de ces trois Etats. La «République et Canton de Neuchâtel», comme elle s'appelle officiellement, a sa propre histoire, son propre style, sa propre existence. Neuchâtel appartient depuis 1848 seulement à la Confédération en tant que République, auparavant c'était une principauté prussienne, et en 1856 un putsch royaliste chercha à rétablir les anciennes institutions. Les partisans de la Monarchie étaient presque exclusivement de la partie méridionale du canton, avec la capitale, au bord du lac de Neuchâtel; l'impulsion en vue de la révolution républicaine de 1848 partait du nord, des Montagnes. L'opposition entre le *Bas* conservateur et le *Haut* progressiste subsiste aujourd'hui. Le Bas est un pays traditionnel de vignobles, avec quelques petits centres industriels — c'est récemment seulement qu'un complexe industriel commence à se développer autour de la raffinerie de pétrole de Cressier. La population est bourgeoise, libérale; avec sa situation idyllique, ses proportions encore accessibles à un regard d'ensemble, la ville de Neuchâtel apparaît comme un petit centre culturel, avec son université et ses écoles; et la bourgeoisie intellectuelle cultive ici, comme nulle part ailleurs sans doute en Suisse, un français soigné, ainsi que la conscience d'appartenir à la grande civilisation française. Le Haut, où l'industrie horlogère s'est implantée depuis le XVIIIᵉ siècle, possède une population ouvrière et paysanne; La Chaux-de-Fonds, qui a dépassé le chiffre de la population de la capitale, passe à côté de Bienne pour la ville la plus «américaine» de Suisse. Le climat est ici plus rude, le paysage a une grandeur et une solitude singulières, nordiques, l'atmosphère spirituelle est déterminée par l'ouverture au monde, la soif d'aventure, aussi par une agressivité et une religiosité. Très tôt cette ville vécut des démêlés sociaux. Au XIXᵉ siècle, de nombreux révolutionnaires russes, français et autres séjournèrent dans le Jura neuchâtelois; des influences marxistes et surtout anarchistes se mêlèrent à la tradition républicaine (récemment il est vrai l'Action nationale hostile aux étrangers y a enregistré des succès). «N'oubliez pas que... ce fut au sein de la population intelligente, remuante, des Montagnes du Jura que s'élabora ce que devint plus tard l'anarchisme», écrivit Piotr Kropotkine en 1904 au fils du communard Henri Pindy, à La Chaux-de-Fonds[1].

La littérature neuchâteloise ne semble pas devoir réserver au lecteur de très importantes découvertes. «Soyons modestes et sachons reconnaître que notre littérature neuchâteloise, autrefois surtout, fut, pendant de longues périodes, d'une pénible indigence» écrivait l'historien de la littérature Charly Guyot en 1948, à l'occasion du centième anniversaire de la République[2]. Ce jugement autocritique, avec l'ambigu *autrefois surtout*, peut être confirmé tout au plus si on limite le champ d'observation au pays neuchâtelois et si l'on exclut les Neuchâtelois vivant en dehors du canton. Parmi ces derniers Guy de Pourtalès (1881-1941), dont le roman *La Pêche miraculeuse* (1937) saisit incomparablement l'atmosphère de Genève, de la Riviera vaudoise et de sa ville d'origine, Neuchâtel, a acquis très tôt la nationalité française. Denis de Rougemont (*1906), actuellement l'auteur suisse le plus connu dans le monde à côté de Frisch et de Dürrenmatt, n'a pas renié ses origines neuchâteloises, et en 1948 encore il publiait une *Suite neuchâteloise*[3]. On a dit avec raison que de Rougemont appartenait au monde; on peut en dire autant de Blaise Cendrars (1887-1961) et de Le Corbusier (1887-1965), qui n'est pas seulement le créateur de l'unité d'habitation, mais a fait œuvre d'écrivain hautement original. Ces deux grands hommes d'avant-garde sont nés la même année à La Chaux-de-Fonds. En effet les Montagnes neuchâteloises se révèlent au XXᵉ siècle comme un riche réservoir d'auteurs importants même si ceux-ci trouvent leur voie ailleurs que dans la proximité des pâturages jurassiens. De La Chaux-de-Fonds sont originaires encore Monique Saint-Hélier (1895-1955), romancière admirée par Rilke et Hesse, et le critique Albert Béguin (1901-1957)[4]. Ainsi, si l'on adopte un point d'observation qui permette une vue globale, la littérature de ce petit canton ne se montre nullement d'une pénible indigence, moins que jamais à notre époque! Il est juste d'ajouter que la vie littéraire, aussi loin qu'elle s'étende, au bord du lac de Neuchâtel, est davantage placée sous le signe de la réflexion critique que sous celui de la création. Une figure comme Charly Clerc (1882-1958), qui enseigna la littérature française de 1932 à 1952 à l'Ecole polytechnique fédérale de Zurich, tout en restant toujours en contact avec Neuchâtel, est caractéristique à cet égard. Clerc a pratiqué presque tous les genres littéraires: poésie, récit, drame, mais il n'a réellement trouvé un ton personnel que dans ses essais, et de la manière la plus significative dans *Une Patrie à faire* (1960), un traité sur le civisme — son véritable testament. Les services qu'il a rendus comme intermédiaire entre les diverses littératures de notre pays sont incontestés. Clerc avait une formation de théologien: on le sent dans beaucoup de ses livres. Son cas n'est d'ailleurs pas unique. Les critiques (et aussi les romans) de Pierre-Louis Borel (*1913), qui rend régulièrement compte des nouveautés littéraires comme unique chroniqueur de l'unique journal de la capitale, conservateur, débouchent volontiers sur des considérations théologiques. Le plus important poète du Sud neuchâtelois, vraisemblablement, et en tout cas le plus pur, est le pasteur protestant Edmond Jeanneret (*1914): dans d'harmonieuses images verbales, il exprime poétiquement un approfondissement mystique, et intitule explicitement un essai *La Poésie, Servante de Dieu*. Il en va autrement de Dorette Berthoud (1888-1975), la représentante du roman psychologique; ici les lignes de force sont plus diverses, les influences et les motifs plus complexes. Mais la dernière phrase de son roman *Vers le Silence* (1948), où elle présente les transformations d'une jeune femme émancipée de son milieu bourgeois aisé, d'une manière honnête, même si le style n'est guère original, est précisément: «Mon Dieu,

Tu auras le dernier mot.»[5] D'autre part, Dorette Berthoud a écrit
une série d'études historiques (par exemple sur Benjamin Constant),
où sa personnalité a trouvé peut-être une forme lui convenant d'une
manière plus évidente que le roman. Ainsi elle montre, involontairement, son appartenance à la tradition neuchâteloise, intellectuelle et
érudite. D'érudits qui s'entendent à communiquer d'une manière
convaincante leur savoir, par l'écriture, il n'en manque pas dans le
Bas, aussi peu aujourd'hui qu'hier ; bornons-nous à mentionner les
historiens Georges Méautis (1896-1970) et Edouard Bauer (1902-
1972), le médiéviste Jean Rychner (*1916), l'ethnologue Jean Gabus
(*1908). Charly Guyot (1898-1974) et Marc Eigeldinger (*1917) sont
des spécialistes de la littérature et des essayistes, le dernier, poète,
étant connu bien au-delà des frontières du canton[6]. Il serait d'ailleurs
injuste de limiter la vie littéraire de Neuchâtel à son université. Il y a
aussi un «Institut neuchâtelois», une Association des écrivains neuchâtelois et jurassiens, une *Revue neuchâteloise*, qui se maintient depuis
vingt ans. Et l'inventaire serait incomplet (il l'est de toute façon) si
l'on ne mentionnait pas au moins quelques-uns des «immigrés»,
nouveaux venus assimilés, la plupart Jurassiens, du Jura neuchâtelois
ou bernois : Lucien Marsaux (pseudonyme de Marcel Hofer, *1896)
a produit une œuvre considérable de poète, d'essayiste et surtout de
romancier, une œuvre qui se situe consciemment dans la thématique
catholique du péché et de la grâce et dont un critique a écrit que «la
langue, dépouillée, nue, souvent volontairement grise... détient un
extraordinaire pouvoir d'envoûtement»[7]. Willy A. Prestre (*1895),
féru d'aventures, a voyagé au loin ; on pourrait rassembler
l'ensemble de ses nombreux livres sous un seul titre : *Le Roman de la
Vie* (1967). Parmi les représentants du domaine critique, assez
important à Neuchâtel, il y a au moins un nom célèbre, en l'occurrence Henri Guillemin, qu'on peut considérer un peu comme Neuchâtelois d'élection, puisqu'il possède une résidence dans cette ville.
Deux romanciers doivent être surtout cités : Jean-Pierre Monnier
(*1921) et Roger-Louis Junod (*1927), originaires tous deux du
Jura bernois ; enfin l'auteur dramatique Bernard Liègme (*1927) de
Cormoret, mais né au Locle. On reviendra sur ces représentants
marquants de la Suisse romande dans un autre contexte[8].

«Mon père m'emmenait le dimanche dans les forêts et les pâturages du Haut-Jura. De Chasseral au Chasseron nous connaissions

tous les sommets, toutes les gorges et tous les chemins. En automne nous allions cueillir des champignons. J'ai appris avec lui à reconnaître les espèces comestibles du Jura, mais surtout à aimer les sapins. Le sapin a influencé le caractère du Jurassien... C'est un individualiste. Sur la crête d'un mont, la cime de chaque sapin se détache et se profile nettement sur le ciel... On ne s'imagine guère une allée de sapins. Ils ne se laissent pas mettre en rangs. Avec son tronc droit, ses branches également réparties, le sapin peut être symbole de droiture et d'équité. Pourquoi ne pas voir là une ressemblance avec le caractère du Jurassien individualiste, qui a accepté l'austérité calviniste et l'idéal de justice et de démocratie du socialisme...?»[9] C'est ainsi que Jules Humbert-Droz (1891-1971) décrit, dans le premier volume de ses souvenirs, la nature jurassienne, avec laquelle il se sentait de si profondes affinités, bien que toute sa vie il fut un internationaliste de gauche. Humbert-Droz se détourna tôt de la théologie pour le marxisme, fut membre dirigeant de la IIe puis de la IIIe Internationale — il siégeait dans cette dernière aux côtés de Staline et de Trotsky; il se brouilla avec Staline, dirigea le Parti communiste de Suisse et fut membre du Parti socialiste, dont il dirigeait le secrétariat central au début de la deuxième guerre mondiale. Jusqu'à sa mort il exerça infatigablement une activité de politicien et de journaliste, pour l'amélioration de la condition des travailleurs et pour un pacifisme inconditionnel. Ses *Mémoires* (1969-1974) constituent un grand document politique sur l'époque et en même temps la profession de foi personnelle d'un idéaliste engagé sans réserve, un fascinant pendant à *Mes Mémoires* de Gonzague de Reynold, exactement à l'opposé du spectre idéologique. Le non-conformisme des Montagnes neuchâteloises a reçu, avec les souvenirs de ce socialiste révolutionnaire, un monument durable. L'idée déjà émise sur la différence des mentalités entre les deux parties du canton se renforce lorsqu'on lit comment le jeune Humbert-Droz, objecteur de conscience, est enfermé à la prison de Neuchâtel, et échange de loin des signes avec sa femme Jenny, fraîchement épousée... mais il est dénoncé à la police par Philippe Godet, le fameux historien de la littérature, son ancien professeur, qui assiste de loin à l'innocent manège...[10]

Ce non-conformisme, qui va à l'encontre de l'ordre et de la tranquillité, précisément défendus, sur le plan officiel, par le conserva-

JULES HUMBERT-DROZ

0173
M A N D A T.
Le camarade Jules HUMBERT DROZ est en-
voyé en France par le Comité Executif
de l'Internationale Communiste, dans le
but de s'informer de la Vie du Parti
Communiste français et pour intervenir
avec pleins pouvoirs dans sens des dé-
cisions du Comité Executif concernant
la France.—
Président du Comité Execut.
de l'Internat.Communiste:
Moscou.27/IX.21.
N° 2433   G. Zinoview

BLAISE CENDRARS

LE CORBUSIER

MONIQUE SAINT-HÉLIER À LA CHAUX-DE-FONDS EN 1916
ET SUR SON LIT DE MALADE

JEAN-PAUL ZIMMERMANN

NE-LISE GROBÉTY

GEORGES PIROUÉ

Jean-Paul Zimmermann

teur libéral Godet, Blaise Cendrars l'a également pratiqué, d'une manière exemplaire, et pendant plus d'un demi-siècle. Sa révolte, il en témoigna en s'évadant de sa patrie, ce qui lui a permis d'ailleurs de jouer le rôle qu'on sait dans la littérature française de ce siècle. Moins connu que Cendrars le «bourlingueur», mais non moins typique, le poète Arthur Nicolet (1912-1958) est aussi né à La Chaux-de-Fonds et passa neuf ans dans la Légion étrangère française, pour ne revenir qu'après la débâcle de 1940. Ses poèmes, d'une écriture, d'une harmonie formelle classiques, évoquent passionnément le monde méditerranéen, l'héritage latin, les liens qui unissent les hommes de tout ce bassin, mais ils s'attachent aussi aux rives du lac de Neuchâtel, au Jura, paysages d'exil ainsi qu'il les nomme: «Mon Jura ténébreux défriché par les moines,/Terre des neiges, brise et chanson de l'avoine.»[11] On peut également caractériser Jean-Paul Zimmermann (1889-1952) par son classicisme, du moins dans sa poésie. L'évasion lui resta interdite, et il chercha à atteindre la dimension qui lui manquait dans le monde idéal de l'art: extérieurement il vécut comme maître de gymnase à La Chaux-de-Fonds, où il exerça un ascendant profond sur ses meilleurs élèves. «Toute son œuvre, déclare le critique Edgar Tripet, est une lutte contre le refus de soi-même et l'inauthenticité provoquée par ce refus.»[12] Il faut citer ses poèmes, ses romans, ses nouvelles, ses pièces de théâtre parmi lesquelles *Les Vieux-Prés* (1939). Son recueil de récits intitulé *Progrès de la Passion* (1932) fait sentir la tension intérieure dans laquelle il a dû vivre, à travers une narration vécue comme destin personnel; il considère d'ailleurs une telle tension, dans son essai *Le Pays natal* (1944), comme la polarité même du canton de Neuchâtel, entre les mondes contradictoires du sud méditerranéen et du Jura — et la transpose en mythe.

L'isolement dont souffrit Zimmermann, qui pousse généralement un tempérament plus vif à se révolter, paraît s'attacher comme une tare au Jura, malgré l'ouverture au monde de La Chaux-de-Fonds. On s'explique ainsi le fait que nombreux sont, parmi ses auteurs, ceux qui ont choisi de vivre à l'étranger. Par exemple Monique Saint-Hélier (pseudonyme de Berthe Briod, née Eimann, 1895-1955): elle passa la majeure partie de sa vie à Paris tout en évoquant avec magie l'atmosphère d'un Haut-Jura à la fois exactement localisable et intemporel, irréel, avec ses chemins enneigés, ses maisons isolées, ses hommes introvertis: cela dès ses premiers romans, déjà publiés dans les années trente (citons le magnifique *Bois-Mort*, 1934), où elle fait preuve d'une sensibilité poétique incomparable. Elle avoua d'ailleurs à ses compatriotes: « Je suis un enfant de chez vous. Et cela, j'espère qu'on le sent dans mes livres: sinon c'est raté. »[13] L'art de Monique Saint-Hélier est essentiellement de nature psychologique, sans pour autant avoir grand-chose de commun avec le roman psychologique traditionnel qui s'efforce de présenter des caractères; il se meut dans un monde intérieur obéissant à ses propres lois, comme l'œuvre de Proust, et vit du souvenir ramené à la surface et rendu ainsi durable. «C'est le temps-mémoire qui donne à tous les livres de Monique Saint-Hélier ce dynamisme continu des incessantes poussées dans la durée, cette architecture de la succession qui, simultanément, s'élève dans l'armosphère et s'enracine dans la profondeur.» (Marcel Brion[14].) Comme Monique Saint-Hélier, l'écrivain Cilette Ofaire (pseudonyme de Cécile Hofer-Houriet, 1891-1964), née à Couvet dans le Val de Travers, vécut principalement en France. De même pour Georges Piroué (* 1920), de La Chaux-de-Fonds, qui s'est établi depuis longtemps dans le Paris littéraire comme romancier, essayiste, traducteur et éditeur, tandis que le «Jurassien d'élection» Yves Velan (* 1925), a fini par s'établir aux Etats-Unis[15].

C'est aussi de La Chaux-de-Fonds que vient la jeune romancière Anne-Lise Grobéty (* 1949), fixée près de Neuchâtel, où elle écrivit son premier roman, *Pour mourir en Février* (1970): étonnant témoignage d'une adolescente. L'action est la suivante: Aude, une écolière, fait la connaissance d'une dame d'un certain âge, mondaine, élégante, indépendante, auprès de laquelle elle trouve la compréhension dont elle a besoin pour son développement. Mais l'entourage petit-bourgeois brise cette amitié: seule demeure la tentative de retravailler le passé en écrivant. Cette action n'est d'ailleurs qu'un cadre, que le lit de la rivière où coule, lyrique, le courant de conscience de cet écrivain, tantôt vers l'avant, tantôt vers l'arrière, avec de multiples méandres et des reflets changeants. On a pu dire que le thème propre du livre était celui de la révolte, une révolte d'une «frivolité» créatrice qui se heurte au monde endurci du calcul, de la résignation, de la morale extérieure. Une manière d'être autre, sur le plan sexuel notamment, apparaît ici comme le signe du conflit entre l'individu qui cherche à vivre selon ses lois propres et la société qui veut le soumettre à ses conventions. Dans une forme qui peut certes donner l'impression de jeunesse, d'une sensibilité en pleine effervescence, mais dans une langue extrêmement originale, sans nulle attitude révolutionnaire d'ailleurs, Anne-Lise Grobéty livre des variations sur le vieux thème de la révolte, sur la possibilité ou l'impossibilité de transformer la conscience individuelle et de changer le monde.

Cinq ans après son premier roman, Anne-Lise Grobéty publia un nouveau livre, *Zéro positif* (1975). S'il est vrai que la seconde œuvre constitue la véritable pierre de touche d'un talent, l'écrivain a brillamment soutenu l'épreuve. Le monologue intérieur, dont elle a su faire son style très personnel, elle le manie maintenant avec une évidence surprenante. Ce n'est plus la jeune fille qui parle, mais la jeune femme, traquée entre le désespoir et la volonté de réussir sa vie, cette vie de femme qu'il faut apprendre lentement, puisqu'«on m'a seulement montré comment ne pas être un homme», cette vie aussi qui est en train de se former en elle en «un mouvement en avant. Comme un arc tendu qui va se décharger.»

VIII
JURA:
SOLITUDE ET
AUTODÉTERMINATION

En 1964, l'année de l'Exposition nationale de Lausanne, paraissait à Porrentruy, dans le Jura septentrional, une *Anthologie jurassienne* splendidement présentée et illustrée, en deux volumes, publiée par la «Société jurassienne d'émulation», une association culturelle régionale. Un groupe d'écrivains nés et vivant dans le Jura, littérateurs et penseurs, avaient collaboré pour la défense et l'illustration de la littérature de cette partie du pays nommée, depuis 1815, Jura bernois. Tout le second volume est consacré au XXe siècle, surtout aux contemporains dont Pierre-Olivier Walzer, l'éditeur de la publication, dit dans sa préface qu'ils créent le miroir «dans lequel les générations futures tenteront de retrouver notre reflet et de reconstruire notre unité à partir de nos différences»[1]. Walzer, né à Porrentruy, professeur de littérature à l'Université de Berne, se garde ici d'une conception nationaliste de la littérature jurassienne, et, déjà avant lui, Jean-Pierre Monnier, dans un essai, *En quête d'une Littérature* (1963), avait formulé d'une manière exhaustive la même conception: «Les lettres jurassiennes, par quoi je veux dire les lettres que les Jurassiens ont illustrées...»[2] Pourtant, lorsqu'on considère les deux volumes, cet inventaire monumental, au sens propre du mot, se présente indéniablement comme l'expression d'un besoin: celui d'une affirmation propre sur le plan littéraire et culturel. Ce n'est point par hasard qu'aucun des cantons «souverains» de la Suisse française ne dispose d'une telle anthologie : seule la région jurassienne, politiquement dépendante, a songé à un tel inventaire. En ce sens, la littérature contemporaine du Jura ne peut être comprise sans références à la politique. Le témoignage nous vient d'abord d'un groupe de poètes engagés dans la lutte pour l'autonomie : Jean Cuttat, Alexandre Voisard, Tristan Solier. Mais le problème du Jura, tant qu'il est politique, reste très complexe : il est au moins autant un problème entre Jurassiens qu'un problème entre le Jura, le canton de Berne et la Confédération[3].

Le concept de l'autodétermination peut être affirmé politiquement et aussi culturellement. Dans le domaine culturel, il désigne la recherche d'une identité où entrent en jeu la langue, la littérature, la science, les arts plastiques. Ainsi, dans l'*Anthologie jurasienne* sont représentés, à côté des poètes et des romanciers, des hommes comme Ferdinand Gonseth (1890-1975), mathématicien et philosophe des sciences de premier plan, né à Sonvilier, Jacques-Albert Cuttat (*1909), orientaliste et diplomate originaire de Delémont, Marcel Joray (*1910), critique d'art et éditeur ; même le clown Grock n'est pas oublié, puisqu'il est né à Reconvilier.

Cette prise de conscience des Jurassiens, au sens linguistique et littéraire, est relativement récente. Dans son poème *L'Ame jurassienne*, l'écrivain, critique et juriste Virgile Rossel (1858-1933) demandait encore, en 1903 : « As-tu le droit d'avoir une âme, / Toi qui n'as plus même un drapeau ? »[4] Cette redécouverte de soi, très nette depuis 1947, et souvent présentée comme un programme politique, s'explique par le besoin de réagir contre le traditionnel isolement des artistes et intellectuels jurassiens, et d'autre part contre la pression politique et linguistique de Berne. Le pas décisif entre un dilettantisme littéraire communément admis et une conception de la littérature comme art et expression totale de la vie fut franchi par Werner Renfer (1898-1936), né à Corgémont, et dont la mémoire fut honorée en 1958 par la parution d'une belle édition en trois volumes de ses œuvres. Selon Walzer, « Werner Renfer est le premier écrivain jurassien qui ait pris la poésie au sérieux »[5]. Depuis vingt ans cette poésie « prise au sérieux » a trouvé de nombreux adeptes dans le Jura, de Robert Simon (*1918) à Henri Devain (*1912), Jacques-René Fiechter (*1894), Francis Bourquin (*1922), Jean Vogel (*1920) et Raymond Tschumi (*1924)[6].

Pierre-Olivier Walzer, déjà cité, a travaillé de plusieurs manières en faveur de la prise de conscience littéraire du Jura. Jeune enseignant, il fonda pendant la guerre à Porrentruy les Editions «Aux Portes de France» avec Roger Schaffter et le poète Jean Cuttat: pendant ses quelques années d'existence, cette maison publia dans de fort belles éditions des œuvres anciennes et nouvelles. Le nom de l'édition fait allusion à une vieille porte de la ville de Porrentruy, manifestant en même temps l'ouverture à la France, les liens avec Paris, qui sont précisément très forts dans les districts catholiques du Jura-Nord, à majorité séparatiste. De tous les territoires de la Suisse romande seul le Jura appartient linguistiquement non pas au franco-provençal, mais à la langue d'oïl. Walzer reconnaît à la littérature contemporaine du Jura «un effort vers le style, la volonté de défendre la langue et d'instaurer une culture nationale toujours plus approfondie et plus libérée»[7]. L'historien de la littérature Auguste Viatte (*1901), un connaisseur averti de la francophonie, est encore plus catégorique: «A cette culture française, le Jura doit ainsi son âme nationale et son principe d'unité. La rejeter équivaudrait à se nier lui-même.»[8]

Dans ce pays de hauts plateaux, de vallées, de forêts, de campagne ouverte sur la Franche-Comté, le mouvement démographique est faible; il n'y a pas de grande ville; la littérature d'aujourd'hui y semble revivre en abrégé et simultanément les grands courants européens du passé: romantisme, nationalisme, réalisme, surréalisme. Ce sont des affirmations, des protestations pathétiques, avec, au centre, toujours ou presque, ce pays avec sa nature sauvage et pure. «Pour nous, politique ou pas, le Jura demeurera lui-même tel que les aïeux l'ont transmis et confié», écrivit le critique et romancier Charles Beuchat (*1900), de Porrentruy[9], et vraisemblablement peu de Jurassiens le désapprouvent. Quelques noms, quelques œuvres ressortent de l'abondance, plusieurs d'entre eux d'ailleurs reliés au Jura plus intérieurement que par leurs thèmes. Lucien Marsaux (*1896) et Clarisse Francillon (1899-1976, née à Saint-Imier, elle a vécu longtemps à Paris) sont les deux représentants les plus connus de l'ancienne génération des narrateurs, et ont suivi leur propre chemin, au-delà des thèmes spécifiquement jurassiens. Le remarquable poète Francis Giauque (1934-1965), de Prêles, se perdit dans une solitude qui n'était pas seulement jurassienne[10]. Mais Arthur Nicolet (1912-1958), qui appartint à la Légion étrangère, et à la fin de sa vie rejoignit les activistes séparatistes, se souvient des hauteurs désolées du Jura sous le soleil de l'Afrique du Nord; Hughes Richard (*1934), poète et critique sur les traces de Cendrars, évoque, sur le point de s'évader, le paysage originel avec la forêt de sapins devant la roche rouge du Chasseral; et Alice Heinzelmann (*1925) ouvre dans ses *Saisons* (1971) un livre d'images, avec les collines et les pâturages, des nuages et des panaches de fumée, les feuilles d'automne et les aboiements de chiens, les oiseaux voltigeant et les chevaux au galop — une poésie sans langage novateur, peut-être, mais d'une rare limpidité. Enfin c'est le nouvelliste Jean-Paul Pellaton (*1920) qui a publié l'ouvrage collectif *Vitraux du Jura* (1969). Même un esprit aussi ouvert à l'actualité littéraire et politique que Roger-Louis Junod (*1923), originaire de Corgémont, ne peut renoncer à l'évocation du paysage de sa naissance, qu'il a quitté depuis longtemps d'ailleurs, dans un récit où il décrit une quête du moi. Indépendamment de son activité critique, Junod s'est fait connaître par deux romans, *Parcours dans un Miroir* (1962) et *Une Ombre éblouissante* (1968). Le protagoniste de ce dernier livre vit, comme Junod, à Neuchâtel, mais les descriptions très précises font revivre, dans une atmosphère toute poétique, le village jurassien enneigé où il fait un séjour de convalescence chez sa mère, après une grave maladie. Junod se situe dans la tradition romande de l'introspection protestante, qui cherche son équilibre dans l'engagement social, mais qui ne le trouve, captif des difficultés de sa propre psyché, que par des moyens détournés — ou bien qui échoue. Ainsi le pays laisse transparaître, pour ainsi dire, des dimensions spirituelles complexes — parfois analysées d'ailleurs d'une manière presque méthodique. Lorsque Junod évoque une promenade solitaire à travers la nuit d'hiver claire du Jura, nous décelons, derrière le «cas» raconté, la situation exemplaire de l'intellectuel qui s'interroge.

Actuellement, le Jura se trouve surtout dans les livres de Jean-Pierre Monnier (*1920), de Tramelan, qui enseigne à Neuchâtel, mais se rend souvent à sa ferme dans les «Montagnes». Le Jura de Monnier n'est pas exactement définissable sur le plan géographique; il est essentiel, aussi présent, dans sa vision, que le sont chez Ramuz le Pays de Vaud et le Valais. Monnier est aussi peu «régionaliste» que Ramuz — du moins pourrait-on parler, comme chez le grand

Vaudois, d'un régionalisme universel. En 1953 parut son premier roman *L'Amour difficile*. Son deuxième, *La Clarté de la Nuit* (1956), fut couronné en 1957 par le Prix Veillon ; c'est l'histoire d'un pasteur protestant dans le Jura, entre la solitude et l'espoir, le doute et la foi ; ce livre s'empare, dans une langue claire qui souvent s'enfle en une rhétorique passionnée, de l'un des grands motifs de la littérature romande : ce « roman de pasteur » conçu comme une confession possède des précurseurs et des descendants (le plus fameux est *La Symphonie pastorale* d'André Gide ; à notre époque, Jacques Chessex, avec *La Confession du Pasteur Burg*, et Yves Velan, avec *Je*, ont continué la tradition en empruntant des voies très différentes). Dans *Les Algues du Fond* (1960), la question de l'avenir de l'humanité, menacée par la mort atomique, fait irruption dans l'œuvre de Monnier. Son quatrième roman, au titre caractéristique, *La Terre première* (1965), met en scène un homme partagé entre ses obligations sociales et ses aspirations personnelles, de nouveau dans un paysage jurassien où la nature demeure souveraine et où l'homme doit affronter sa solitude. Dans *L'Arbre un Jour* (1971), Monnier situe également les événements dans le Jura : un groupe hétéroclite de chômeurs abat des arbres en forêt. C'est le temps de la crise. A l'incertitude et à la misère qui menacent, répond le pays pluvieux ou neigeux, terne et sale. Les hommes sont enfermés dans leurs soucis, leurs souvenirs, leurs passions. L'un d'eux, un patron ruiné, oppose à ce climat déprimant sa volonté de vivre, son entrain. Un arbre puissant doit rester debout, comme symbole de tout ce qui dépasse le quotidien. Mais cette symbolique un peu accentuée (ou est-ce pure allégorie?) est au fond seulement un thème secondaire : le leitmotiv est bien le problème de la communication, de ce qui importe en l'homme, et pour l'écrivain, de la possibilité d'écrire.

Monnier est trop sceptique, trop intellectuel, pour entretenir avec la langue un rapport naïf, intact — contrairement aux écrivains patriotiques bien-pensants, avec lesquels il a tout au plus des sujets communs. Mais il croit au sens et à la nécessité d'une communication humaine qui s'accomplit dans le verbe, et en cela il est conservateur, comme dans son inclination vers la *terre première* qui est pour lui la source créatrice de l'existence : c'est un conservatisme exigeant. Marc Eigeldinger a dit, à l'occasion de la remise du Prix de l'Institut neuchâtelois à Monnier, en 1966, que son art et sa technique, malgré

WERNER RENFER

FRANCIS GIAUQUE

PIERRE-OLIVIER WALZER

EAN CUTTAT

JEAN-PIERRE MONNIER

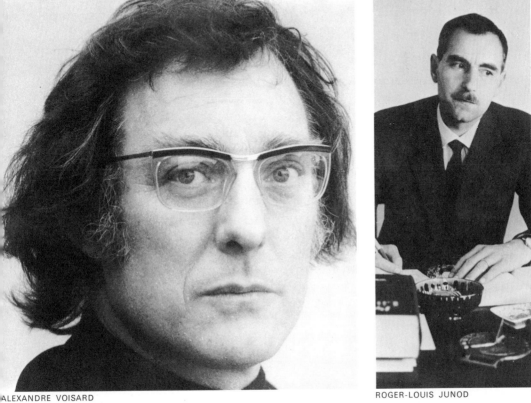

ALEXANDRE VOISARD

ROGER-LOUIS JUNOD

tous leurs traits romantiques dans la représentation du monde, étaient «parfaitement classiques»; qu'il cherchait dans son œuvre «un langage qui soit accessible et ouvert, qui traduise l'affectivité dans sa vérité immédiate»[11]. Ce n'est pas un engagement exclusivement esthétique. Dans *L'Arbre un Jour*, l'introduction d'un homme «plus grand» en solidarité, en foi, devient visible derrière la condition sociale qu'il présente d'une manière plus distincte que dans ses ouvrages précédents (la crise, le «milieu» des bûcherons, le travail salarié). Monnier est parfaitement conscient des conséquences d'une telle attitude, qu'il a analysées d'ailleurs d'une manière pénétrante dans son essai *L'Age ingrat du Roman* (1967)[12]. Il reste fidèle à lui-même, se situant aussi contre la loi d'une époque qui reconnaît son expression non en un Ramuz ou en un Camus, mais en Beckett et Marcuse.

Le problème de la communication — autrement dit la victoire sur l'isolement jurassien ainsi que le situe Monnier — apparaît résolu dans la vie et l'œuvre des poètes engagés dans la lutte pour l'indépendance politique du Jura. Né à Porrentruy en 1930, Alexandre Voisard s'était déjà fait remarquer par ses premières publications, parmi lesquelles la *Chronique du Guet* parue à Paris en 1961; et tout à coup, avec *Liberté à l'Aube* (1967) il est devenu le porte-parole lyrique du mouvement séparatiste. Les poèmes de Voisard ont atteint dans cette région une popularité presque inimaginable pour les conditions suisses: ils ont été récités en chœur dans les réunions populaires autonomistes. Et pourtant, *Liberté à l'Aube* est tout autre chose que de la poésie politique simpliste. Voisard y assimile l'héritage surréaliste et l'exemple de la poésie française résistante pendant la deuxième guerre mondiale, qui se mêlent à la vision de son Ajoie natale (la pointe extrême du Jura en direction de la France), à l'attachement profond qu'il éprouve personnellement pour sa terre, enfin à un élan presque romantique; ce dernier est surtout sensible dans la rhétorique politique du morceau principal du recueil *Ode au Pays qui ne veut pas mourir:* «Mon pays de détresse et de révolte, / Mon pays de souffrance et de lueur, / Mon pays voué aux serments, aux paroles brûlantes, / Mon pays traversé du sang des éclairs, / Rouge d'impatience, blanc de courroux...»[13] Certes, il ne va pas de soi que de tels éléments, aussi disparates, puissent s'unir en un tout, mais chez Voisard la synthèse réussit, non par la vertu de l'action politique directe mais par un sentiment très intime et un art intério-risé: en reconnaissant dans le Jura — le pays d'eau-de-vie et de légende, comme il l'appelle — les traces de sa propre enfance, Voi-sard peut aussi s'identifier politiquement avec lui et comprendre sa revendication à l'autonomie comme le symbole de sa propre matura-tion. Parce que la solidarité politique représente au fond chez Voi-sard un motif au second degré, il peut à tout moment revenir à ses thèmes premiers, existentiels: le pays, l'isolement. Il l'a fait dans le recueil suivant, *Les deux Versants de la Solitude* (1969), sans abandon-ner, bien sûr, son style soutenu, solennel, passionné, mais dans un registre plus étouffé, plus orienté vers l'intérieur. Sa première prose, parue en 1972, *Louve*, qui est plutôt un long poème en prose, un monologue lyrique, qu'un récit, témoigne aussi de la foi en la nature et de l'intensité du sentiment, ainsi que de la tendance à lier ces deux principes à l'élément mythique des premiers recueils. Le titre fait allusion au nom que le récitant — narrateur lyrique — donne à une jeune femme dont il fait connaissance dans une ferme isolée, aban-donnée, et avec laquelle il vit des années, jusqu'à ce qu'ils soient tirés de leur idylle par un chasseur. Louve se précipite dans le flot et disparaît. Elle incarne les forces intactes de la nature: la liaison avec elle apparaît comme un mariage mythique du poète avec les forces originelles. Quand elle disparaît dans l'eau, il cherche à la retenir par les cheveux, mais il ne ramène à la rive qu'une grosse racine. A la fin, il la brûle dans son foyer, et c'est comme s'il libérait, ce faisant, une voix mystérieuse. On peut voir derrière cette image un romantisme proche du surréalisme. Peut-être le sentiment cosmique dont il pro-cède, n'est-il possible réellement que dans le cadre d'une nature rela-tivement préservée tel que le Jura. L'œuvre de Voisard s'est poursui-vie en poésie avec *La Nuit en Miettes* (1975) et dans des proses courtes et acrobatiques avec *Je ne sais pas si vous savez* (1975).

Comme Voisard, son collègue Jean Cuttat, né à Porrentruy en 1916, fondateur des «Portes de France», puis établi des années à Paris, trouva, après son retour au Jura, grâce à l'engagement dans le mouvement autonomiste, un nouveau lien et en même temps une ouverture vers un public enthousiaste. Cuttat est le poète des formes extrêmement façonnées, du lied, de l'épigramme, de la ballade, qu'il moule avec de plaisantes trouvailles verbales, d'amusants quipro-quos, des chutes moqueuses: un parent du Guillaume Apollinaire des *Alcools*, des épigrammatistes baroques, des maniéristes médiévaux, entre le génie et le pastiche — une incarnation de l'*Homo ludens poeticus* qu'on salue avec reconnaissance parmi tant de poètes romands qui se forcent à la profondeur. Ces vers recèlent davantage que les mélodies d'un chansonnier à l'école de Paris (Cuttat interprète aussi ses poèmes lui-même). Sa naïveté est trompeuse. La virtuosité de ses jeux de mots, entre la candeur et le raffinement, entre les lieux communs et le calembour, amène le lecteur, comme sans intention, aux frontières de la langue. Par exemple ces quatre lignes sur le martyre de sainte Cécile, dans lesquelles la description de la décapitation devient un divertissement onomatopoétique: «D'un coup là, coutelas, / ce cou-là, ce cou coule. / Seculum secula! / Prou coucou ne roucoule.»[14] Par la plume d'un tel poète, conscient de la radicale artificialité avec laquelle on use de la langue, le lied est joué, aux deux sens du terme.

IX
LA QUESTION
DE L'ENGAGEMENT

Engagement: le concept est usé, souvent mal employé aussi, mais il n'en reste pas moins nécessaire. Longtemps avant les existentialistes il est une des clés de la position des personnalistes français. Denis de Rougemont doit être l'un des tout premiers à l'avoir utilisé. Après la deuxième guerre mondiale, il devint populaire, à partir de France, dans l'Europe de l'Ouest et en Amérique. Jean-Paul Sartre, qui s'en est emparé dès le début des années quarante, a exercé une influence décisive en l'introduisant dans la littérature. En 1947 il publia *Qu'est-ce que la Littérature?*: c'est là qu'apparaît sa conception de l'écrivain — et par conséquent aussi celle du lecteur — qui «doit s'engager tout entier dans ses ouvrages, et non pas comme une passivité abjecte, en mettant en avance ses vices, ses malheurs et ses faiblesses, mais comme une volonté résolue et comme un choix, comme cette totale entreprise de vivre que nous sommes chacun»[1]. La question de l'engagement de l'écrivain est ainsi posée, de l'acceptation tacite d'un système social existant jusqu'à la subversion anarchiste. Esthétique et politique entrent dans des rapports multiples et contradictoires. L'individu peut se révolter contre cette dialectique, en faveur de l'un ou de l'autre des extrêmes, mais la tension reste inéluctable.

La conception est nouvelle: l'attitude elle-même ne l'est pas, même pas en Suisse française. On y trouve en effet une importante

101

tradition de l'engagement social, politique, religieux, et souvent le dernier conditionne les deux premiers. Mais la question de l'engagement n'apparaissait pas liée au problème esthétique. Il a fallu la deuxième guerre mondiale — même si on vivait l'événement à distance — avec la résistance française, sa littérature, il a fallu l'existentialisme français dont l'influence ne se fit pas longtemps attendre en Suisse romande, même si elle restait confinée à des cercles relativement restreints d'intellectuels, pour que se pose vraiment la question de l'engagement. En 1954 parut à Paris l'essai *Les Poètes malades de la Peste* de Georges Haldas que nous avons rencontré au chapitre VI. Le titre qui se réfère à La Fontaine fait allusion — c'est la maladie pour Haldas — à la division qui est survenue chez les poètes, aussi bien entre eux, dans leur communauté, qu'à l'intérieur d'eux-mêmes, individuellement: «Disons, grosso modo, qu'on a vu d'une part les ‹progressistes›, dont le travail se place sous le signe de l'engagement politique — communistes ou communisants — et, de l'autre, ceux qui refusent tout engagement politique ou du moins le prétendent..., position qualifiée par les critiques marxistes de «bourgeoise» (réactionnaire), et que, pour la commodité de la conversation, nous appellerons ‹esthétisante›»[2]. Dans ce débat, Haldas se tient lui-même en dehors d'une prise de position, ou, plutôt, il vise une troisième réponse, une synthèse: «recoudre... les deux parts de la tunique déchirée»[3], et il a témoigné de cette ambition dans toute son œuvre jusqu'à ce jour. L'idée de la synthèse est, dans ce contexte, moins importante que le fait d'avoir posé le problème de l'engagement à ce moment-là — Haldas n'a pas été le seul, mais il l'a fait avec une particulière netteté. L'identification de l'engagement tout court avec l'engagement «à gauche» est bien entendu discutable, mais elle est conforme aux tendances de l'après-guerre. Jacques Chessex, qui a commencé par militer dans ses jeunes années comme communiste, s'est engagé par la suite dans une tout autre direction. Ce qui est décisif dans l'essai de Haldas, c'est le fait qu'une littérature traditionnellement bourgeoise s'ouvre à une réalité sociale, celle des travailleurs, des petits employés, et cela sans renoncer à l'exigence esthétique de l'écriture.

Haldas appartient au cercle d'écrivains et de critiques qui publia la revue *Rencontre* de 1950 à 1953. Le directeur de cette publication était le Vaudois Henri Debluë (*1924), qui s'est depuis fait connaître surtout comme auteur dramatique. Parmi les autres membres responsables de la rédaction on comptait encore Michel Dentan, qui enseigne aujourd'hui à l'Université de Lausanne, le poète Jean-Pierre Schlunegger (1925-1964) et le Vaudois Yves Velan (*1925), né en France, qui, comme membre du Parti du Travail (communiste), mettait extérieurement son engagement en application : c'étaient sans exception des auteurs de la plus jeune génération de l'époque, encore à peine connus. Les dix-huit numéros parus de *Rencontre* sont importants, non seulement à cause de leur niveau d'écriture et de pensée, mais parce qu'ils apportent la réponse romande à l'exigence d'une littérature engagée au lendemain de 1945 ; ils sont l'écho de l'existentialisme international et de l'orientation à gauche de la littérature de l'après-guerre. Sans doute *Rencontre* n'a jamais visé à une unité de doctrine et s'est la plupart du temps tenue à l'écart des interventions politiques directes. Haldas mit énergiquement en garde contre «le double écueil du populisme et de la littérature militante». Les éditeurs s'opposèrent au reproche qui leur fut sottement adressé, dans le climat de la guerre froide, de suivre la doctrine communiste ; ils expliquèrent qu'ils se tenaient éloignés des thèses du matérialisme dialectique, qu'ils se refusaient aussi de toute manière à donner dans l'anticommunisme, sur ordre, et que du reste *Rencontre* était et restait une entreprise essentiellement littéraire[4]. C'étaient à l'époque des prises de positions très avancées dans le contexte helvétique. Dans cette revue, on posait des questions, on formulait des problèmes auxquels les auteurs étaient confrontés dans les années cinquante — du moins ceux qui aspiraient à de nouvelles formes d'expression touchant notamment la société, au-delà de la succession de Ramuz, et en dehors du pur essai littéraire. *Rencontre* essaya d'activer l'atmosphère tiède de la littérature romande et de définir des responsabilités nouvelles, aussi bien pour l'écrivain que pour son lecteur. Lorsque, en automne 1953, la revue cessa de paraître à la suite de divergences d'opinion croissantes entre les collaborateurs, ce fut de nouveau Haldas qui reprocha à ses collègues : « Je dis que vous avez coupé l'arbre au moment où les premiers fruits commençaient à mûrir. »[5] Et, considéré d'un point de vue général, il apparaît effectivement que la disparition de *Rencontre* interrompit la discussion publique sur l'engagement de la littérature en Suisse romande. La publication annuelle *Ecriture*, qui paraît depuis 1964, n'entre pas en discussion dans ce contexte, car elle se tient généralement éloignée de tout débat, fondamental ou théorique, et se limite à rassembler des textes répondant à de hautes exigences artistiques. Marcel Raymond parle en 1967 des difficultés de la poésie dans le monde moderne et des échappatoires que ses représentants croient posséder: «Le refuge qui paraît maintenant le plus sûr est le champ clos du langage... On mesure le chemin parcouru depuis le temps de la Résistance, qui fut celui d'une poésie engagée, porteuse d'un message.»[6] Bien entendu il y a eu après 1953 et il y a aujourd'hui des formes d'engagement social et politique — plus précisément d'ailleurs chez les auteurs dramatiques (Debluë, Weideli, Liègme, Gaulis)[7]; le romancier et critique Jeanlouis Cornuz (*1922), traducteur de Diggelmann, colla-borateur pendant des années de la revue *Pour l'Art*, du quotidien socialiste *Le Peuple-La Sentinelle* et actuellement de l'hebdomadaire *Domaine public*, représente l'attitude *écrire pour combattre*[8]; on pour-rait, à un autre niveau, nommer le journaliste Samuel Chevallier (1906-1969), qui, à côté de romans du terroir et de l'émission folklo-rique *Le Quart d'Heure vaudois*, a lancé une initiative constitutionnelle pour réduire le budget militaire[9]; et même un Jack Rollan (*1916), le père spirituel de ladite initiative, s'est révélé dans son *Bonjour*, à la radio et comme journaliste ou éditeur d'un journal éphémère, un pourfendeur impitoyable des tripatouillages helvétiques. Mais les aspirations essentiellement créatrices et stylistiques de la Suisse romande de la fin des années cinquante et des années soixante ont tendu, à peu d'exceptions près, non pas à un engagement de critique sociale, à gauche, mais à une nouvelle compréhension de la région et à une analyse individuelle de soi.

Si l'on fait abstraction du théâtre, c'est seulement aujourd'hui que l'actualité révèle une nouvelle convergence littéraire de la conscience sociale et de l'ambition esthétique. Un Franck Jotterand a présenté à maintes reprises à ses collègues l'exemple suisse allemand, qui a exercé une certaine influence, de Frisch à Diggelmann et Bichsel. On peut dire que les intellectuels romands n'avaient pas à découvrir ce que pouvaient être des engagements sociaux, mais peut-être fallait-il une certaine démythification de la littérature, et ainsi une relativisa-tion de l'esthétique, afin que l'écriture s'ouvre à nouveau aux pro-blèmes de la collectivité. Les choses sont en cours aujourd'hui. Les tentatives d'un Chessex, les réalisations d'un Chappaz, la nouvelle littérature du Jura autonomiste montrent que les formes d'engage-

ANLOUIS CORNUZ

ANNE CUNEO, AVEC CHAPPAZ, CORINNA BILLE, VOISARD, GRISÉLIDIS RÉAL
ET ANNE-LISE GROBÉTY

ACK ROLLAN (À DR.) DANS UNE CONVERSATION DIFFICILE AVEC JAMES SCHWARZENBACH

ment peuvent être très différentes, et que l'étiquetage à gauche ou à droite ne peut leur être applicable que de cas en cas. Certains écrivains s'en rapportent expressément à l'initiative du «Groupe d'Olten» où prédomine l'élément alémanique. Les deux *Almanachs du Groupe d'Olten*, parus en 1973 et en 1974, ne communiquent pas seulement nombre de textes exemplaires de l'autre partie du pays, mais ils présentent l'engagement littéraire comme une sorte de dénominateur commun: c'est une tentative sans doute importante, positive, mais qui à mon sens n'a pas réussi là où cet engagement se limite à une simple rhétorique calquée sur celle de l'idéologie «progressiste» de gauche[10].

Dans son essai *Ecriture et Changement*, Anne Cuneo (*1936) insiste sur la difficulté pour le créateur de se solidariser avec le système économique existant et de renoncer à la critique. S'il ne veut pas vivre comme un jouisseur confortable d'une classe dirigeante, l'écrivain doit se ranger du côté des masses et contribuer ainsi à recréer chez elles une authentique conscience[11]. La position théorique, appuyée sur Marx, Lukács et Goldmann, est ici beaucoup plus explicite que ce n'était le cas pour *Rencontre*. La franchise de la jeune femme va d'ailleurs plus loin que les formules dont elle se sert. Anne Cuneo représente une tendance qui n'est pas particulièrement prononcée dans la littérature romande moderne, mais elle la représente d'une manière conséquente. Comme beaucoup d'écrivains de sa génération, dans le monde, elle veut contribuer à cette nouvelle dialectique qu'implique «le refus d'être intégrés à un système sans en discuter le sens, la valeur et les fins» (Roger Garaudy). Elle dénonce les rapports autoritaires douteux, parce qu'elle croit aux possibilités d'améliorer les situations. Elle tente de rendre les situations transparentes, plus compréhensibles en les ramenant à leur origine par la psychologie et la sociologie: elle s'engage ainsi essentiellement en faveur de l'émancipation de la femme dans une société traditionnellement masculine, une émancipation considérée comme révélation de soi. Dans le roman *Mortelle Maladie* (1969) c'est la maternité, dans le roman *Poussière du Réveil* (1972) c'est la dépendance psychologique et sexuelle de la femme par rapport à l'homme qu'elle met en discussion. Anne Cuneo est certes poétique, mais elle rejette une poésie qui dresserait son écran devant les relations sociales. Elle a quelque chose d'une Mary McCarthy suisse: intellectualité et féminité dans un rap-

106

port non toujours exempt d'exagérations. Ou encore d'une Simone de Beauvoir: l'émancipation du deuxième sexe comme procès du monde bourgeois. Dans *Poussière du Réveil*, la protagoniste ne s'éveille à elle-même qu'en sortant de l'anesthésie de l'amour. L'abri qu'elle recherchait en l'homme, un besoin primitif remontant à une frustration infantile, est identifié maintenant à la forme d'une soumission spirituelle et charnelle: à sa place se dresse la conscience, la lucidité, et seulement avec elles la possibilité de créer. L'amant démythifié apparaît comme il est en réalité: un profiteur sans caractère. Chez Anne Cuneo, des éléments très différents, hétérogènes, sont réunis: pessimisme et idéologie «éclairée», psychologie et critique sociale, lyrisme et pédanterie, fantastique, abstraction. Il n'est pas certain que la synthèse soit toujours réussie. Mais ce que l'auteur veut dire est important. Le concept de l'engagement regagne chez elle une totale crédibilité. Celle-ci distingue aussi d'ailleurs certaines œuvres du théâtre critique d'après-guerre en Suisse romande: Debluë, Gaulis, Weideli, Liègme. Nous y reviendrons au chapitre XIII.

X
LE PAYS NATAL
ET LE MONDE

C'est un lieu commun que de souligner l'enracinement, le lien avec le sol natal propres aux Suisses — à la plupart des Suisses du moins. Avec ce revers de la médaille: le particularisme, l'esprit borné qui s'exprime dans l'hostilité vis-à-vis des étrangers — tout cela est connu de longue date. La littérature romande, avec ses empreintes si fortement régionales, exprime précisément cet attachement au lieu. D'autre part, on lui trouve des composantes cosmopolites depuis le XVIIIe siècle. Et, au-delà d'un internationalisme littéraire cultivé à partir du «port sûr» que représente le pays, il y a la réelle aspiration au lointain, un goût du voyage non pas seulement intérieur, mais extérieur où l'on sent la mentalité des mercenaires de l'Ancien Régime; il y a l'exil, volontaire ou non, exprimant l'esprit d'aventure et le dégoût de l'ordre bien établi, il y a, poussé à l'extrême, le besoin de changer d'identité, d'une «nouvelle naissance» ou aussi de la chute. La «cinquième Suisse», celle de l'étranger, dont l'esprit de pionnier, la courageuse recherche de la nouveauté tranchent parfois nettement avec le conformisme de la vieille patrie, a ses représentants littéraires. Blaise Cendrars, né en 1887 à La Chaux-de-Fonds sous le nom de Frédéric-Louis Sauser, mort à Paris en 1961, est le plus célèbre d'entre eux. Ce grand bourlingueur dont l'œuvre lyrique de jeunesse représente un tournant dans la poésie de notre siècle, était originaire du village bernois de Sigriswil. «Qu'aime-t-il? Obéir à l'appel vibrant des sirènes des ports, être toujours disponible, toujours prêt à provoquer le hasard, ... à pénétrer dans l'inconnu, l'inouï, l'étrange, s'abandonner à l'inspiration de l'instant...», dit de lui Hughes Richard[1]. La patrie peut-elle encore signifier quelque chose pour un tel homme, est-il sensé de le faire figurer dans un livre sur la littérature romande?

Dans une brochure parue en 1932 chez Payot-Lausanne, Cendrars raconte, sans égards envers l'exactitude biographique, comment il a fui Neuchâtel dans ses jeunes années. Il se souvient aussi de son père, auteur de vers lui-même, comme le fils croit le savoir, «mais pas du Cendrars, qu'on se rassure, des vers suisses, c'est-à-dire des vers platement, bassement patriotiques»[2]. Cette appréciation sur la Suisse fut confirmée par le fait que Cendrars longtemps prétendit être originaire de Paris, car à Paris il «est né à la poésie», ainsi qu'il le dit un jour. Cependant, dans la dernière partie de sa vie, la petite patrie prit de nouveau un sens pour lui, presque à l'improviste, et le vieux thème helvétique du voyage, de la dualité du lointain et de la patrie, gagna chez lui une nouvelle gamme de nuances. Après la fin de la deuxième guerre mondiale, le *poète au cœur du monde* vint en Suisse et épousa sa compagne Raymone à Sigriswil. Au micro de la Radio romande il a relaté à ce moment-là quelle impression lui avait faite la découverte d'être non pas seulement suisse, mais bernois et oberlandais: « J'en suis très fier. Je suis estomaqué.»[3] Cendrars décrit sa promenade à travers le village oberlandais. Il comprend à vrai dire à peine le dialecte alémanique, mais il étudie les gens et se dit: regarde, peut-être un Sauser, «qui a le même pif que toi!» Il remarque tout à coup que depuis toujours ces Sigriswilois ont été des révoltés — comme lui-même. Un jour il aimerait écrire un livre sur *La Conquête de Sigriswil*, car il y a reconnu une foule de choses fantastiques et sympathiques. Le livre ne vit pas le jour. Doit-on en conclure que la rencontre avec la patrie n'est restée qu'un épisode pour Cendrars? Ou bien quelle valeur a la phrase dans laquelle il résuma son expérience: il est possible qu'il eût pu s'en sortir sans La Chaux-de-Fonds, mais «je ne pourrais plus me passer de Sigriswil»?

On peut sans doute réduire à l'anecdote la question du rapport entre le pays et le monde dans le cas de Cendrars; chez d'autres on est amené sans contrainte à une dimension fondamentale, ainsi chez Denis de Rougemont (*1906), dont l'œuvre d'essayiste et de critique traite constamment des relations entre le particulier et le général, entre les possibilités de sauvegarder les valeurs individuelles, qui se sont historiquement développées à l'intérieur de petits groupes, et la nécessité des grandes intégrations; à cela s'ajoute la question essentielle des chances et des difficultés de l'individu face à un monde qui s'uniformise toujours davantage. Rougemont publia en 1946 ses *Lettres sur la Bombe atomique* où il met en rapport l'événement de Hiroshima et l'exigence d'une nouvelle conscience: «A l'arme planétaire correspond... une communauté universelle, qui relègue les nations au rang de simples provinces»; cette conscience planétaire n'est pas tant pour lui une affaire de technique et d'information qu'une question «des sens, de vision, d'ouverture de l'esprit»[4]. A l'époque de la bombe atomique s'accomplit le développement commencé au XIXe siècle qui coupe l'homme de ses origines et le plonge dans l'anonymat, «un immense complot mondial pour couper nos racines paysannes»[5]. L'ambivalence clairement exprimée par de telles formulations — nécessité de renoncer à penser en vieux termes de nationalisme étatique, d'une part, danger de l'absence de racines, de l'autre — Rougemont a cherché à la surmonter dans sa conception du fédéralisme dérivée des expériences helvétiques. Il propose le modèle d'une «unité dans la diversité» comme fondement de l'association européenne à venir: «L'union politique de nos peuples... doit prendre la forme que dictent les structures historiques et vivantes du complexe organisme de notre culture: donc une forme fédéraliste.»[6]

Depuis la fin de la deuxième guerre mondiale, Denis de Rougemont a mis son talent d'écrivain et sa démarche de penseur presque entièrement au service de la cause européenne. Il est devenu une personnalité publique comme directeur du Centre européen de la culture à Genève, mais il a conservé jusque dans la septantaine un sens admirable de la liberté intérieure; il est resté le non-conformiste qu'il était au moment de son premier livre, le pamphlet *Les Méfaits de l'Instruction publique* (1929)[7]. La construction de l'Europe n'est pas seulement, selon lui, une nécessité politique et économique, ce n'est pas seulement l'unique voie qui permette de résoudre les problèmes de la protection de l'environnement et de la surpopulation: c'est aussi une réponse à la question posée par une jeunesse inquiète sur le sens de notre existence sociale. Cependant, si, d'une part, l'intégration continentale s'impose, il se manifeste, de l'autre, toujours plus

distincte, une tendance à l'éclatement, *la loi de fragmentation*, qui est
une réaction à la standardisation, à l'uniformisation du monde: c'est
l'ascension du concept régional. L'Etat national traditionnel est donc
à la fois trop petit et trop grand. Il doit être dépassé, et pour ce faire
il faut prendre en considération la région dans son ensemble, la
région active, qui ignore les limites étatiques, comme par exemple
celles qui sont en train de naître dans les périmètres de Genève ou de
Bâle. Voilà résumé le projet spirituel de Rougemont en vue d'une
nouvelle Europe dans laquelle il fixerait volontiers à la Suisse une
mission particulière — cette Suisse qu'il défend énergiquement
contre les accusations superficielles.

Il serait cependant injuste d'oublier, au profit de l'idéologue de
l'Europe et de l'organisateur qu'est Rougemont, son importante
contribution d'écrivain. A côté de son œuvre capitale sur un aspect
particulier de l'Histoire de la civilisation *L'Amour et l'Occident*
(1939), il a su communiquer, dans une série de *Journaux* personnels,
s'étendant sur plus de vingt ans, l'image fascinante d'une époque
vécue dans les vicissitudes de son propre destin, époque située entre
l'entrée de l'Allemagne dans la SDN et la dissolution officielle de
cette SDN, entre le Traité de Locarno et la Conférence de Potsdam,
entre la montée du national-socialisme qu'il éprouve pour la première fois dans un château de Prusse-Orientale, où le fils du propriétaire joue la nuit le *Horst-Wessel-Lied* sur son accordéon, et la chute
de Hitler, qu'il apprend comme collaborateur de la «Voice of Ame-
rica» aux Etats-Unis. Le point critique où se rencontrent la littérature et le livre documentaire tient pour Rougemont à l'intérieur
même des extrêmes qu'il évite également: «L'art pour dire en soi,
qui est un dire de rien» et «cette espèce de dire sans art dont un
chacun s'est cru capable, de tout temps, sous prétexte qu'il a vécu»[8].
Comme auteur de journal et essayiste, Rougemont a clairement
démontré combien le verbe et son objet s'appartiennent réciproquement, et combien le service d'une cause implique la maîtrise de la
langue. Et il a témoigné, dans sa vie comme dans ses écrits, que
l'amour de la patrie natale et la conscience planétaire, loin de
s'exclure mutuellement, doivent être étroitement solidaires.

Il serait exagéré d'avancer que la littérature contemporaine de
Suisse romande est orientée vers le cosmopolitisme, notamment dans
le cas des œuvres narratives, de leurs thèmes, de leurs lieux d'action.

C'est le contraire plutôt qui est vrai, ce qui ne veut naturellement pas dire qu'au sens plus profond le contenu ne tende pas à l'universel. Mais il y a des exceptions. Lorsque le médecin Jean-Michel Junod (*1916), dans son roman *Si la Tour m'appelle* (1959), décrit, avec une sobriété psychologique et une sûreté documentaire remarquables, le destin d'un Français déporté en Allemagne durant la guerre, avant et après sa libération des camps de concentration, il traite un morceau de l'histoire européenne contemporaine qu'il a vécue de près comme délégué de la Croix-Rouge lors de l'ouverture des camps allemands. Jean-Jacques Langendorf (*1938) situe une fiction narrative sur le pouvoir et l'aventure dans le Kurdistan où il a lui-même voyagé. Et dans son second livre *Eloge funèbre du Général August-Wilhelm von Lignitz* (1973), il fait passer avec de la virtuosité verbale et une connaissance très étendue l'actualité dans l'histoire (le thème de la guerre populaire moderne au temps de Goethe). Jacqueline Ormond, Vaudoise née en 1934 et morte brusquement au Niger en 1970, a puisé pour ses livres, dans ses expériences d'assistance technique (dans un programme de l'UNESCO) non pas sur un ton exotique et pittoresque, mais comme une analyse réfléchie des possibilités — et plus encore des impossibilités — de réaliser une solidarité humaine dans les anciens territoires coloniaux. « Suis-je condamnée à l'échec parce que ni les Africains ni les Européens ne sont encore capables de se comporter normalement ? »[9], demande la protagoniste dans son dernier roman, *Après l'Aube* (1970) : celle-ci, comme l'auteur, travaille à la coopération technique dans un Etat africain, et de là-bas revoit en pensée la Suisse neutre et l'Europe, cette « vieille dame replète ».

L'Usage du Monde et *Japon* : ce sont deux œuvres du Genevois Nicolas Bouvier (*1929), grand connaisseur de l'Asie. Cet usage du monde, propre à la tendance cosmopolite de la littérature romande, on le trouvera donc aussi chez les écrivains-voyageurs — terme qui en lui-même n'est pas très heureux, car il semble impliquer, et c'est souvent à tort, que pour eux les voyages sont plus importants que l'écriture. Bouvier donne lui-même l'exemple : la chronique des pays les plus lointains n'a besoin de renoncer ni à l'élégance du style ni à l'inspiration poétique : « Syntaxe ferme et raffinée, langue riche, mais simplicité constante de l'image qui convainc immédiatement. »[10] Avant lui, la Genevoise Ella Maillart (*1903) a décrit dans des œuvres rédigées soit en français soit en anglais les déserts, les oasis de l'Asie intérieure qu'elle explora à dos de chameau lors d'une immense expédition: ce sont *Oasis interdites* (1937)[11]. Trente-cinq ans plus tard, Bertil Galland (*1931) lève *Les Yeux sur la Chine*[12] et analyse dans ses reportages sur le pays de Mao un *nouveau type d'hommes* dans lequel il retrouve en même temps une vieille civilisation. L'Amérique est décrite dans *Les USA à l'heure du LSD* de Jeanlouis Cornuz (1968), qui nous invite à partager ses expériences dans les milieux universitaires d'outre-Atlantique, comme Odette Renaud-Vernet dans *Les Temps forts* (1974). C'est dans ce dernier livre surtout, mi-reportage, mi-journal de route, que «l'aventure américaine», passionnante, colorée, «une Amérique moins à visiter qu'à vivre», cauchemar et paradis à la fois, débouche sur la découverte du vieux continent, «l'Europe, quelque part du côté du jardin où ma mère m'attend».

Charles-Henri Favrod (*1927) s'est fait un nom, entre autres, comme connaisseur de la situation nord-africaine. Et le Jurassien Fernand Gigon (*1908), qui fait partie des plus éminents reporters de la presse mondiale, suit depuis plus d'un quart de siècle le développement politique, économique et social de l'Asie et de l'Afrique, réunissant périodiquement sa documentation en des livres qui font l'objet de nombreuses traductions (notamment son *Apocalypse de l'Atome*, 1958). En conclusion de ces considérations sur l'ici et l'ailleurs, sur le monde et la petite patrie, nous ne verrons pas un hasard dans le fait qu'un homme aussi cosmopolite que Bertil Galland s'attache aussi intensément à la défense et à l'illustration du Pays de Vaud et de la littérature de Suisse française.

Cette littérature a souvent des traits presque familiers, elle semble se concentrer sur elle-même, et parfois presque cultiver une manière d'union consanguine — sur le plan spirituel s'entend (et ici la question est de savoir s'il n'est pas fait de nécessité vertu). Mais la sphère littéraire romande n'est nullement imperméable. Maints auteurs travaillent depuis des années, des décennies, à l'étranger, sans pour autant renoncer aux liens avec le pays natal: c'est le cas de Philippe Jaccottet, d'Yves Velan. Il existe aussi des auteurs bilingues qui ont un pied dans le pays et un autre à l'étranger: tel fut Marcel Pobé[13]. Des écrivains francophones s'établissent en Suisse, se découvrant des affinités avec leurs frères romands: ainsi Lorenzo Pestelli (1935-1977), Italien né à Londres, poète du *Long Eté*, une longue péregri-

DENIS DE ROUGEMONT

ELLA MAILLART EN ASIE CENTRALE

FERNAND GIGON

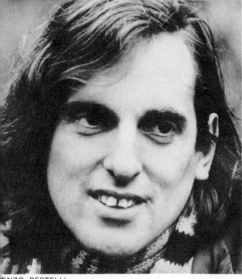

ENZO PESTELLI

NICOLAS BOUVIER

ARLES-HENRI FAVROD

JEAN-JACQUES LANGENDORF

nation à travers l'Asie, ou le Portugais Luiz Manuel. Des critiques, des historiens de la littérature, des journalistes s'efforcent d'ouvrir et de maintenir ouvertes les frontières.

Walter Weideli, alors rédacteur littéraire du *Journal de Genève*, organisa au début des années soixante un échange avec la revue polonaise *Zycie Warszawy*; la *Gazette littéraire* de Franck Jotterand était ouverte aussi bien à l'Est qu'à l'Ouest; et les écrits d'un Starobinski, d'un Marcel Raymond ou d'un Albert Béguin ont, par leurs nouvelles perspectives exercé au loin leur influence. L'ouverture au monde d'une Suisse non seulement francophone mais plurilingue, d'une Suisse très différenciée sur le plan littéraire, est un sujet considérable[14].

Malgré les frontières linguistiques, les écrivains romands semblent avoir pris une plus vive conscience de l'intérêt que présentent les autres littératures du pays (déjà le cercle de *Rencontre* avait énergiquement mis l'accent là-dessus), sans préjudice de l'exigence d'une *conscience planétaire* que formula Rougemont en 1946. Le «pays» sans le «monde» n'est plus un programme acceptable aujourd'hui, sinon par les réactionnaires. La vérité contraire est moins évidente, mais elle n'a pas moins de poids: le «monde» ne peut signifier grand-chose, dans toute expérience humaine, sans la terre première.

XI
POÉSIE
DE L'INTÉRIORITÉ

Dans une revue littéraire qui n'eut qu'une courte existence, *Domaine suisse*, Henri Debluë, l'ancien directeur de *Rencontre*, publia le récit autobiographique *Saint-Saphorin*(1956), du nom du village vigneron situé à l'est de Lausanne[1]. C'est l'histoire d'un retour de l'étranger, des retrouvailles de l'aimable paysage au bord du lac, «ce rêve d'éternité», mais aussi de l'atmosphère tiède, qui absorbe indifféremment chaque provocation, et du caractère borné, de l'insensibilité même de beaucoup d'habitants bien installés. Le vieux vigneron Plumette est tout autre: tranquille, ouvert, intelligent, «un Ramuz qui aurait travaillé la vigne»; et précisément cet homme sympathique se suicide parce qu'il ne veut tomber à la charge de personne. Le destin de Plumette n'est pas sans rapport avec l'introversion protestante des Romands: sous une apparence tranquille se passent les choses «véritables», le verdict tombe sur la vie et la mort. Le motif du suicide se trouve en contradiction avec la foi, mais pas avec l'expérience métaphysique de ce pays (en fait, le taux de suicide dans les cantons protestants est plus élevé que dans les cantons catholiques — et on n'a pas besoin de rappeler quelle importance Chessex attribue à ce thème dans son portrait du Vaudois). Dans sa force positive, la tradition protestante signifie aussi, avec une tendance piétiste ou quelquefois sectaire, une affirmation de l'individu, de la liberté de croyance, avec la nécessité d'un inlassable examen de cons-

117

cience: le journal monumental de Henri-Frédéric Amiel (1821-1881), dont la publication intégrale a commencé en 1976, est sans doute l'exemple extrême de cette exploration du moi dans la littérature. «La libre quête de la vérité, au fond de soi»[2] reste un thème prépondérant dans la littérature romande, dont on a toujours dit qu'elle avait été imprégnée plus que toute autre par la Réforme.

Outre l'essai objectif, il est deux formes d'expression caractéristiques dans cette littérature: la poésie et le journal intime. Tous deux participent de l'intériorité protestante — le journal pouvant être un prétexte, une fiction, ou même nullement destiné à la publication, selon les cas. Et, tandis que, dans le journal intime, le caractère documentaire n'est jamais abandonné et prédomine souvent, dans la poésie au contraire l'élan artistique est déterminant. Ce n'est donc pas un hasard si nous rencontrons dans le domaine poétique quelques-unes des œuvres marquantes de la Suisse romande: il y a un point où la confession et le souci de la forme peuvent parvenir à ce difficile équilibre, signe de la réussite esthétique dans la perspective classique. Mais par ailleurs cette poésie, héritière de Baudelaire et de Rimbaud, a abandonné depuis longtemps les principes d'un genre défini par le XVIIIe siècle français. Elle s'ouvre largement sur la prose lyrique. Sous ce rapport, donc, le terme de poésie signifie avant tout une littérature extrêmement individualiste qui cherche à mettre à découvert, dans l'accomplissement de la langue, le mystère du monde en même temps que le mystère de la personne, communication mystique entre le moi et l'univers.

Voilà des conceptions qui relèvent de la poétique romantique et symboliste (cette dernière n'étant pas forcément une poétique «symbolique»). En effet, une caractéristique de la poésie romande est sa parenté avec le romantisme germanique — et, si l'on peut dire, le néo-romantisme[3]. Novalis, Hölderlin et Rilke sont des modèles qui ont exercé une forte influence en Suisse romande, surtout dans le canton de Vaud. Gustave Roud a traduit ces poètes. Philippe Jaccottet a écrit un livre sur Rilke. Pierre-Louis Matthey a traduit des romantiques anglais. Les tendances plus récentes (notamment le surréalisme, si important dans les autres pays) se sont en revanche moins manifestées. Il est juste d'affirmer, comme Vahé Godel: «Il faut reconnaître que, dans l'ensemble, la poésie romande de ces vingt-cinq dernières années a évolué de façon relativement paisible et qu'à l'instar de la Suisse elle-même elle n'a pas connu de véritables bouleversements.»[4] On ne trouve que des traces isolées de la poésie politique, courante depuis les années soixante dans les pays germaniques, scandinaves et anglo-saxons. Au contraire, l'héritage romantique et symboliste est maintenu dans la poésie romande la plus récente, dans les limites fixées par un classicisme durable: les conséquences extrêmes, qui pourraient fort bien être tirées de cet héritage, sont évitées. Mais la rigueur de la forme, qui dégénère en purisme quand le talent est faible — s'il n'aboutit pas en simple exercice pédant — engendre, chez les poètes les plus importants, une force dialectique où domine un sentiment tragique de la vie. Le culte de la forme apparaît comme une compensation à la solitude, à la tristesse, à l'angoisse. La thèse de Jacques Chessex sur l'échec noir de l'auteur aspirant à l'absolu se vérifie chez un Edmond-Henri Crisinel[5]. Né en 1897, mort volontairement en 1948, journaliste et poète, il était véritablement un de ces «damnés» qui tentèrent de transcender et sublimer le péché originel par la langue. Ce qui reste de Crisinel, ce sont à peine cent pages de poèmes et de prose poétique, parmi lesquelles son texte principal *Alectone* (1944); témoignage en forme classique d'un «voyage en enfer» du poète qui périt comme Nerval de tensions insupportables.

Un autre cas, peut-être à peine moins tragique, est celui de Pierre-Louis Matthey (1893-1970), qui, comme jeune homme, avait appartenu à l'équipe des *Cahiers Vaudois*, vivant plus tard dans une solitude immense, consciente — bien qu'il n'ait pas manqué de susciter une reconnaissance respectueuse. Il fut couronné par le Prix Ramuz en 1955; deux ans avant sa mort parurent ses poèmes réunis dans une belle édition incluant les remarquables traductions qu'il fit de l'anglais (Blake, Keats, Shakespeare, Donne, Shelley, Rossetti et d'autres). Matthey fut un artiste de grande classe. Du discours léger et fluide à l'hermétisme chiffré, en passant par une rhétorique passionnée, il avait de nombreux registres à sa disposition: mais il semble que chez lui la forme ramassée doive toujours tenir en échec une menace. Plus d'un trait évoque chez lui Conrad Ferdinand Meyer, d'autres Stefan George — un George sans «cercle», sans disciples, sans ambition dominatrice. On est tenté de le traiter d'épigone, mais il a lié cette marginalité à un sens trop hautement développé des valeurs de la langue, il a su si bien user des signes linguistiques dans leur ambiguïté, leur complexité, il a créé des images, parfois un peu maniérées certes mais d'une telle séduction... Philippe Jaccottet voit en lui un poète de la préciosité, de la virtuosité (aux sens positif et négatif). Pour un autre critique, l'apparente préciosité est en vérité «surabondance verbale en face de la surabondance vécue pour tenter de la conjurer»[6]. On peut affirmer une chose: chez ce poète se sont déployées les possibilités du plus haut style lyrique de la langue française jusqu'à la naissance du surréalisme, employées d'une manière souveraine, intensifiées par une puissance concentrée. Les poètes actuels ne sauraient le prendre pour modèle, mais ils peuvent voir en lui un maître qui, à partir d'une position hors du courant actuel de la littérature française, a montré comment affiner la langue à l'extrême comme instrument poétique, dans la tradition classique ou symboliste. Pour l'auteur et l'adaptateur, la beauté, comme la souffrance, demeure cependant une réalité intérieure, comme la poésie elle-même:

> *O nuit que j'écartais, ma révolte est douleur*
> *et ma douleur n'est point muse ni porte-lyre.*
> *Elle est l'arbre qui tâche à se vêtir de vert*
> *Elle est ce ciel intérieur lent à fleurir.*[7]

Gustave Roud (1897-1976) prit aussi part comme jeune homme à la mémorable renaissance des lettres romandes. Avec Ramuz, il entretint pendant de nombreuses années des liens d'amitié; l'éditeur de ce dernier, Mermod, publia également plusieurs de ses livres. Il fut secrétaire de rédaction de l'hebdomadaire *Aujourd'hui*. Ensuite Roud se retira de plus en plus, vivant comme écrivain à Carrouge, dans le Jorat, ainsi qu'un campagnard parmi les paysans. Son œuvre n'est pas très vaste, elle comporte de la poésie, des notes et des traductions, mais aucun grand ouvrage en prose; et si, dans les récentes années surtout, de nombreuses distinctions publiques lui furent attribuées, le nombre de ses lecteurs est pourtant resté limité: l'édition, imprimée en deux volumes de ses *Ecrits*, tirée à 1200 exemplaires en 1950, n'était pas encore épuisée vingt ans plus tard. Le faible nombre de ses lecteurs est plus que compensé par leur qualité. Dans la monographie que Philippe Jaccottet consacra en 1958 à son aîné, il parle du «rayonnement de Roud en Suisse romande... dans sa discrétion si intense, si particulier»[8]; le livre de Jaccottet — et d'ailleurs toute l'œuvre de celui-ci — peut lui-même valoir comme exemple de ce rayonnement: et, d'Anne Perrier jusqu'aux premiers poèmes de Chessex, le grand modèle de Roud est présent.

«L'œuvre poétique de Gustave Roud présente deux versants, *solitude, paradis*, parce qu'elle a pour source une double expérience profonde: celle du rejet hors de la vie commune, et celle de la vision de l'éternel dont il semble que la poésie seule puisse espérer rendre compte.»[9] Certaines œuvres de Gustave Roud — par exemple le *Petit Traité de la Marche en Plaine* paru en 1932 — témoignent d'une relation aimable avec la nature. Mais dans la plupart des poèmes le paysage n'est guère qu'un lieu prétexte, ou mieux: le reflet d'un monde intérieur dans lequel la vérité se fait jour. Il faut lire à ce propos l'une de ses dernières œuvres, *Requiem* (1967), affirmation mystique de la vie au moment d'une profonde perte ébranlant le poète dans tout son être, la mort de sa mère. Ici la nature apparaît réduite à ses traits les plus communs, pour ainsi dire éternels: un champ de neige, une eau couverte de feuilles d'automne, des villages tranquilles répandus sur les coteaux comme des fruits. Ces signes extérieurs déterminent un chemin intérieur à travers l'obscurité du cœur. Et, dans l'image des frêles et tendres oiseaux qui triomphent de la destruction, naît finalement l'espoir, qui est peut-être l'espoir de la réalisation créatrice.

Dans le poème en prose *Campagne perdue* (1972), la vie et l'œuvre de Gustave Roud sont saisis dans leur convergence instantanée. Le livre est un journal méditatif planant magiquement entre la poésie et la prose et qui conte et conjure à la fois, en une langue qui est de nouveau symbolique, mais n'est pas obscure: au contraire elle apparaît transparente mis à part quelques passages secrètement voilés. Le texte est daté: «1919-1969». L'expérience du poète n'est pas linéaire et temporelle, mais intervient dans l'unité d'une vie. Dans ce demi-siècle, ce n'est pas l'auteur qui change, mais son domaine, la campagne. Roud dit dans la dédicace: «Le temps pour l'ancien monde paysan de n'être plus.»[10] Comme chez Chappaz, Chessex et d'autres, on voit ici encore le cercle de l'existence paysanne menacé de destruction. Roud enregistre les changements, par exemple lorsqu'il parle de la route goudronnée qui n'est plus le chemin des vieux chars et des marcheurs, mais «la route noire, mate ou luisante, laquée par la pluie ou liquéfiant le paysage sous le soleil comme un sombre fer brûlant»[11]. Un tel passage mettant directement en question la technique moderne montre assurément à quel point, pour Roud, la relation à la campagne, loin d'être rationnelle, est mythique, religieuse au sens originel. Ce qui est décisif, c'est la sensation vécue de la route non encore recouverte d'asphalte, c'est le contact de fibre entre l'homme et la nature. Là où il est rompu, là où la continuité est brisée, la capacité de l'homme à ressentir et à s'exprimer est mise en danger. On peut trouver cette attitude conservatrice — mais elle ne tend à aucune restauration, car pour Roud la perte est définitive. Cependant l'amour du poète pour la campagne et sa nostalgie échappent à une classification idéologique: comment l'homme, créature de la nature, trouvera-t-il son chemin sans se dénaturer dans un monde voué à l'artifice?

Le sentiment vital de Roud oscille entre deux pôles, l'expérience de la solitude et celle du bonheur. Les deux se fondent dans la vision de ce Haut-Jorat que Roud a connu et parcouru comme personne. Dans la participation inspirée au paysage resplendit le reflet d'un paradis, quelque chose d'un âge d'or, une transfiguration du temps intérieur, un accord absolu du moi et de l'univers. Ce sont des moments de parfaite libération du doute, de l'angoisse, de l'impuissance. La beauté n'est pas une possession, mais une promesse — la réussite poétique et l'idée de la poésie doivent toujours être ressaisies. L'œuvre de Roud, apparemment si statique dans son absolu, gagne ici son mouvement intérieur, comme est intérieure l'évocation du passé, par exemple dans *Campagne perdue*. C'est seulement dans la vision personnelle que peut être rétabli le lien avec ce qui a été. La restitution du pays perdu est à proprement parler le travail poétique; la «présence» dont il parle à la fin de son poème devient une victoire sur cette impuissance qu'il évoque au début comme le stigmate de l'écriture.

«D'ailleurs, disait en 1966 Philippe Jaccottet (*1925) lorsque lui fut remis le prix de traduction de l'Académie allemande pour la langue et la poésie, j'étais né en Suisse romande et j'avais étudié à l'Université de Lausanne. J'étais donc ce qu'on nomme un Suisse français; comme les deux mots l'indiquent déjà: un moyen terme, un être intermédiaire dans une situation pas toujours confortable contre laquelle mes collègues confédérés portent souvent pas mal

d'accusations. On peut cependant essayer de faire d'une telle nécessité vertu; sans vouloir m'en vanter, je crois que je l'ai fait presque
inconsciemment, davantage par penchant que par réflexion...»[12]

Jaccottet, né à Moudon, avec son patronyme typiquement vaudois,
est établi depuis longtemps au nord de la Provence, à Grignan. Il est
l'un des plus remarquables médiateurs de la littérature moderne.
Comme traducteur de Musil il est incontesté; ses versions de Hölderlin renforcèrent et confirmèrent sa renommée (il traduisit aussi dans
ses premières années Thomas Mann et Homère). Mais tout cela ne
montre que le côté extérieur de sa personnalité artistique. Jaccottet
est aussi critique; dans le volume *L'Entretien des Muses* (1968), il a
réuni une partie de ses commentaires. La traduction et la critique
remontent chez lui à la même source, de même que ses propres
œuvres poétiques — poèmes, un récit, mémoires à la manière d'un
journal: tous ces écrits naissent d'une même conception d'ensemble.
Dans un livre en prose *Eléments d'un Songe* (1971), Jaccottet intitule
un chapitre «Le Rêve de Musil»: il parle de la zone frontière où la
propre signification de l'œuvre étrangère est reflétée, puis brisée,
puis recomposée dans la vision qu'on a soi-même des mêmes choses.
Ici l'analyse critique de Musil devient en même temps un témoignage
personnel sur la vie, ici l'essai littéraire se fond aussi avec le journal
intime, le «journal intérieur», la méditation, le livre onirique, la
vision, le poème.

Il ne serait donc pas tout à fait juste de dire que les textes lyriques
de Jaccottet sont les plus proches du lecteur — en les considérant
comme le centre d'une œuvre essentiellement poétique. A l'inverse
de ce qui se passait chez un Matthey, par exemple, ce qui est façonné
est pour ainsi dire conditionnel; l'important, c'est le chemin.
L'œuvre de Jaccottet est ouverte aux stations de l'inspiration, aux
changements et aux cristallisations des expériences spontanées; les
premiers degrés de cette ascension, les ébauches, les versions provi-
soires ne sont pas exclus, ils montrent le jeu des regards et des
sentiments dans ses premiers reflets. *La Semaison* (1963 et 1971)
donne une idée, par son titre, du cahier de notes réunies. Mais ce
chemin de la métamorphose ne se limite pas à la forme: il est en
même temps un chemin intérieur vers l'intelligence, vers la reconnaissance, vers la détermination de soi et la communication avec les
semblables. Aussi chez Jaccottet — il reste en cela parent de Roud —

GUSTAVE ROUD. CI-DESSOUS: À CARROUGE, EN 1974

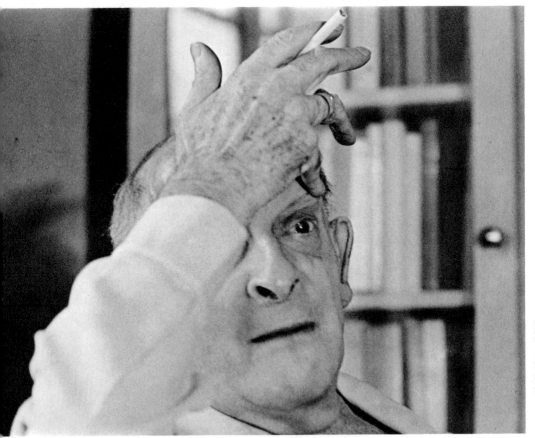

'RRE-LOUIS MATTHEY EN 1968

HILIPPE JACCOTTET

JEAN-PIERRE SCHLUNEGGER

ANNE PERRIER

RICHARD-ÉDOUARD BERNARD

PIERRE-ALAIN TÂCHE

GILBERT TROLLIET

OLIVIER PERRELET

JEAN PACHE

la campagne, qu'il évoque d'une manière précise et souvent extrêmement vivante, est une correspondance projetée de l'intérieur, de l'esprit, de l'âme. *La Promenade sous les Arbres* (1957), comme chez les romantiques allemands, est une marche vers le mystère intérieur : et même là où le paysage semble avoir son existence propre — *Paysages avec Figures absentes* (1970) — il vit à la fois à l'intérieur et en dehors de la relation avec l'observateur qui reconnaît en lui une émanation du divin. Ce n'est certes pas une manière de résoudre la misère du monde, « misère comme une montagne sur nous écroulée »[13], mais le poète essaie d'opposer à l'obscurité un message de lumière : « Je voudrais envoyer des nouvelles de confiance à mes amis que le silence altère et détruit... Je les voudrais si simples et si claires qu'une timidité me prend à leur pensée. Ce que je rêve est peut-être trop ambitieux, et je le conçois aussi trop vaguement, ou de trop loin. Parler m'en rapproche-t-il ? Ce n'est même pas sûr. »[14]

Douter de la force rédemptrice du pur verbe est propre à beaucoup de poètes en quête d'une langue correspondant au mouvement de leur intériorité, qui vivent dans une société presque toujours indifférente à leurs recherches. Solitude, désespoir, liés à une croyance désespérée en la poésie, voilà des thèmes d'une tragique quotidienneté en Suisse romande. Il y a des exemples positifs, contraires — Roud et Jaccottet sont les meilleurs — mais il y a aussi tout un martyrologe de la poésie romande : outre Edmond-Henri Crisinel, Jean-Pierre Schlunegger (1925-1964), le cofondateur délicat et doué de *Rencontre*, Francis Giauque (1934-1965), dont les œuvres qui nous sont restées révèlent le chemin de croix d'un être hypersensible. Tous trois se sont donné la mort. Francis Bourquin (*1922) parle de tels hommes dans son recueil *De Mille Ombres cerné* : « Mais d'autres crient / la liberté dénaturée / dans le désert de l'éloquence. »[15] La formule est frappante : elle évoque le cri toujours poussé par la poésie romande en vue de la liberté, cri qui se perd dans la stérilité de la pure éloquence ou s'articule parfois d'une façon tragique. On entend Anne Perrier demander, presque naïvement : « Peut-être qu'il me faut / Donner aux mots / Une nouvelle naissance / Une douce innocence. »[16] D'un autre côté, l'artiste peut tendre à une nouvelle langue à travers de nouvelles images : ainsi Pierre Chappuis (*1930), qui affirme : « Le mystère de la poésie est que tout dépende d'une réussite verbale et non pas, du moins directement, de la profondeur à laquelle l'expérience vécue pourra avoir conduit le poète.»[17] Ces images, Chappuis les trouve par exemple chez Michel Leiris, qu'il interprète dans un essai publié en 1973 chez Seghers, mais aussi dans l'univers de la peinture dont il recrée *L'Invisible Parole* (1977). Il y aurait également lieu de citer ici le poète tessinois, écrivant en français, Pericle Patocchi (1911-1968), dont les textes courts, enlevés, des notules ironiques et sarcastiques font toujours clignoter l'absurde derrière l'ordinaire, mots d'esprit dans un monde lourd. Mais l'expérience vécue reste présente, visible ou invisible. Marcel Raymond (*1897), célèbre depuis longtemps comme critique, a publié à la mémoire de sa femme les *Poèmes pour l'Absente* (1966), un monument poétique qui ne renie pas le caractère de confession. Un autre professeur de littérature, Marc Eigeldinger (1917), entoure d'un langage solaire quelque peu sacerdotal, ainsi que s'intitule un de ses poèmes, le mythe du soleil, le chiffre de l'absolu — qu'il analyse aussi dans ses travaux critiques. Il y a lieu de nommer ici des tentatives d'exploration aux limites de l'ésotérisme par de jeunes poètes et critiques genevois comme Rainer Michaël Mason et John E. Jackson autour de la *Revue de Belles-Lettres* soutenue par une vénérable société d'étudiants, avec leur ouverture à l'endroit de l'hermétisme français contemporain, des *ermetici* italiens, des Espagnols modernes, et leur admiration pour Paul Celan. Jacques Chessex, quant à lui, revient avec *Elégie Soleil du Regret* (1976) à une poésie mouvementée, colorée, mélancolique aussi. Citons encore d'autres noms: Pierre-Alain Tâche (*1940), Olivier Perrelet (*1944), Roland Bracchetto (*1927), Jean Pache (*1933), Monique Laederach (*1938), Frédéric Wandelère (*1949), André Imer (*1929) — noms qui témoignent d'une poésie vivante, florissante. D'une poésie qui, dans son intériorité méditative, et parfois dans son caractère précieux, forcé, ne laisse pas de faire entendre une harmonie angoissée, et parfois sombre, désespérée.

XII
LES FORMES
DU ROMAN

Le phénomène du retard du style dans l'histoire de l'art helvétique a une certaine importance. Il se produit à plusieurs reprises. On est gothique au XVIᵉ et même au XVIIᵉ siècle, les formes baroques se perpétuent jusqu'en plein romantisme, le rococo est contemporain du style Directoire et Empire... La tentation est donc grande pour un lecteur, confiant dans les tendances et les mouvements internationaux, d'appliquer cette notion de l'attardement des styles à la littérature suisse, et en particulier à la littérature romande. Beaucoup d'éléments paraissent lui donner raison de prime abord, précisément aujourd'hui. En poésie, au-delà de la moitié du XXᵉ siècle, la prosodie régulière et les attitudes romantico-symbolistes dominent — alors que le surréalisme, qui eut beaucoup de succès ailleurs, est à peine décelable avant 1945. Quant au roman, il suit volontiers des modèles réalistes et psychologiques jusqu'à nos jours[1]. Cela se conçoit aisément si l'on met en rapport ces particularités avec une relative «fermeture» de la sphère littéraire romande et avec des structures sociales très intactes, au moins extérieurement. Le penchant du Suisse pour tout ce qui est solide, sa réticence face au risque et à l'inconnu, bref, le conservatisme helvétique expliquent aussi une telle situation. Politiquement et socialement, le pays vit sur le «statu quo» et il a de ce point de vue la littérature qu'il mérite, conservatrice, traditionnelle, pour ne pas dire conventionnelle et formellement peu intéressante.

Ce raisonnement peut certes apporter une pièce au dossier, mais ce n'est précisément qu'une pièce, car en réalité les choses sont infiniment plus complexes, en Suisse comme ailleurs : les mouvements, les réactions s'entrecroisent, s'interpénètrent. La signification d'une littérature ne se laisse pas saisir comme fonction d'un «progrès» formel. Comme toujours dans ce domaine il y a finalement de multiples impondérables — talent individuel, nécessités irrationnelles du temps, et parmi elles les réactions du public, surtout le réseau difficile à saisir qui va de la production littéraire à la consommation — à côté des simples relations de cause à effet qu'on croit évidentes. Dans le cas de la Suisse romande, l'image d'une littérature conservatrice (d'abord, mais non exclusivement, sur les plans formel et stylistique) a besoin d'une correction : si on la considère aussi bien dans son ensemble que selon des exemples isolés, engagés, peu populaires, certes (mais où donc les formes d'expression extrêmes sont-elles populaires ?), cette littérature n'apparaît nullement craintive devant la nouveauté, quelles que soient les apparences.

Pour cette approche d'une «nouvelle» littérature la poésie retiendra moins notre attention que le roman ; celui-ci, aujourd'hui, n'a que de lointains rapports avec la notion traditionnelle d'une littérature narrative. Les éléments lyriques, dramatiques et surtout l'essai y voguent de conserve avec le récit traditionnel ; des principes d'écriture comme la simultanéité, le courant de conscience, le monologue intérieur caractérisent un bouleversement remontant à Proust, Joyce et Musil ; le roman semble ainsi être une collection protéiforme des genres contemporains les plus différents. En France, au milieu des années cinquante, le terme «nouveau roman» a acquis droit de cité (il était aussi question, un temps, de l'«anti-roman»). Au-delà d'un groupe précis d'écrivains (Robbe-Grillet, Butor, Nathalie Sarraute et d'autres), ce terme désignait le renouvellement d'un genre qui se bornait jusque-là à l'action, à la peinture psychologique et... au divertissement. La critique zurichoise Gerda Zeltner, qui s'est fait connaître comme une grande spécialiste de la littérature française, définit le «premier impératif catégorique pour le roman de la période postbourgeoise, collective : abandonner ses définitions traditionnelles — qui sont devenues comme des habits trop petits — et devenir quelque chose de fondamentalement autre»[2]. Il appartient à la langue du roman de faire ce que fit jadis la poésie, mais de manière beaucoup plus large: se mettre radicalement en doute, l'écriture devenant le sujet de l'écriture et le roman le sujet du roman.

La discussion sur les nouvelles formes (et derrière les formes apparaît naturellement une nouvelle conception du monde, ou mieux: une mise en doute du monde) a lieu sur deux plans, comme participation à l'élaboration de ces formes et comme défense contre elles. Il faut bien entendu mentionner aussi la royale ignorance de ceux qui écrivent comme si rien n'était arrivé depuis Paul Bourget et Maurice Barrès — mais il n'est pas besoin d'en parler dans ce contexte. Il existe cependant une résistance aux formes nouvelles, conséquente, conduite en connaissance de cause et en contradiction consciente: elle résulte de la conviction que le nouveau roman est une impasse artistique et humaine. Jacques Chessex (*1934) l'écrit: «Je ne peux plus supporter la littérature exsangue qu'on nous impose comme le fin du fin. Œuvrettes habiles, romans d'intellectuels rompus aux techniques, à la mode, tristes canevas de laboratoire, schémas de géomètres exténués... fausses parodies, faux monologues...»[3] L'attitude de Jean-Pierre Monnier dans *L'Age ingrat du Roman* (1967) est moins simple: dans une suite d'essais intelligents, personnellement engagés, il a analysé en effet la relation des écrivains romands — de lui-même en particulier — avec les tendances modernes. Monnier affirme que la responsabilité de l'écrivain s'est renforcée depuis la dernière guerre, ainsi qu'on le voit par exemple chez Frisch, mais il se refuse à une fausse politisation, tout comme à la formalisation croissante de la littérature. Son œuvre est intéressante parce qu'il ne se contente pas d'un credo plus ou moins conservateur; au contraire, il essaie de déduire de sa critique l'esquisse d'une contre-position possible. Régionalisme universel — on perçoit ici l'écho de Ramuz —, authenticité absolue, élan éthique, renonciation à la pure rhétorique et au jeu intellectuel, telles sont les exigences que Monnier pose au roman. Son argument central est qu'il faut s'attacher à des traits essentiels, immuables, de l'être humain: «Car en dépit de ce que nous pensons généralement, rien, dans l'homme n'a changé.»[4] Le grand projet dont rêve Monnier, c'est un art qui accède à des vérités élémentaires et mystiques et qui les transpose en images, en symboles. On pourrait établir des liaisons transversales entre cette conception et celles de certains représentants du roman moderne: Monnier en appelle en réalité à des auteurs comme Faulkner,

Hemingway, Céline, Gracq, Pavese, Bassani, mais il reste catégorique dans son refus d'un modernisme rationnel. Une rencontre de l'auteur et du lecteur n'est pour lui possible que dans la sphère de l'imagination, et non plus dans celle de l'intelligence (d'où sa condamnation sommaire de la critique littéraire).

La théorie conservatrice du roman développée par Monnier est-elle typiquement suisse? En tout cas l'un des plus importants représentants du courant attaqué par Monnier est également suisse, même si Gerda Zeltner a le droit de dire de lui: «Cet avocat genevois qui, à la première occasion après la guerre, émigra en France pour échapper au ‹discours dans l'étroit›, est presque plus français que les Français.»[5] Qu'y a-t-il de suisse, en somme, chez Robert Pinget (*1919), en dehors de son origine — on aimerait presque dire helvétique par hasard. La question apparaît de prime abord merveilleusement déplacée face à l'œuvre de Pinget. Fantoine, Agapa, Sirency, les localités, avec leur topographie, leur architecture, décrites d'une manière exacte, énervante, avec leurs chemins, leurs lisières, leurs ruisseaux, leurs carrières, leurs rues, leurs places, leurs boutiques, leurs maisons bourgeoises, leurs maisons de maîtres, et dans les maisons les salles, les chambres, les corridors, avec leurs marchandises amoncelées, meubles, rideaux, antiquités sans nombre — certes tout cela paraît on ne peut plus «vieille France» tout en appartenant en même temps à un monde complètement fictif, irréel, en dépit de son omniprésence. Gerda Zeltner affirme à propos de *L'Inquisitoire* (1962): «La vérité est suspecte... Seul l'incertain est digne d'interrogation...»

Chez Pinget le doute est supposé, accepté en somme, non seulement face à notre monde factice et à la possibilité d'une perception «objective», mais aussi face à toute possibilité de se reconnaître soi-même (Monnier n'ignore pas ce doute, mais il lutte contre lui, il le nie au sens direct, on est tenté de dire qu'il essaie de le troquer contre un savoir meilleur). Dans ses premières œuvres, par exemple dans *Graal Flibuste* (1956), Pinget exprime avec fantaisie, fantastique, humour, érudition encyclopédique et pseudo-érudition l'impossibilité de présenter une réalité simple: l'objectivité de ce que nous lisons est seule donnée en rapport avec la puissance de la représentation et les connaissances de l'auteur (et par elles cette objectivité aboutit à l'absurde).

Dans ses œuvres plus tardives — ainsi le magistral *Inquisitoire* — on croit rencontrer un nouveau réalisme — une variante particulière de cette «nouvelle objectivité» dont on aimerait parler, souvent, à propos de Robbe-Grillet. Le concept du réalisme est trompeur cependant si n'existent plus les correspondances: «... je ne sais que des ragots je ne sais pas la vérité jamais et nous en crèverons de ne pas savoir et tous ceux qui vous ressemblent ils s'acharnent à découvrir le secret des autres ils crèveront avant eux...»[6] Réaliste ou non, Pinget témoigne, dans ses minutieuses descriptions, d'un sens de la réalité; et, au-delà de la pure «chosité», sa représentation de l'homme témoigne pour l'«humanité» de l'écrivain. «Ainsi Pinget réussit-il, écrit Bernard Pingaud, au sujet du livre *Le Fiston* (1959), sans rien abandonner de son humour ni de sa fantaisie, à prendre pied dans le monde réel où vivent et meurent des êtres, dévorés par la mémoire, qui s'appellent les hommes.»[7]

Le jury du Prix Rambert, à Lausanne, s'intéressa avant tout à ce même roman lorsqu'il couronna Pinget en 1959, à une époque où il n'était encore qu'un auteur parisien connu de quelques connaisseurs. André Desponds attira l'attention, dans sa présentation, sur un aspect particulier de l'art et du style de Pinget, qu'il apparenta d'une manière inattendue à la langue de Ramuz. L'expression littéraire s'écarte, affirme-t-il, de la langue parlée et généralement comprise, dans la mesure même où elle devient un langage spécialisé. Or il est arrivé parfois qu'un écrivain ramène cette langue dans le voisinage de la langue parlée. «C'est ce qu'ont fait Claudel, Péguy, et plus près de nous Ramuz. On peut ajouter maintenant à la liste le nom de Pinget, qui est souvent comme un Ramuz allegro, accordé à la vivacité genevoise, plus agile, mais non moins sûr que le nôtre. Comme on applique l'oreille à un coquillage, il écoute la rumeur que fait la langue parlée.»[8] Sur cette modernité du style de Ramuz, Alice Rivaz a également attiré l'attention, dans un autre contexte.

On peut donc reconnaître des éléments spécifiquement genevois dans le style de Pinget; sur le plan thématique, en revanche, il n'est guère possible de trouver chez lui quelque chose d'helvétique. Cela vaut d'ailleurs aussi pour les romans *Le Midship* (1973), *La Boîte noire* (1974) et *Beno s'en va-t-en Guerre* (1976) de Jean-Luc Benoziglio (*1941), né en Valais mais vivant depuis des années à Paris, comme pour *Les Régions céréalières* (1976) de Jean-Marc Lovay (*1948), qui après des voyages en Asie vit dans l'isolement d'un village valaisan (mais la distance est grande entre le vif flux verbal du premier et l'univers serré que crée le second). Il en va différemment d'Yves Velan (*1925), qui produit moins, qui est sans doute moins connu, mais est à peine moins important que Pinget comme représentant du nouveau roman. Velan est Vaudois, sa biographie témoigne cependant de rapports continuels avec l'étranger — sa mère est Française, il est lui-même né en France, sa femme est Italienne, il a vécu un certain temps à Florence, il est depuis des années professeur aux Etats-Unis, ses deux premiers livres ont paru à Paris. Etudiant et jeune maître de gymnase, il prit activement part à la vie intellectuelle de Lausanne et de la Chaux-de-Fonds, engagé politiquement à l'extrême gauche; ses liens avec la Suisse n'ont pas été rompus par son exil volontaire dans le Middle West américain. A l'occasion, il attira l'attention par des réflexions critiques perspicaces, mais il publie peu, il semble écrire lentement, presque avec peine, constamment contrôlé par un intellect suréveillé. Quatorze ans se sont écoulés entre son premier et son second roman. Lorsque le premier ouvrage, *Je*, parut en 1959, il fut accueilli avec enthousiasme par la critique de l'avant-garde parisienne. A l'incontestable succès que remporta le livre en Suisse se mêlait une certaine odeur de scandale, non pas seulement à cause de l'orientation politique de Velan, mais aussi en raison du thème, typiquement romand, ancré dans une longue tradition, mais qui était traité d'une manière fort peu conventionnelle. *Je* est en effet le monologue d'un pasteur protestant, d'un névrosé hypersensible qui aspire à la grâce divine et se voit abandonné par elle, un homme en pleine déréliction, tourmenté par des angoisses métaphysiques et des refoulements sexuels, qui voudrait saisir la «vie réelle» et cependant ne rencontre que lui-même, toujours plus. Le cadre extérieur est indiqué: Nyon, au bord du Léman; Lausanne; le Plateau suisse n'importe où pendant un cours de répétition militaire. Les références sociales sont marquées: bourgeoisie pharisienne, prolétariat, puissance administrative — en tant que force anonyme contraignante. *Deus ex machina* de la lutte des classes: le communiste Victor, ami et adversaire du pasteur, Jean-Luc Friedrich. Même le lieu «objectif» du récit classique est de temps en temps planté, sans doute presque par ironie (ces petites phrases cursivement frappées, ces fragments de phrases enregistrent des «états de fait» somme toute accessoires); l'essentiel du livre est donné dans le monologue du pasteur, à peine interrompu, murmuré, puis de nouveau haletant, s'immobilisant, saisi momentanément par mégarde, concentré, puis échappant de nouveau, sans rive pour en contenir le flux, verbeux, s'embarrassant dans sa propre détresse. On s'est rapidement rendu compte en Suisse romande de la signification de *Je*: Velan livrait ici l'exemple d'un moderne «roman romand», d'une écriture sans compromission. *La Statue de Condillac retouchée* (1973) est le titre de son deuxième livre dont on peut dire qu'il amplifie *Je*: l'auteur a souffert en écrivant et il le fait payer au lecteur. S'il y avait encore dans *Je* un personnage principal sur lequel avaient prise les élans isolés de la conscience et les lambeaux d'associations éblouissantes, dans le nouveau roman, apparemment, tout coule avec tout: les personnes (ou plutôt les mises en équation de celles-ci), les actions, les réflexions, les polémiques, les analyses, les descriptions... Velan est assez aimable pour expliquer le titre de son livre par une citation du *Traité des Sensations* (1754) du philosophe Condillac, un sensualiste: la «Statue» (plus généralement sans doute l'objet) n'est ici perceptible que lorsque nous nous identifions à elle, que nous voyons avec ses yeux, que nous épousons la succession et la simultanéité de ses sensations, «en un mot (...) ne point juger les choses par leur vérité mais par la dépendance de leurs rapports»[9]. Mais c'est aussi la seule rencontre. Celui qui s'est frayé un passage à travers le texte, d'une provocante complexité, accaparant l'attention et usant la patience d'un lecteur pourtant prêt à être compréhensif, l'honorant en même temps d'une densité intellectuelle presque sans exemple, par endroits visionnaire aussi, celui-ci cherchera, malgré toutes les embûches, à dégager un ou plusieurs leitmotivs de l'écriture de Velan. De la figure appelée Guillaume (en fait de la figure elle-même, non de son expression, car la figure et les mots ne font qu'un), on perçoit le raisonnement de l'intellectuel de gauche de la seconde moitié du XXe siècle — un raisonnement devenu peu sûr de lui; à ses côtés s'articulent le communiste, l'artiste, le grand capitaliste éclairé, le petit bourgeois traqué par le besoin de consommation, et les femmes qui leur appartiennent. La «caverne», le parfait supermarché, la banlieue croissant comme un cancer forment les images de notre société de consommation, du capitalisme tardif, et en même temps sont des matérialisations de l'homme déformé-transformé de notre temps. Et toujours plus se pose la question de la possibilité de l'expression: comment idées et formes s'unissent-elles, où la forme anéantit-elle l'idée, ou comment l'abstraction s'approprie-t-elle de la vie saisissable? Dans la tension entre la corporéité et l'intellect le texte avance par saccades, de la démolition au recommencement à neuf, à la répétition, tournoyant par cercles. Velan tente d'incorporer beaucoup de langues à sa langue: termes spécialisés, jargon trivial, élans lyriques, calembours, insolences, franglais... On trouve aussi des suissismes, éclatés dans la masse du langage caractéristique de l'état de conscience d'un intellectuel de gauche. L'élément suisse ne manque pas non plus sur le plan thématique, couvrant les expériences de l'auteur à titre exemplaire: les «meilleurs» milieux lausannois, l'organisation de vente de Migros sont là, entre lesquels se bousculent les éléments américain et italien; le contemporain et l'historique, l'économie, l'art, la psychanalyse se superposent, se chevauchent. Le thème principal du livre, pour autant qu'on puisse entreprendre de le caractériser, n'est pas général, telle la pluralité de notre pensée et de nos sensations, mais c'est une préoccupation spécifique de Velan et de beaucoup des hommes de sa génération: l'insuffisance — manifeste ou réelle — des prévisions marxistes, la résolution des conflits de classe dans la société moderne occidentale de consommation. La mise en question et l'impossibilité de la révolution, et cependant précisément l'espoir de cette révolution: *credo quia absurdum*.

A propos du court texte en prose *Onir*, paru en 1974, on pourrait parler d'un complément à la *Statue*; c'est une tentative extrême, justement fascinante dans ses conséquences, de rendre transparentes, en une langue qui s'épie et se met constamment en doute, les zones de l'inconscient à travers la réalité de notre civilisation industrielle: dans le terme *onir* se cachent aussi bien le concept de l'écriture onirique que celui d'*honnir*. Il n'y a pas, à l'exception peut-être de Robert Pinget, d'autres auteurs romands actuels chez qui la langue elle-même est pareillement travaillée, comme dans une épreuve de déchiquetage intérieur.

Que le style d'un intellectuel qui s'est engagé consciemment d'une manière progressiste comme Velan suive les modèles abstraits du nouveau roman — sans doute d'une manière très personnelle — cela n'a rien d'étonnant; le cas est bien plus extraordinaire d'un écrivain vivant dans l'isolement de la «province» vaudoise, peu influencé dans son style par l'avant-garde littéraire (on peut évoquer une parenté avec Proust ou Virginia Woolf), appartenant à la bonne bourgeoisie de la vieille génération, qui a rejoint de tels modèles de par sa seule originalité créatrice. Nous parlons ici de Catherine Colomb, née en 1899 au Château de Saint-Prex, sur les bords du Léman, et morte à Lausanne en 1965 (elle s'appelait en réalité Marie-Louise Reymond). En 1934 elle publia son premier roman, *Pile ou Face*; puis trois romans thématiquement et formellement apparentés, *Châteaux en Enfance* (1945), *Les Esprits de la Terre* (1953) et *Le Temps des Anges* (1962), lui ont apporté une durable consécration, d'abord dans des cercles restreints puis auprès d'un public plus large. Elle reçut divers prix littéraires (dont, en 1963, le Prix Rambert). Depuis sa mort, sa réputation n'a cessé de croître. Outre ses romans, elle a écrit différents petits textes, ainsi qu'une esquisse pour un roman inachevé. La trilogie fut réunie en 1968 en un volume, avec une préface de Gustave Roud. Il est remarquable de constater l'insuffisance des catégories — «moderne», «conservateur», etc. — en face de cette œuvre qui échappe à une classification scolaire par son style si proche de celui, discontinu, du nouveau roman. Roud a attiré l'attention sur la manière d'écrire de Catherine Colomb, qui bouleverse les perspectives: «... l'auteur nous précipite dans son royaume, ce nouvel espace où le temps est entièrement contenu, où nous la suivons désemparés, car nous éprouvons l'angoissante impression... d'avancer dans plusieurs directions simultanées. Le même événement se présente à nous de biais, de champ, de face; accompli, en train de s'accomplir, ou futur.»[10] Mais Jean-Luc Seylaz, qui est le critique qui s'est le plus occupé de Catherine Colomb jusqu'à maintenant, insiste avec raison sur le fait que chez elle, d'une manière éloignée de la tendance «avancée» du roman français, l'écriture ne se rend pas indépendante, ne devient pas un objet en soi. Sa motivation n'est pas un doute sur la langue, mais le drame intérieur de la frustration et l'impossibilité de se dérober à la saisie blessante de la vie[11].

Considérons par exemple *Les Esprits de la Terre* (1953). Comme dans ses autres romans, on peut difficilement parler, ici, d'un cadre extérieur, et moins encore d'une action suivie, au sens habituel. Peu à peu s'associent cependant les perceptions temporellement indistinctes pour former un tableau d'ensemble — même si celui-ci participe davantage du rêve que de la réalité. Les thèmes proviennent de la patrie de Catherine Colomb: le lac, les coteaux de vigne, le rivage, une vieille résidence dans un manoir, Fraidaigue, au-dessus de l'eau, et une «maison d'en-haut» dans l'arrière-pays. Les personnages, avec leurs préjugés, leurs complexes, leurs tragédies personnelles, sont décalqués de la vie, ils se laissent même enfermer dans des catégories sociales comme membres d'une grande bourgeoisie terrienne aujourd'hui à peu près disparue, mais, loin au-dessus de tout ce qui pourrait ressembler au folklore, ils sont transformés, rendus étrangers. Les dimensions de l'espace et du temps ne saisissent cet univers dans aucun des systèmes «normaux» de coordonnées, mais elles se recoupent constamment: le vent frôle toujours la seconde tour du château, bien que depuis longtemps celle-ci se soit écroulée. «Sous le ciel concave, convexe pour les morts, la terre tournait», dans le lac gris «les légères pierres roses et bleues voguent dans les profondeurs», et «la forêt qui commençait à un jet de pierre se prolongeait jusqu'à la mer du Nord, impénétrable autant qu'une forêt peinte...» La personne de César, dans *Les Esprits de la Terre*, apparaît comme une incarnation de la souffrance; un incapable de la vie, un déraciné, peu à peu déshérité par ses frères mariés, à peine toléré dans les deux maisons auxquelles on se le renvoie en alternance tous les six mois, un être qui ne porte pas en vain les initiales D.P. *(displaced person)*. Dans le déroulement ininterrompu du temps transparaît l'histoire des fiançailles malheureuses de César, s'inscrit aussi une résolution possible — mais nullement sûre — violente en tout cas, grâce à laquelle le raté se venge et retrouve l'enfance, la terre, l'élément originel, dans un retournement répété du concept temporel (qui est pour Catherine Colomb la représentation de la fragilité, du caractère passager, donc de la mort). Du fait que l'auteur incarne ses tensions psychologiques propres dans ses créatures romanesques, comme ici chez César, cette forme de roman ne perd rien de sa nouveauté. Au contraire, la langue et le sens entrent chez elle dans une constellation extrêmement ingénieuse, réalisée avec beaucoup d'art, et en même temps irrationnelle. Ainsi elle transforme les expériences directes de la vie — maison, famille, pays —, les visions de rêve, les contes, la langue de tous les jours et la culture littéraire en un jeu fantastique, oscillant entre l'effroi et les explosions de rire. Mais le jeu est sérieux, ses figures multicolores et ses gestes se manifestent au lecteur comme les symboles profonds d'une nostalgie et d'une solitude, du renoncement, de la résignation, de l'échec et de la mort; et, comme César s'enfonçant dans la terre, nous nous perdons, à lire les livres de Catherine Colomb, dans un monde d'images pleines de significations, aussi déconcertantes que familières: «... il rencontrait les violettes blanches, une taupe, les racines des bruyères, des monnaies vertes, d'immenses fourmis roses, et les ceps qui labourent comme des socs la terre des vignes, traversée d'air et de foudre.»[12]

L'art de Catherine Colomb n'a guère de pareil dans la littérature contemporaine de Suisse française. Sans que s'attache aucun jugement esthétique à une telle comparaison, on peut dire qu'il y a des romans où le flux est plus large, plus entraînant, le déploiement verbal plus grand. Il est tout indiqué de saluer, à ce propos, Albert Cohen (*1895), «ce vert septuagénaire, Juif né dans une île grecque, naturalisé Français et devenu haut fonctionnaire de la SDN»[13], selon l'article de Pierre-Henri Simon lors de la remise du Grand Prix du roman de l'Académie française en 1968. Cohen est cependant depuis longtemps citoyen suisse, ce qui nous confère le privilège de parler de son œuvre dans le présent ouvrage. Il écrit et publie depuis quarante ans et il est, pour ainsi dire, redécouvert à des intervalles périodiques par la critique littéraire, la dernière à l'occasion de la parution de son roman *Belle du Seigneur* (1968), un gros livre — près de mille pages, dans lesquelles on peut trouver beaucoup des éléments, sinon tous, qui caractérisent l'écriture contemporaine: analyse sociale, psychologie individuelle, pathos lyrique, ironie grimaçante, réalisme, le flux de conscience du monologue intérieur. Cohen n'est pas intimidé, comme les auteurs avancés du «jeune» roman, devant la narration, il maîtrise aussi la technique narrative classique — ce qu'on ne peut pas toujours affirmer de ceux-là — et la place au service d'une puissance d'invention de grande envergure: on aurait jadis parlé de «souffle épique». *Belle du Seigneur*, du moins dans ses parties centrales, c'est l'histoire d'un amour aussi bien sensuel que spirituel, qui tourne toujours plus à l'hymne religieux, à l'abandon total à l'être aimé: stylistiquement, c'est un conglomérat de formes et de tendances, mais aussi le témoignage massif, au sens propre du mot, qu'un roman moderne de réflexion n'a besoin d'exclure ni l'objectivité distanciée du vieux récit ni la subjectivité lyrique d'un grand poème d'amour, qui se trouve d'ailleurs dans la vénérable tradition du judaïsme.

ALBERT COHEN

CATHERINE COLOMB

ES VELAN

ROBERT PINGET

ASTON CHERPILLOD

JEAN-LUC BENOZIGLIO

JEAN-MARC LOVAY

AN VUILLEUMIER

MICHEL GOELDLIN

ÉTIENNE BARILIER

Pinget, Velan, Catherine Colomb, Cohen représentent ainsi, dans différentes directions, et avec la diversité de leurs fortes personnalités, mais sur un plan stylistique commun (ou comparable), des transformations que nous ne saurions d'ailleurs décrire comme une évolution linéaire vers un but. Ils ne manquent pas d'émules, parmi les écrivains romands vivant en Suisse ou à l'étranger — même si les tentatives et même les réussites sont parfois moins évidentes. On peut compter parmi eux — à côté de Monique Saint-Hélier (1895-1955), Alice Rivaz (*1901), Clarisse Francillon (1899-1976) et d'autres — Georges Piroué (*1920), originaire de La Chaux-de-Fonds, de même que le Vaudois Etienne Barilier (*1947). Dans *Le Chien Tristan* (1977) ce dernier fait intervenir avec beaucoup d'adresse plusieurs niveaux de style qui se recoupent et s'interpénètrent, jouant entre le sentiment et le rationalisme, la confession lyrique et le roman policier. Sans se laisser entraîner dans des expériences extrêmes, Piroué met à profit, dans ses romans et nouvelles, les acquisitions de la prose française moderne, avec lesquelles il est très familier en tant que critique et éditeur. Il peut, s'il le veut, mener à bien une intrigue narrative; il réussit aussi à tirer des registres justement différenciés de morceaux de prose relativement brefs; le réalisme lui est aussi peu étranger que l'objectivation intellectuelle, le matériau linguistique devient soit musical, abstrait, soit conceptuel, concret. C'est dans son récit *Le Réduit national* (1970) qu'il a traité un thème spécifiquement helvétique, à savoir la mobilisation militaire des années 1939-1945, «par le biais d'un cauchemar, dans une sorte d'irréalité, la seule contribution de la Suisse à la réalité de ce siècle», comme dit l'écrivain. Piroué possède un talent particulier à recréer des atmosphères (la plupart du temps c'est une atmosphère de découragement, d'ambiguïté): la fatalité n'est pas expressément décrite dans ses livres, mais elle est présente. De même pour le Genevois Jean Vuilleumier (*1934). Ses romans mettent en scène des personnes de la réalité urbaine d'aujourd'hui, dont le destin se rattache peu ou prou aux «faits divers», «accidents et crimes». A travers l'anonymat transperce la quotidienneté helvétique, qui peut se condenser en des morceaux de reportage isolés, précis: un café, une maison, une rue, un village, le lac, une chambre, un train, l'hôpital. Vu dans son ensemble, l'œuvre donne une image qui reste d'une extrême acuité ponctuelle, et qui cependant laisse planer une étonnante incertitude:

sur notre réalité s'amoncelle un brouillard gris, plus ou moins dense. Ainsi Vuilleumier réussit-il à rendre visible, par le reflet de ses histoires, quelque chose du malaise d'une humanité louvoyant entre le dégoût et l'abondance; il réussit à créer une atmosphère de perplexité, d'embarras, d'irresponsabilité. Dans *Le Rideau noir* (1970), il trace les contours d'un accident qui est peut-être un crime, raconté trois fois selon le point de vue de trois personnes. La réalité apparaît ainsi comme le reflet de situations individuelles. Dans toutes ces descriptions cependant la vision commune éclate, celle d'un monde déshumanisé, que ne meuvent plus que des principes d'ordre mécanique — un monde qui n'est pas seulement concevable, mais qui existe déjà bel et bien. Il en va de même dans un roman de Vuilleumier couronné en 1974 par le Prix Rambert, *L'Ecorchement* (1972); c'est un cas emprunté à la réalité quotidienne la plus banale, qui s'ouvre sur l'abîme de l'angoisse collective, sur le mal du siècle existentiel et illustre le revers de la médaille de la fameuse société du bien-être. On y trouve aussi la description des antihéros, très moyens, sur le fond d'une ville européenne dans laquelle on n'a pas de peine à reconnaître Genève, en une atmosphère où les contours individuels s'effacent de plus en plus, les éléments «patriotiques», comme les quais au bord du lac, les champs avec leurs arbres fruitiers, leurs feux, grignotés par la ville, apparaissant davantage comme des réminiscences que comme les traits essentiels d'un monde immatériel. Le dévoilement, les désillusions, la destruction progressive des protagonistes (un ouvrier vieilli, un représentant, une veuve, deux jeunes gens) ont leur sens: montrer absolument l'homme comme un trahi, un condamné, et le monde helvétique, apparemment «sain», comme un «enfer froid». Nous rencontrons ici un réalisme où la description de l'environnement est délibérément repoussante.

Rudolph Menthonnex (*1929) dédie son livre *Mammy Lorry* (1972) «à mon père, Autrichien, et à mon beau-père, Français, tous deux expulsés de Suisse». On y trouve une expérience vécue, vraisemblablement vitale de l'écrivain genevois. En 1970, il publia *Bod Boddit*, le monologue d'un voyageur dans un train dont on ne sait pas d'où il vient ni où il va; un voyage qui se condense, se résout, se dissout dans des images d'effondrements sanglants, de catastrophes horribles, de sexe et de mort, de fuite et d'angoisse, de bestialité et aussi de renaissance. Cela avance sans cesse, sans articulation logique, avec une voix presque essoufflée, murmurant plutôt que parlant. Et pourtant cette route incertaine, comme il l'appelle, conduit à un but exactement fixé, bien que difficilement reconnaissable. A la fin du livre, le voyageur qui semble à certains moments perdre l'usage de son corps et devenir une salamandre flasque, un bout de bois, peut dire qu'il a retrouvé ses mains et qu'il pourrait faire quelque chose avec. A travers le grouillement des formes symboliques et archétypiques apparaît chez Menthonnex le motif du devenir du moi. *Mammy Lorry* traite aussi du thème de l'individuation, accentué dans la recherche de la mère, du père, et de l'ascendance en général. Mais l'image de la ville réelle dans laquelle vit Menthonnex n'est plus méconnaissable, image qui est doublée d'une sorte de relation du déclin de cette ville et de ses habitants, articulée par morceaux, par chocs, ainsi que l'allusion à un nouvel avenir dans une communauté renouvelée, d'un passé d'horreur et de peur enfin maîtrisé. Le malheur qui s'abat sur la ville a les traits d'une catastrophe atomique. Parfois les visions de rues incendiées, des pierres fondues, des eaux noires, des amas proliférants d'immondices, des foules d'êtres humains estropiés, évoquent la fin chère à certains futurologues. L'insistance du rêve convient à ces visions, décrites avec précision et détails, en une suite rapide de séquences, dont le montage est tantôt dynamique, «dur», tantôt «tendre» (procédés cinématographiques évidemment familiers à Menthonnex, qui est réalisateur de télévision) — c'est l'irréalité et en même temps l'insistance du cauchemar. *Bod Boddit* et *Mammy Lorry* donnèrent indubitablement à la littérature suisse un accent nouveau, déconcertant.

Nous avons mentionné au début de ce chapitre la distinction à faire entre une forme plus conservatrice et les positions extrêmes du nouveau roman. On peut se demander jusqu'à quel point cette délimitation a un sens. Lorsque Chessex s'en prend au constructivisme exsangue, ou Monnier aux jeux intellectuels, ils définissent leurs propres principes de l'écriture à partir de leur refus. Mais chaque style réalisé dans ses conséquences n'est-il pas a priori un style «nouveau», moderne, et en un certain sens un style révolutionnaire, pour autant qu'il soit créé par une nécessité personnelle, et non pas seulement fabriqué? Qui voudrait contester à Pinget ou à Velan cette personnalité — et aussi, naturellement, à Robbe-Grillet et à Nathalie

Sarraute, elle surtout? D'un autre côté, il ne serait pas bien difficile de faire ressortir chez Chessex, chez Monnier ou encore chez bien d'autres écrivains romands actuels des passages présentant des points communs avec les exemples avancés du roman d'aujourd'hui, français, européen ou américain. Ces caractéristiques du temps ne s'arrêtent pas à la forme: dans et avec la forme se manifeste aussi quelque chose d'autre. Aucun écrivain ne peut se dérober à l'époque qui est la sienne, même lorsqu'il écrit contre celle-ci (et c'est même peut-être à ce moment-là qu'il le peut le moins).

Le concept de la modernité devrait s'effacer pour faire place à une autre notion, celle de l'authenticité (qui n'est pas non plus, naturellement, le dernier mot). Ainsi la «libération» de la littérature romande n'est certes pas achevée avec la renaissance décrite en ces pages, mais elle s'est cependant introduite et réalisée sous ce signe. La question de l'art peut demeurer tacite devant l'exigence de l'authenticité — c'est le cas de Cendrars, c'est aussi le cas du jeune Gérard L'Eplattenier (*1938), qui conclut son premier ouvrage en prose avec ces mots: «... j'ai noirci des milliers et des milliers de pages, j'ai écouté et lu des milliers de disques et de livres, je me suis emmerdé, je me suis saoulé la gueule, j'ai dessiné, j'ai vécu, et je veux encore vivre.»[14] Le point extrême de l'écriture actuelle en Suisse romande a été atteint à cet égard dans l'œuvre en prose de Gaston Cherpillod (*1925), Vaudois, fils de prolétaire, intellectuel de gauche, enseignant, tour à tour membre du Parti communiste, polémiste, poète. Son œuvre compte une dizaine de volumes. Dans *Le Chêne brûlé* (1969) il a raconté son enfance, sa jeunesse, la maison campagnarde, le père travaillant dans une carrière; comme unique nourriture spirituelle, la Bible familiale et l'almanach; la langue parlée était un français abâtardi de «rebibes» de suisse allemand. Ce morceau d'autobiographie que Cherpillod présente moins au lecteur qu'il ne nous le flanque en pleine figure, n'a pas uniquement la signification d'un témoignage social. C'est l'expression d'une volonté d'authenticité, sans ménager ni soi ni les autres; il ne s'agit pas de dire les choses bellement, d'écrire métaphoriquement, mais de les présenter, de les crier, de les éructer même. Et parce que dans ce livre Cherpillod écrit son passé, sorti de sa souffrance, cette langue a son prix. Les impertinences, les jurons, les tournures argotiques de son style ont leurs valeurs, comme les couleurs d'un bon peintre. Et involontairement le lecteur pense à Céline: c'est une parenté, non une contrefaçon. Les livres suivants, dans lesquels, entre autres, Cherpillod détaille ses expériences politiques et érotiques, ont une langue qui semble plus «littéraire», sillonnée par des cascades de mots d'argot, une langue replongée dans le vulgaire voire l'obscène, puis travaillée avec une préciosité parfois excessive. Il n'est pas sûr qu'il y atteigne le niveau du *Chêne brûlé*. La réussite est plus évidente dans le cas d'un de ses romans récents, le *Collier de Schanz* (1975), un roman d'un style moins violent, mais non moins personnel, le titre faisant allusion à un appareil orthopédique qui sert à maintenir en place la tête d'un malade. Que la chose symbolise, comme dit l'éditeur de Cherpillod, «cette volonté farouche de continuer, la tête haute», c'est possible; cependant l'important n'est pas là, me semble-t-il, mais bien plus dans le fait que le *Collier*, à l'instar du *Chêne brûlé*, nous montre le monde mi-prolétarien, mi-artistique de «Flonville» (en clair: Lausanne), pour ainsi dire de l'intérieur. Comme tous les livres de Cherpillod, ce grand roman est en bonne partie autobiographique; il peut être qualifié de «reportage social» dans ce sens que pour l'auteur l'homme ne se définit pas par sa nationalité ou son ethnie, mais essentiellement par la classe à laquelle il appartient.

Chez Cherpillod, on voit comment une partie de la littérature actuelle de Suisse française a pu se libérer de la contrainte traditionnelle à l'intériorité, à la bienséance formelle, et combien l'exigence de la libération de soi, de l'authentique, du non-conformisme intérieur et extérieur, a trouvé à s'exprimer dans une nouvelle prose. Dans l'écriture peuvent entrer d'autres éléments que la langue vulgaire où se manifeste l'élan vers l'authenticité: agressivité socio-critique, besoin d'être «conforme à la vérité», documentation directement tirée de la vie. Dans la *Dixence-Cathédrale* (1970), Jean-Pierre Laubscher raconte, en une langue démarquée de la «gueule du peuple», les expériences sur le chantier du grand barrage — un pendant intéressant à Chappaz, même s'il n'est pas d'un même niveau artistique.

Un pur style documentaire à prétention littéraire ne s'est pas encore largement manifesté en Suisse romande jusqu'ici, mais dans le roman *Les Sentiers obliques* (1972), Michel Goeldlin (*1934) va nettement dans cette direction, en s'inspirant étroitement de témoignages et de conversations authentiques pour narrer l'histoire d'un prêtre espagnol. Dans son second roman, *Le Vent meurt à Midi* (1976),

Goeldlin nous livre le résultat d'une enquête criminelle menée sur les lieux, en l'occurrence aux Etats-Unis ; là encore le concept «littéraire» est partiellement dépassé par les «faits» relatés. Une autre forme de ce dépassement, à savoir la «confession» directe d'un personnage non littéraire, a été mise en œuvre par Anne Cuneo dans *Le Piano du Pauvre. — La Vie de Denise Letourneur Musicienne* (1975) ; de toutes les œuvres romandes de ces dernières années, c'est probablement celle qui se trouve le plus près du texte documentaire immédiat.

Le pluralisme stylistique est une caractéristique de la littérature moderne, d'une littérature «alexandrine». Une telle pluralité de voix s'est manifestée et s'est imposée d'une manière étonnante au cours de ce dernier quart de siècle — même si aujourd'hui certaines traditions autochtones demeurent vivaces. C'est pour le moins une preuve de l'ouverture au monde et à l'époque, une manifestation de vitalité, une promesse pour l'avenir.

XIII
LA SITUATION
DU THÉÂTRE

Trois témoignages, indépendants les uns des autres, empruntés à des critiques et des hommes de théâtre romands, donnent le ton dans lequel le pays de ces trente dernières années a engagé le débat sur la situation du théâtre. «On entretient avec Karsenty et Herbert l'illusion d'une vie dramatique. Mais cette vie dramatique ne se rattache par aucun lien réel à notre public. Aucun dialogue ne peut s'engager, aucune participation n'est possible, quelle que soit la valeur de certains spectacles.»[1] «Misère du théâtre romand... Le théâtre romand, face aux scènes alémaniques, fait figure de parent pauvre.»[2] «... On attend encore l'auteur dont la parole s'imposera souverainement. Mais la flamme qui anime quelques troupes de jeunes acteurs laisse bien augurer de l'avenir.»[3]

Théoriquement on devrait ordonner un aperçu sur l'histoire du théâtre en deux volets, le premier, au sens étroit, technique, scénique (les scènes, les troupes, les mises en scène, etc.), le second présentant des textes littéraires. Pratiquement les deux se recoupent toujours plus: les œuvres dramatiques ne naissent le plus souvent que lorsqu'on les demande, et les commandes dépendent de l'existence de scènes, de troupes, d'un public. Ces dernières années, périodiquement, il a semblé que de vieux problèmes trouvaient leur solution; ainsi le régionalisme traditionnel (Genève, Lausanne, Neuchâtel, dans une plus faible mesure Fribourg et La Chaux-de-Fonds) qui,

NÉ MORAX

CHARLES APOTHÉLOZ

«LA CANTATRICE CHAUVE» D'IONESCO, INTERPRÉTÉE PAR LA TROUPE DES FAUX-NEZ EN 1954 (MARCEL IMHOFF, JACQUELINE BURNAND, JEAN BRUNO, CLELIA, ARMAND ABPLANALP)

PAUL PASQUIER DANS «SAINTE JEANNE DES ABATTOIRS» DE BRECHT, AU THÉÂTRE MUNICIPAL DE LAUSANNE

dans le cas du théâtre, s'était toujours opposé à une prestation effi-
cace, faisait place à une nouvelle prise de conscience, et selon le
grand exemple de l'Orchestre de la Suisse romande, on croyait voir
naître un Théâtre romand. L'apogée de ces efforts peut être daté de
l'Exposition nationale de Lausanne, en 1964. Lorsque, en 1967, les
deux plus importantes troupes romandes, le Centre dramatique
romand et le Théâtre de Carouge, présentèrent en production commune, à l'Exposition mondiale de Montréal, la version française de
La Muraille de Chine (1947) de Max Frisch, le critique Claude Vallon
put écrire: «Cette fois-ci, le terrain est tout à fait déblayé pour une
réponse correcte. Le théâtre romand est une ‹construction› indis-
pensable à l'affirmation de la culture suisse française. C'est l'élément
nécessaire d'un dialogue sur le plan suisse et l'une des clés de l'affirmation suisse sur le plan international.»[4] Il s'est hélas révélé depuis
que de tels espoirs ne se sont pas réalisés: on doit parler d'une
certaine désillusion[5]. Cependant, la situation, par rapport à ce qui
existait en 1945, est certainement autre, meilleure. Les efforts entrepris au cours de ces derniers trente ans en vue de la création d'un
théâtre professionnel romand, les résultats concrets auxquels on est
parvenu, enfin l'apparition de nouveaux auteurs dramatiques doués,
ouverts aux tendances contemporaines, sont autant d'éléments positifs qu'on ne peut nier.

Si l'on considère la situation qui prévalait immédiatement après
1945, la Suisse française se présentait comme une «province» théâtrale française alimentée par Paris, d'une part, et de l'autre c'était la
patrie d'une vivante tradition, celle du «festspiel». Cette dernière est
une réalisation autochtone: le «festspiel» vécut, avec le Théâtre du
Jorat ouvert en 1908 à Mézières, dans l'arrière-pays vaudois, une
période de renouvellement qui reste liée au nom de René Morax
(1873-1963), l'écrivain morgien[6]. Le Théâtre du Jorat, matérielle-
ment, a l'aspect d'une grande construction de bois qui présente
aujourd'hui encore, à l'occasion, des séries de représentations. Au
temps de sa fondation, c'était une institution extrêmement moderne,
dans l'esprit du «théâtre du peuple», déjà exigé par Rousseau, et plus
tard par Romain Rolland. C'est ici que furent montés des drames
comme *Le Roi David* (1921) pour lequel Arthur Honegger écrivit la
musique, Morax signant le texte: œuvres collectives montées avec le
concours de professionnels et d'amateurs. L'œuvre dramatique de

Morax, qui est placée sous le signe d'un pathos régional, folklorique et religieux, et même sous le signe d'une mythologie nationale (*Tell*, 1914), est toujours populaire, comme en témoignent les reprises scéniques, mais artistiquement elle est bien sûr dépassée, conservant cependant son intérêt du point de vue de l'histoire de la culture. Le Théâtre du Jorat a également perdu la position de premier plan qu'il occupait alors; l'idée, illustrée par lui, d'un théâtre moderne populaire a été reprise en d'autres lieux et dans d'autres conditions. Le «festspiel» traditionnel s'est maintenu à la Fête des Vignerons, qui revient à peu près tous les quarts de siècle à Vevey — en 1955 avec un texte de Géo-H. Blanc et une musique de Carlo Hemmerling; en 1977 avec un texte et un scénario de Henri Debluë, une musique de Jean Balissat, des décors de Jean Monod et une mise en scène de Charles Apothéloz. Sur les scènes municipales de Lausanne et Genève régnaient jusqu'aux années cinquante — et règnent encore en partie — la comédie de caractère, le divertissement de société, à côté des spectacles importés, de l'opéra, de l'opérette: genres dont l'inspiration est en partie à dominance helvétique, en partie à dominance française.

Le plus important auteur de la vieille génération est Fernand Chavannes (1868-1936), proche de Ramuz, dont l'influence resta cependant limitée. Jean Bard (*1895) a moins d'importance comme auteur que comme animateur, grâce à une pratique théâtrale qui s'est étendue sur des décennies au Conservatoire de Genève, et en tant que directeur de la «Compagnie Jean Bard». Le Vaudois Alfred Gehri (1895-1972) approvisionna un nombre incalculable de scènes autochtones et étrangères en pièces habilement fabriquées, témoignant d'une expérience du théâtre et d'une connaissance des hommes. Gehri est, si l'on s'en tient au nombre de représentations, l'auteur romand le plus connu — cela vaut aussi, excepté Frisch et Dürrenmatt, pour l'ensemble de la Suisse, vraisemblablement; son grand succès, *Sixième Etage* (1947), fut traduit dans plus de vingt langues et mis en scène de Varsovie à Rio de Janeiro[7]. A côté de Gehri, on pourrait nommer Jean Nicollier (1894-1968), Géo-H. Blanc (*1908), Samuel Chevallier (1906-1969), représentant un théâtre de consommation. Dans la revue *Le Mois théâtral*, qui fut l'organe de la Société romande des auteurs dramatiques, leurs pièces trouvèrent une bonne diffusion. Plus exigeants furent les essais de Charly Clerc (1882-1958) ou de Jean-Paul Zimmermann (1889-1952). Les traductions occasionnelles de drames alémaniques contemporains ont apporté quelques nouveaux points de vue: ainsi parurent *Pays sans Ciel (Land ohne Himmel)* de Cäsar von Arx, et *La Carrière (Steinbruch)*, pièce moderne en dialecte d'Albert J. Welti. Mais les Romands, à quelques exceptions près, ont d'abord ignoré les impulsions décisives apportées par Frisch et Dürrenmatt, n'en prenant connaissance qu'une fois leur succès assuré et ratifié par Paris. Avant la guerre déjà la présence du grand homme de théâtre Georges Pitoëff, et de sa femme Ludmilla, à Genève, n'a eu pour ainsi dire aucune influence directe sur la vie dramatique romande. Le succès d'éclatantes mises en scène comme celle du *Prométhée* d'Eschyle dans la traduction d'André Bonnard au théâtre romain d'Avenches, en 1946, ne fut qu'un phénomène isolé.

Le renouveau — en un certain sens le réel début — du théâtre eut lieu en trois endroits: à Lausanne, à Genève et dans le Jura neuchâtelois. A Lausanne, Charles Apothéloz fonde en 1948 la Compagnie des Faux-Nez (nom faisant allusion à un scénario de Sartre) et installe dans une cave un petit théâtre qui existe encore transformé en cabaret. Un «théâtre de poche» naît à peu près en même temps à Genève; en 1957, quelques jeunes acteurs, parmi lesquels François Simon et Louis Gaulis, se réunissent pour fonder le Théâtre de Carouge (Carouge est devenu aujourd'hui un faubourg de Genève, après avoir été, jadis, une petite ville savoyarde): la troupe joue dans une vieille salle de paroisse désaffectée. En 1959, quelques jeunes socialistes, enthousiastes du théâtre, fondent dans le Jura neuchâtelois le Théâtre populaire romand (TPR). Les étapes suivantes: du «Poche», à Genève, naît le Nouveau Théâtre de Poche, avec une salle bien équipée, qui met l'accent sur un programme d'avantgarde; dans une «maison des jeunes» — entreprise culturelle privée subventionnée par la Ville et le Canton de Genève — commence, au milieu des années soixante, le Théâtre de l'Atelier, qui présente, sous la direction de François Rochaix, une série de pièces modernes. Le Théâtre de Carouge travaille avec succès pendant plusieurs années sous la direction de Philippe Mentha; mais le vieux bâtiment doit être démoli, et en 1972 la troupe s'établit dans une nouvelle salle à la limite de Carouge. Entre-temps, en 1971, à la suite des troubles de la Maison des Jeunes, l'Atelier de Genève a dû chercher un nouveau lieu d'expression, et le 1er janvier 1972 est intervenue la fusion avec le Théâtre de Carouge. C'est François Rochaix qui dirige ce dernier depuis 1974. Le Théâtre de la Comédie, qui est le théâtre officiel de Genève, ne réalise que sporadiquement des mises en scène de pièces modernes importantes. Le Grand Théâtre, reconstruit après un incendie, sert presque exclusivement à l'opéra et au ballet.

A Lausanne, Apothéloz a pu reprendre le Théâtre municipal à la fin des années cinquante et, grâce à des moyens publics accrus, rendre plus active la vie théâtrale. C'est dans cette perspective qu'est créé un Fonds du Théâtre et qu'une nouvelle organisation est mise sur pied; enfin on reprend le nom et le cadre d'une institution déjà fondée auparavant par Paul Pasquier: «Centre dramatique romand». Sous cette dénomination ambitieuse Apothéloz essaie de réaliser une coordination très désirable des troupes et des programmes financiers. La tentative a échoué. Aujourd'hui le CDR se donne plus modestement le nom de Centre dramatique de Lausanne. Mais son apport, dans le passé immédiat, est incontestable, son importance dans la vie théâtrale actuelle non moins incontestée. Toujours sous la direction de Charles Apothéloz, le CDL a concentré son activité au Théâtre de Vidy, construit pour l'Exposition nationale de 1964. La petite salle des Faux-Nez continue d'exister, mais elle a été transformée en cabaret et en «club de nuit» pour jeunes. Parallèlement aux installations du CDL existent toujours celles du Théâtre municipal et la grande scène du Théâtre de Beaulieu, qui montent surtout des spectacles en tournée. En 1975, la direction du Centre dramatique de Lausanne passa aux mains de Franck Jotterand, qui a tenté de surmonter ce que certains ont appelé la crise du théâtre lausannois. Ces difficultés sont en rapport avec l'existence de plusieurs troupes indépendantes, en partie semi-professionnelles: le Théâtre Création d'Alain Knapp, le Théâtre Boulimie, de Lova Golovtchiner, le Théâtre des Trois Coups, le Théâtre Onze. Quant aux Artistes Associés, ils organisent des tournées de théâtre de boulevard.

Les desseins du Théâtre populaire romand semblaient le condamner à une lente agonie, avant tout pour des raisons financières. Le jeune metteur en scène Charles Joris, acteur lui-même, réussit avec sa troupe à maîtriser les difficultés à force de ténacité et d'engagement personnel; en même temps la qualité des mises en scène s'améliora constamment, dans la mesure où la tendance à forcer l'accent sur la critique sociale passa au second plan. Après des années de vagabondage — la Ville de Neuchâtel n'ayant pu se décider à offrir à la troupe une base d'existence, créant plus tard son propre petit théâtre expérimental au «Centre culturel neuchâtelois» — le TPR trouva un port d'attache à La Chaux-de-Fonds, dont le théâtre municipal a été remarquablement rénové. De là, le TPR part en tournée dans toute la Suisse romande et jusqu'en France; les efforts du TPR pour instituer un nouveau théâtre des écoles sont intéressants et prometteurs — ainsi en efet peut naître le public moderne, ouvert, qui manquait jusqu'ici.

L'éditeur Nils Andersson milita vigoureusement en faveur de la littérature dramatique contemporaine avec les Editions de la Cité, qui furent reprises en 1967 par L'Age d'Homme[8].

L'actuel théâtre romand est largement ouvert aux influences étrangères. Sartre et Camus ont d'abord été considérés comme les nouveaux modèles dramatiques. Le Théâtre national populaire de Jean Vilar, l'activité d'un Jean-Louis Barrault au Théâtre de France furent et sont de grands exemples pour les cercles progressistes du théâtre. On salua aussi les tendances apparentées que suscita la politique culturelle française depuis la décentralisation des années cinquante (Charles Joris vint d'ailleurs du Centre dramatique de l'Est au TPR). Les succès des deux grands Suisses alémaniques Frisch et Dürrenmatt eurent aussi, à retardement, leur effet stimulant. Des élans fondamentaux sont issus de Bertolt Brecht, qui, comme auteur et théoricien, fut découvert par des représentants isolés de la jeune génération, souvent d'ailleurs via la France. Des notions comme celle du théâtre épique ou du travail théâtral collectif sont devenues courantes parmi les metteurs en scène et les acteurs. Dans l'alliance d'une critique sociale vigoureuse et d'un réalisme poétique, de nouveaux auteurs de théâtre tentèrent de suivre l'exemple de Brecht.

Le Vaudois Henri Debluë (*1924), dans *Force de Loi* (1959), part d'une tragédie humaine concrète, la dernière condamnation à mort dans un canton suisse: «Une situation dont la parfaite et féroce absurdité révélait une impuissance de la société à gérer humainement ses propres contrats.»[9] Sa seconde pièce, *Le Procès de la Truie*, créée en 1962 par le TPR, transpose des conflits sociaux dans un moyen âge imaginaire. Extérieurement, la pièce a l'air d'une farce, presque d'un jeu grossier, mais le comique est amer, accusateur; Debluë y fait aussi éclater des flashs lyriques, des intermèdes de cabaret. La truie convoitée par des paysans et des ouvriers affamés est un objet de démonstration; les faux fuyants entre les plus pauvres et ceux qui le sont un peu moins, l'intervention des puissances dominatrices éclairent la morale: celui qui n'a rien doit encore régler l'addition finale. Des éléments de la farce règnent aussi dans *Capitaine Karagheuz* (1960), du Genevois Louis Gaulis (1932-1978), qui fait partie de l'équipe des fondateurs du Théâtre de Carouge, où la pièce fut créée: elle fut ensuite jouée à l'étranger, notamment traduite en allemand. Karagheuz est le héros d'un théâtre d'ombres arabo-turc, une figure populaire que Gaulis met en scène en l'identifiant à un capitaine grec retraité, Zenodakis, créant ainsi le type élémentaire du jouisseur, heureux de vivre, grand parleur, grand buveur, grand mangeur, aimable, sensuel, malin, qui se fait pourtant rouler à la fin. *Capitaine Karagheuz* remporta un succès considérable et mérité: Gaulis y témoigne non seulement d'un parfait métier dramatique, mais aussi d'un pouvoir et d'une sensibilité rares dans l'illustration d'un mythe moderne. Parmi les ouvrages qu'il dédia ensuite à la scène, la radio et la télévision, il faut citer surtout *Le Serviteur absolu*, qui fut joué pour la première fois en 1967 dans le Vieux Théâtre de Carouge déjà menacé de démolition, en coproduction, d'ailleurs, avec le Centre dramatique romand. Le thème, c'est l'anonymat helvétique, la banalité, la médiocrité. Selon le mot de Gaulis: «Inventer une histoire à des gens sans histoire, se déroulant dans un quartier sans histoire, où les rues n'ont pas de noms, parce qu'il n'y a plus de rues, voilà le thème de cette pièce.»[10] Nous nous trouvons donc dans la maison du boulanger retraité Otto Fink et de son épouse Magda; l'oncle Herbert vit avec eux; et, pour rendre complet ce bonheur bourgeois, Mme Fink réussit à engager un parfait serviteur. Au même moment commence le déclin: des lettres anonymes rappellent une vieille escroquerie de Fink, une malversation que celui-ci croyait oubliée depuis longtemps. Finie la tranquillité... on en arrive à la confrontation: le parfait serviteur se découvre, c'est lui qui avait été lésé, il se venge, il tourne le dos, supérieur, à Fink, et le laisse à sa misère. La critique de la médiocrité helvétique et de son pharisaïsme est issue, chez Gaulis, des caractères mêmes. Ce ne sont pas l'intention, la théorie qui dominent chez lui, mais la vie sur scène et la réalité des personnages: une image ironique de notre autosatisfaction.

CHARLES JORIS

LA FERME DE CHÉZARD (JURA NEUCHÂTELOIS) OÙ LE THÉÂTRE POPULAIRE ROMAND VÉCUT ET TRAVAILLA JUSQU'EN 1967

WALTER WEIDELI

LOUIS GAULIS

HENRI DEBLUË

BERNARD LIÈGME

MICHEL VIALA DANS «IL», EN 1971

AMY BENJAMIN, MARTINE JEANNERET ET LOVA
OLOVTCHINER DU THÉÂTRE BOULIMIE, À LAUSANNE

PHILIPPE MENTHA ET ALAIN KNAPP DANS «ANDORRA» DE
MAX FRISCH, LAUSANNE 1963

RANÇOIS SIMON DANS «LE FOU», FILM TV DE
LAUDE GORETTA, GENÈVE 1973

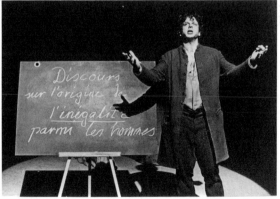

FRANÇOIS ROCHAIX DANS «ROUSSEAU 82»

Walter Weideli

Walter Weideli (* 1927) est un Genevois descendant d'une famille thurgovienne. Il attesta sa profonde connaissance de Brecht dans une monographie parue à Paris en 1961. Au même moment il se révélait par ses premières pièces, à la télévision et au théâtre. *Réussir à Chicago* fut représenté par le Théâtre de Carouge en 1962, et deux ans plus tard son spectacle *Un Banquier sans Visage* fut créé au Grand Théâtre de Genève, dans la mise en scène de Jean Vilar: c'était une commande officielle du Canton à l'occasion du 150e anniversaire de son entrée dans la Confédération. L'auteur se sert de l'écran historique rétrospectif pour faire le procès des faiblesses humaines. Necker, financier plein de succès, échoue comme politicien en face de la Révolution française, car ses vertus bourgeoises lui masquent la nécessité historique. En un dispositif scénique habile, Weideli montre les différentes couches sociales, leurs relations, les tensions et les conflits entre elles. Le «festspiel» traditionnel, érigé pour célébrer le mythe patriotique, est devenu chez lui un débat sur la société de classes et une analyse critique des événements historiques. *Eclatant Soleil de l'Injustice*, créé en 1968 à la Comédie de Genève, appartient au théâtre documentaire, avec quelques traits didactiques, d'après le modèle de Kipphardt. Le sujet est emprunté au cas de Sacco et Vanzetti, jugé dans les années vingt aux Etats-Unis: sur de simples présomptions et malgré les protestations du monde entier, les deux hommes, anarchistes, immigrés, italiens, furent conduits à la chaise électrique, pour un prétendu meurtre crapuleux; Weideli interprète à peine le sujet, bien qu'il ne manque pas de références actuelles (allusion à l'affaire Rosenberg à l'époque de la guerre froide, rapports entre les Suisses et les ouvriers étrangers). Ce qui compte, pour lui, c'est la chose en soi, le destin de deux innocents pris dans les rouages d'une justice impitoyable. Les rapports de l'époque, les procès-verbaux, les coupures de journaux qu'il cite en détail donnent un caractère «objectif» à la pièce, mais ils sont arrangés de telle manière que, vers la fin, s'exprime toujours plus distinctement le projet d'un moraliste. Le *Dossier de Chelsea Street* (1971), conçu d'abord comme un jeu télévisé, possède aussi un caractère fortement documentaire: c'est la présentation d'une nuit dans une prison préventive à Londres. D'une manière pareille à *Eclatant Soleil de l'Injustice*, Weideli fait apparaître des problèmes sociaux non résolus: théâtre critique, engagé, mais sans œillères idéologiques.

158

L'orientation idéologique est plus nette chez Bernard Liègme (* 1927), originaire du Jura, qui fut pendant plusieurs années actif à la direction du Théâtre populaire romand — un cas parallèle à celui de Louis Gaulis dont les œuvres sont également nées dans un rapport constant avec la pratique de la scène. Dans son spectacle *Le Soleil et la Mort*, créé en 1966, Liègme utilise comme Weideli un matériau documentaire, en l'occurrence l'histoire du coureur pacifiste grec Gregorios Lambrakis, qui mourut en 1963 d'un attentat, victime de ses adversaires politiques (le thème devint ensuite célèbre dans le monde entier avec le roman *Z* de V. Vassilikos, dont Costa-Gavras tira un film). Liègme n'arrange cependant pas le sujet d'une manière avant tout documentaire: il le remanie pour la scène. Dans la première partie de la pièce il présente le désespoir et l'espoir du paysan grec, en une série de scènes poignantes; lorsque, dans la seconde partie, il montre les forces de la réaction montant leur complot contre Lambrakis, déguisées en hommes du Ku-Klux-Klan avec leur bonnet pointu, la thèse politique domine. Des questions non résolues, difficiles à résoudre d'ailleurs, sur le droit et la justice, sont reléguées au second plan par un pathos socialisant. Une parabole suisse a été aussi illustrée par Liègme, dans *Les Murs de la Ville* (1961): cette ville, Kabburg, devenue riche, vit dans la sécurité trompeuse de ses remparts, jusqu'à ce que, attaquée de l'intérieur et de l'extérieur, elle tombe dans une subite panique; mais dès que le danger est écarté elle revient à son ancien confort. Comme la plupart de ses collègues, Liègme a aussi écrit des adaptations, des pièces radiophoniques et télévisées.

Au milieu des années septante, trois pôles principaux demeurent dans la vie théâtrale romande: Genève (Carouge, Poche), Lausanne (Centre dramatique), La Chaux-de-Fonds (TPR). Il s'y poursuit un travail de troupes professionnelles, des expériences étrangères sont présentées, des styles développés, de nouvelles formes essayées (par exemple la pièce documentaire pure et simple, avec montage de textes, la création collective du texte et de la mise en scène). Les auteurs connus de la génération moyenne sont joués, de nouveaux talents découverts. Les tentatives dramatiques d'un Franck Jotterand (* 1923), d'Eric Schaer (* 1920), d'Anne Cuneo (* 1936), de Michel Viala (* 1933) — qui a aussi écrit une poésie agressive et pathétique — doivent être mentionnées, parmi d'autres. Les traditions et les expériences nouvelles sont aussi illustrées par de petits théâtres locaux parfois très actifs (Orbe, Morges, Montreux ou Saint-Aubin) généralement animés par des amateurs. Il est évident néanmoins que le problème de l'éclatement régional n'a pas encore été résolu. Mais il est vrai que la Suisse romande s'est ouverte, au cours de ces derniers trente ans, à l'évolution du théâtre moderne.

XIV
DE LA CRITIQUE
CONSIDÉRÉE
COMME LITTÉRATURE

«L'histoire de la littérature, telle qu'on l'entend généralement, embrasse le fond avec la forme des écrits; elle s'occupe soit des ouvrages spécialement adressés à l'imagination, soit de ceux dont l'imagination n'est pas le premier objet. Ecartant ce qui est trop spécial, la science, et ce qui est trop général, la philosophie, l'histoire de la littérature... s'attache à ce qui, dans les productions de l'art d'écrire, est susceptible d'entrer dans la circulation générale, ce qui compose le fonds d'idées propres à caractériser la civilisation d'une époque, ses tendances, son esprit.»[1] C'est de cette manière qu'Alexandre Vinet définit, dans les années 1840 à l'Académie de Lausanne, l'objet de l'histoire de la littérature. Cette définition, qui exprime l'opinion éclairée d'un humaniste protestant, est encore valable aujourd'hui. Vinet lui-même n'était pas orienté en premier lieu du côté de l'imagination, puisqu'il était théologien et critique, mais il n'en formula pas moins des idées et des orientations essentielles à son temps, à sa société, à sa civilisation; il est un exemple qui nous permet de considérer la littérature dans sa plus large acception, c'est-à-dire sans se limiter aux «belles-lettres» ni à la fiction: une conception qui possède sa bonne tradition dans les pays latins et anglo-saxons.

Si nous voulons vérifier le bien-fondé de la définition de Vinet dans le cas de la littérature romande contemporaine, nous sommes

161

enclins non seulement à confirmer qu'elle est applicable, mais encore à élargir les limites qu'il a tracées. Il n'y a en effet aucune raison, si l'on pense aux écrits du psychologue Jean Piaget (*1896), du mathématicien et philosophe Ferdinand Gonseth (1890-1975) d'exclure précisément de l'histoire de la littérature, au sens où l'entend Vinet, ce qu'il appelle la science, et le même accueil peut être réservé à la philosophie. Parmi les témoignages écrits qui sont entrés dans la «circulation générale» des idées pour caractériser notre civilisation et qui en même temps ont fait preuve de qualités littéraires évidentes, les livres de Le Corbusier (1887-1965) sont sans aucun doute infiniment plus importants que des douzaines de romans ou de recueils poétiques. On peut même faire abstraction de cette perspective internationale, et voir dans des écrits publiés sans aucune prétention littéraire par maints publicistes, journalistes ou mémorialistes des contributions finalement plus importantes à la littérature que bien des tentatives de produire de la «haute poésie» et des «textes littéraires» avec des moyens insuffisants. Pour donner des exemples précis: les articles d'un Pierre Béguin ou d'un Edmond Beaujon, les souvenirs de Jules Humbert-Droz ou de Gonzague de Reynold[2], les mémoires documentaires de Bernard Barbey sur son activité dans l'état-major du général Guisan pendant la guerre 1939-1945 ou les études historiques de Georges-André Chevallaz. On pourrait également citer des livres dus à des journalistes tels que Jean-Pierre Moulin, qui pose insidieusement la question *Comment peut-on ne pas être Français?* (1975), Jérôme Deshusses qui dénonce, dans un virulent pamphlet, *La Gauche réactionnaire* (1969) ou encore Jean Dumur avec *Salut Journaliste* (1976). Un pamphlet, lui aussi, un véritable réquisitoire, *Une Suisse au-dessus de tout soupçon* (1976) du sociologue genevois Jean Ziegler, a dévoilé la face cachée d'une Suisse matérialiste, égoïste, menée par le bout du nez par les puissances de l'argent; c'est une correction certes peu objective, mais combien nécessaire, apportée à l'image du pays de la Croix-Rouge, où l'on retrouve le style énergique qu'on avait déjà pu apprécier dans *Les Vivants et les Morts* du même auteur. Bien avant Ziegler, des auteurs comme Jean-Baptiste Mauroux (*Du Bonheur d'être Suisse sous Hitler*, 1968), Robert Dargeant (*Les Suisses*, 1962) ou Claude Frochaux (*Heidi ou le Défi suisse*, 1969), essayèrent d'intenter un procès à la Suisse «idéale», avec plus ou moins de succès, tandis que Philibert Secretan lance, en 1973, de

AN PIAGET

FERDINAND GONSETH

RNEST ANSERMET

vibrants *Plaidoyers pour une autre Suisse*, où la réflexion philosophique incite à réviser nos mythes traditionnels. A la différence de Ziegler ou de Mauroux, le journaliste lausannois Alain Pichard, dans *Vingt Suisses à découvrir — Portrait des Cantons alémaniques, des Grisons et du Tessin* (1975), s'en tient à des enquêtes, des observations personnelles entreprises «sur le terrain» et rédigées avec intelligence et lucidité, sans généralisations précipitées ni polémiques; c'est un bel exemple de reportage «journalistique» d'une valeur littéraire indéniable.

De telles considérations sont l'expression d'une incertitude aujourd'hui courante sur l'existence de ce phénomène qui serait, à proprement parler, «la littérature» (ou, si l'on veut formuler cela positivement: la nouvelle définition du concept littéraire par la jeune génération); à la réflexion, la littérature mérite son nom lorsque se noue un rapport créateur entre la forme et la signification, c'est-à-dire que l'un est la condition de l'autre et réciproquement (ce qui peut être le cas d'un article de journal comme ce peut ne pas être le cas d'un poème). J'ai essayé de tenir compte, dans cette présentation, d'une conception toujours ouverte à ce genre de littérature. Mais pour l'appliquer d'une manière radicale, il s'agirait d'écrire une nouvelle histoire de la littérature, tout autre. Je me limiterai donc ici, à titre d'exemple, au genre proche, a priori, du concept littéraire traditionnel, de la critique (la critique englobant ici l'essai littéraire, l'interprétation, l'exégèse, l'histoire littéraire, l'analyse de textes, donc, au sens large, toute la «philologie»). La Suisse française a une tradition remarquable dans ce domaine, et des noms célèbres: Béat de Muralt, Mme de Staël, Alexandre Vinet. La tendance cosmopolite est ici caractéristique depuis le XVIIIe siècle. La sensibilité esthétique et la discussion morale se trouvent souvent en corrélation. La tendance à l'analyse fondée sur la tradition protestante, le besoin de prendre un recul par rapport à soi, le désir de se reconnaître et de s'exprimer non pas directement, mais à travers l'œuvre d'un autre, conduisent naturellement à une démarche critique. Mais, pris dans le détail, ces traits principaux émanent d'écrits très différents. La distance entre l'érudition scientifique et le pur journalisme ne désigne pas une différence de genre, mais tout au plus une différence dans la manière de se documenter (de première ou de seconde main, c'est-à-dire en remontant aux sources ou en se servant de la littérature «secondaire», dérivée); cette différence n'est donc pas essentielle dans notre optique. Pierre Kohler (1887-1956), qui fut l'un des premiers à mettre en relation le concept européen du baroque et la littérature française du. XVIIᵉ siècle, était d'abord un philologue, sans pour autant qu'il négligeât son travail d'auteur et de critique. On peut en dire autant de Gilbert Guisan (*1911) dont les examens précis de la langue de Renan et de Ramuz, comme les livres scientifiques sur Ramuz et son temps, sont des exemples d'une critique universitaire appliquée, ce qui n'exclut cependant aucunement des qualités d'écrivain. En dehors du cadre universitaire, le romancier et philosophe Léon Bopp (*1896) a tenté, dans sa monumentale *Psychologie des Fleurs du Mal* (1964), une synthèse de la science et de l'essai, de la documentation exhaustive et de l'originalité critique. Pierre Beausire (*1902) et Claude Roulet se sont distingués par leurs commentaires peu conventionnels de Mallarmé. Le journaliste Pierre Cordey (*1918) a rédigé des biographies de Mᵐᵉ de Staël et de Benjamin Constant. Henri Perrochon (*1899) écrit avec prédilection sur les littérateurs, les politiciens, les savants et les officiers vaudois de l'Ancien Régime et du XIXᵉ siècle, la forme très agréable de ses essais faisant élégamment oublier aux lecteurs le travail de recherche qui les a précédés. Charly Guyot (1898-1974) s'est occupé lors de recherches sur l'histoire littéraire d'un grand nombre d'aspects de la Suisse prérévolutionnaire et évoque, à côté des relations helvétiques de ses auteurs, des pespectives françaises ; «on sera frappé... par la clarté des exposés, des articulations, des conclusions», dit de lui Marcel Raymond qui voit en cette clarté l'expression d'une grande honnêteté intellectuelle[3]. Nous rencontrons chez plusieurs essayistes romands, un Pierre-Olivier Walzer, par exemple, cette synthèse de culture universitaire française et d'intérêt pour la vie littéraire régionale. Il a consacré aux écrivains français du tournant du siècle plusieurs publications importantes : des éditions critiques de poètes ainsi que le volume *Le XXᵉ siècle I (1896-1920)*, de la nouvelle *Histoire de la Littérature française* dirigée par Claude Pichois (1975).

Comme Guyot, Perrochon, Walzer, de nombreux philologues et historiens de la littérature ne tiennent nullement pour indigne de saisir la plume pour exercer une activité de critique et d'écrire dans les journaux[4]. Cette perméabilité entre la sphère académique et l'actualité littéraire est un des éléments positifs importants de la vie culturelle romande. Même un Philippe Jaccottet a consacré des chroniques à certains écrivains romands. Jacques Chessex (*1934) ne se révèle pas moins indépendant dans sa critique que dans ses autres écrits[5]. Et chez le jeune théologien Laurent Gagnebin (*1939), qui publie des essais sur Gide, Simone de Beauvoir et Sartre, on ressent comme une variation actuelle de l'élan moral qui avait déjà rapproché Alexandre Vinet de la littérature. L'illustration décisive de l'héritage romand, la redécouverte — et à bien des points de vue la découverte tout court — de ce que les générations littéraires passées avaient donné ainsi que la suite en perspective d'écrivains actuels furent l'objet de *La Suisse romande au Cap du XXᵉ Siècle*, l'œuvre monumentale d'environ mille pages du Genevois Alfred Berchtold, d'origine zurichoise et né à Paris en 1925[6]. L'inventaire de cet héritage est en effet dressé avec une admirable méticulosité et un enthousiasme profond; Berchtold donna ainsi, comme il le dit, un «portrait littéraire et moral», une image littéraire et spirituelle dans laquelle la Suisse française, surprise, reconnaissante, a retrouvé ses propres traits.

La méthode historico-philologique caractérise une possibilité parmi d'autres, dans la critique actuelle: une voie, ou une partie du travail qui relie l'œuvre et le lecteur. Existentialisme, critique archétypique, sociologie, critique stylistique, structuralisme: de tels termes, plus ou moins schématiques, indiquent la variété des méthodes actuelles, en même temps contradictoires et complémentaires. De Heidegger à Bachelard et Lukács , la critique romande a accueilli avec empressement les grands mouvements tout en cherchant ses propres chemins. Marc Eigeldinger (*1917) analyse certains aspects thématiques de la poésie française, en particulier Baudelaire, s'intéresse à l'imagination de Rousseau et s'occupe, s'appuyant sur les travaux de Jung et d'Eliade, de la forme littéraire des grands mythes; citons notamment le mythe solaire dans l'œuvre de Racine. Jean-Luc Seylaz (*1922) explore chez Laclos, Marguerite Duras, Catherine Colomb le phénomène de la création romanesque et les rapports de la durée, de la temporalité. Et pour nommer — ici aussi à titre d'exemples — quelques représentants de la génération moyenne: Philippe Renaud (*1931) fait l'ébauche, dans sa rencontre avec la poésie d'Apollinaire, d'une «mytho-critique», c'est-à-dire d'une interprétation thématique, Jacques Geninasca (*1930) applique la méthode structuraliste aux *Chimères* de Nerval, Michel Dentan (*1926), dans *C.F. Ramuz, l'Espace de la Création* (1974), entreprend une relecture du grand Vaudois pour en dégager une thématique de l'énergie, de l'élévation et de l'anéantissement. La place de la sociologie littéraire dans cette multiplicité paraît remarquablement faible, aussi bien dans sa coloration marxiste que dans sa tendance libérale (parmi les exceptions qui confirment la règle on pourrait citer *Marivaux ou les Machines de l'Opéra*, de Nicolas Bonhôte, étude publiée en 1974). Doit-on voir dans cette circonstance le signe de l'intériorité qui est traditionnelle en Suisse romande, ou s'agit-il simplement du retard helvétique par rapport à certains grands mouvements intellectuels étrangers?

Le cosmopolitisme littéraire, héritier de Mme de Staël, n'a pas cessé de manifester sa vitalité. Jacques Mercanton (*1910) ne continue pas seulement la tradition, d'ailleurs, il l'enrichit d'un esprit littéraire original, ouvert au monde et à l'actualité. Un de ses premiers livres s'intitule *Poètes de l'Univers* (1947) et contient des essais sur Joyce, Thomas Mann, T.S. Eliot et Rilke: le titre indique le programme. Mercanton a consacré *Les Heures de James Joyce* (1967) à sa rencontre mémorable avec l'auteur d'*Ulysse*. «Il ne s'agit nullement d'une sorte d'éclectisme européen, mais d'un sens profond de la culture et peut-être de sa plus belle définition»[7], écrivait de lui un de ses élèves. Une telle disposition d'esprit envers la littérature mondiale, où s'affirment de fortes connaissances spécialisées, se rencontre aussi dans les écrits de certains érudits travaillant à l'étranger, comme ceux du comparatiste François Jost (*1918) ou du romaniste Paul Zumthor (*1915) qui, à côté de ses propres romans, a rédigé d'importantes contributions à la connaissance de la poésie et de la culture médiévales.

Comme essayiste, critique et chrétien engagé, Albert Béguin (1901-1957) occupe une place originale dans la littérature française du milieu du siècle[8]. Il est né à La Chaux-de-Fonds, a étudié à Genève et à Paris où il fit la connaissance du surréalisme tout en s'occupant d'une manière intense du romantisme allemand. De cette découverte naquirent de nombreuses traductions (E.T.A. Hoffmann, Tieck, Jean-Paul, Arnim, Goethe, Mörike). La question des relations entre l'esprit de la littérature romantique et la poésie française moderne fut déterminante pour lui. Dans sa grande œuvre, *L'Ame romantique et le Rêve* (1937), dont le titre primitif était *Le Rêve chez les Romantiques allemands et dans la Poésie contemporaine*, il révèle l'essence de cette littérature de l'inconscient en dépassant la simple étude des parallèles thématiques, grâce à une profonde affinité avec le message mystique des romantiques. Il était très sensible aux côtés problématiques de l'âme allemande; il avait vécu de près la montée du national-socialisme en sa qualité de lecteur à Halle. Un livre paru en 1945 s'intitule *Faiblesse de l'Allemagne*. En 1940, Béguin se convertit au catholicisme; entre-temps il était devenu professeur à l'Université de Bâle. Un catholicisme actuel, non conformiste, ouvert à la question sociale définit son engagement. Ses auteurs préférés, dont il s'occupait continuellement dans ses articles et ses livres, marquent son horizon spirituel: une religion de l'inquiétude, non de la satiété, et en même temps cependant une renonciation au pur intellect, la profession de la certitude du salut à la place de la distanciation sceptique, la foi comme forme de solidarité humaine. La France de Béguin est celle de Jeanne d'Arc et non celle de Montaigne et de Voltaire. Pour lui le mystère de la vie et de la mort est insoluble. Il échappe à l'analyse dialectique du critique, on ne peut que l'éprouver. Cet approfondissement s'est accompli chez les romantiques allemands, dans les œuvres du visionnaire Balzac, chez Nerval, Pascal, Péguy, Julien Green, Bernanos. Durant l'occupation de la France par l'Allemagne, Béguin fonda en Suisse les *Cahiers du Rhône*, où il publia surtout des auteurs de la résistance française ainsi que les écrivains d'une religion renouvelée. Il renonça à sa chaire de Bâle, souhaitant témoigner par ce geste sa solidarité avec la France souffrante. En 1946 il retourna à Paris, où il s'installa comme critique, travailla aux Editions du Seuil et prit la succession d'Emmanuel Mounier à la tête de l'importante revue catholique de gauche *Esprit*. Sa mort survint d'une manière aussi prématurée qu'inattendue. Mais ses écrits apportaient un message qui reste très présent.

La critique littéraire n'est ni un enregistrement morose, ni une manière orgueilleuse de rendre la justice, ni encore une activité compensatoire, chargée de ressentiments: elle doit être participante. Elle est, en tant que «littérature d'un second degré», ni plus ni moins que la littérature «originale», elle est comme celle-ci un moyen et une expression de la connaissance de soi et du monde. L'interprétation créatrice de la critique a trouvé une réalisation exemplaire dans l'Ecole de Genève. C'est d'elle que sont issus des courants importants qui influencent aujourd'hui la philologie et l'art de l'essai,

BERT BÉGUIN

ALFRED BERCHTOLD

ARCEL RAYMOND

JEAN STAROBINSKI

d'abord sur le plan méthodologique, mais aussi d'une manière pratique qui a permis une nouvelle compréhension de Rousseau, par exemple. Marcel Raymond (*1897) a présenté, déjà dans les années trente, la poésie française moderne non pas de l'extérieur, mais d'après ses propres lois d'évolution, avec *De Baudelaire au Surréalisme* (1933): il s'est ainsi montré, envers cette poésie, plus équitable que la totalité de la critique universitaire jusqu'alors. *De Baudelaire au Surréalisme* est resté irremplaçable, ainsi qu'en témoigne le nombre des rééditions, mais les autres livres de Raymond ne le cèdent en rien à cet ouvrage fondamental. Dans son œuvre entière, les essais et les traités plus courts offrent un centre de gravité d'une importance particulière: il fait contrepoids au groupe des grandes monographies sur Valéry, Rousseau, Senancour. *Génies de France* (1942), *Vérité et Poésie* (1964), *Etre et Dire* (1970) font déjà percevoir les sujets dans leur titre. Les deux concepts de l'être et du dire permettent au critique de décrire les pôles entre lesquels, pour lui, la littérature peut être éprouvée et accomplie: c'est d'une part l'identification spirituelle et existentielle avec un être, et de l'autre la tentative toujours imparfaite et menacée de malentendus d'exprimer cet être. *Le Sens de la Qualité* (c'est le texte d'une conférence de 1948) approfondit ce thème, et on y lit cette formule: la culture ne doit pas être liée à la catégorie de l'avoir, mais à la catégorie de l'être. Etre signifie donc aussi devenir, devenir soi. La connaissance qui peut surgir de la rencontre avec la littérature touche, au-delà du simple plaisir, le fond même de notre existence. Dans un passage, Raymond écrit que toute son argumentation suppose la foi en l'unité intérieure de l'homme et en l'unité de la race humaine, où seraient à vrai dire contenues toutes les possibilités de conflits. Il partage cette croyance avec Béguin, avec qui il était lié d'amitié. (Leur correspondance a été publiée par le Centre de recherche sur les lettres romandes.) L'attitude fondamentalement humaniste ne signifie pas pour Raymond un mépris pour l'ici et le maintenant, mais il affine ainsi sa conscience de la crise de notre époque, qui est justement pour lui une crise de langage pour une large part. Il lui oppose sa conviction de l'unité du dedans et du dehors, réalisée dans les grandes œuvres d'art, unité de la forme et de l'essence, de la vérité et de la beauté. Après une longue activité pédagogique, durant des décennies, à l'Université de Genève, Marcel Raymond s'est manifesté par une nouvelle phase créatrice: le critique est devenu lui-même poète et prosateur. *Le Sel et la Cendre* paru en 1970 est le récit de sa vie où, dans des souvenirs personnels, sont reflétés toute une époque et quelques-uns des grands moments qui, dans le domaine de l'esprit, l'ont déterminée.

A l'Ecole de Genève appartiennent aussi Jean Rousset (*1910) et Jean Starobinski (*1920), auxquels la critique contemporaine doit non seulement une quantité de contributions exemplaires, mais aussi de nouvelles perspectives sur la nature et le rôle de la critique. Au nom du double symbole de la magicienne Circé et du paon, Rousset a déterminé les traits essentiels de — c'est le titre de son livre — *La Littérature de l'Age baroque en France* (1953), déguisement, métamorphose, mouvement, fuite, représentation, qu'il applique comparativement au baroque européen en poésie, en architecture, au théâtre. Dans l'introduction à son essai *Forme et Signification* (1962), il attire délibérément l'attention du lecteur sur l'œuvre écrite comme lieu unique où la littérature peut être concrètement perceptible — ce qui veut dire que la critique est l'étude des œuvres en soi, de leur forme, de leur représentation, elle précise en même temps les relations internes et dégage l'ensemble de structures qui est spécifiquement littéraire. Car «toute œuvre est forme dans la mesure où elle est œuvre»[9]. On pourrait déduire de tels propos une profession de foi en la démarche intrinsèque et une renonciation à l'histoire. Mais le sens de la nouvelle critique ne réside pas dans une telle division, qui finalement remet sur le tapis le vieux dualisme entre le monde intérieur et le monde extérieur: dualisme que tente toujours de surmonter l'écrivain lorsqu'il prend la plume. Quant à Jean Starobinski, qui s'est occupé entre autres de Montesquieu, de Rousseau et de Racine, et aussi de thèmes situés dans la zone frontière entre littérature et médecine, il pose dans ses essais la question des possibilités de la compréhension critique. Il s'élève contre les critiques crispés sur leur propre doctrine; mais il ne se contente pas d'un simple pluralisme méthodique: il s'efforce d'établir une synthèse de la stylistique, de la psychanalyse et de la sociologie pour constituer une nouvelle alliance de l'immanence et de l'historicité, de la durée et de la temporalité, de l'intérieur et de l'extérieur. Dans le premier volume de *L'Œil vivant* (1961), nous lisons: «La critique complète n'est peut-être ni celle qui vise à la totalité (comme fait le regard surplombant), ni celle qui vise à l'intimité (comme fait l'intuition identifiante); c'est un regard qui sait exiger tour à tour le surplomb et l'intimité, sachant par avance que la vérité n'est ni dans l'une ni dans l'autre tentatives, mais dans le mouvement qui va inlassablement de l'une à l'autre.»[10] On ne peut donner meilleur viatique, même à une entreprise aussi modeste que le présent essai.

Deuxième partie

Perspectives helvétiques

XV
LANGUE, CULTURE ET POLITIQUE DANS UN ÉTAT FÉDÉRAL

Le chiffre de la population suisse excède aujourd'hui 6 millions. En 1970, 65 pour cent parlaient l'allemand (en 1960: 69 pour cent), 18 pour cent le français (19 pour cent en 1960), 12 pour cent l'italien (10 pour cent en 1960), 1 pour cent le romanche (inchangé) et 4 pour cent d'autres langues(1 pour cent en 1960), les proportions étant quelque peu différentes quand on ne considère que les citoyens helvétiques. Ces groupes ethniques et linguistiques s'entrecoupent avec les structures politiques, confessionnelles et sociales du pays, à savoir: 19 et bientôt 20 cantons, 6 demi-cantons, avec leurs communes relativement autonomes dont le nombre s'élève à plus de 3000; les communautés religieuses protestantes, catholiques romaines, vieilles-catholiques, israélites; les groupes professionnels; les classes de salaires, de fortunes. Tout cela ne correspond qu'en partie aux délimitations linguistiques et s'ordonne selon des proportions très variables. «Nous avons affaire en Suisse à une segmentation multidimensionnelle, écrit Jürg Steiner: car cette segmentation est imposée à peu près de la même manière par la langue, la confession, l'appartenance à des couches sociales, la région. Ces dimensions se recoupent réciproquement, de manière qu'il existe un grand nombre de 'subcultures'[1]. Il est étonnant de constater que jusqu'à aujourd'hui cette diversité a très peu perdu de ses caractéristiques, en dépit de tous les moyens de communication, les relations d'affaires et la

175

mobilité croissante de la population: il s'ensuit qu'on doit toujours réaffirmer qu'en fait «décidément rien n'est simple dans ce pays» (Lüthy[2]). Cette diversité est aussi la raison d'être de la Confédération: «Tout ce qui est proprement suisse se déroule dans cette pluralité des langues qui est aussi une pluralité de façons de penser et de sentir, et... cette complication ne nous apparaît pas comme une gêne, mais comme une richesse qu'il nous faut conserver précieusement. Une Suisse unitaire et uniforme ne nous paraîtrait plus avoir de raison d'être», écrit Herbert Lüthy[3].

Il est intéressant, dans ce contexte, que le pluralisme linguistique et culturel ne présente, comme l'a remarqué un jour Fritz-René Allemann, qu'un sous-produit, mais non l'essence de l'histoire suisse, de la structure politique du pays: «Pays de l'égalité juridique de plusieurs ethnies, langues et cultures, la Suisse est une invention moderne, un produit de la Révolution française — et, paradoxalement, une conséquence de l'Etat unitaire de courte existence que fut la République helvétique.»[4]

Herbert Lüthy souligne lui aussi que cette «pluralité culturelle et linguistique de la Suisse est chose relativement récente. Les traditions fondamentales de ce pays et les cinq premiers siècles de son histoire sont à peu près exclusivement alémaniques»[5]. Mais c'est précisément «la tradition germanique de démocratie locale (défendue) contre toutes les tendances unificatrices qui créa les conditions d'existence commune pour la diversité des langues»[6]. Cependant dans la société aristocratique comme en littérature, l'influence française domina relativement tôt (la littérature de l'Etat de Berne était française au XVIIIe siècle); et cette influence ne fut pas combattue, par la suite, pour des motifs nationalistes, comme ce fut le cas en Allemagne. La francophilie de beaucoup d'auteurs alémaniques — surtout ceux de Bâle ou de Berne — est constante jusqu'à nos jours. Dans un plaisant poème, *Un Mot en Français*, l'ancien rédacteur de la revue *Du*, Arnold Kübler, auteur, dessinateur, chansonnier, a décrit le prestige du français, ce piquant *je-ne-sais-quoi*:

Un mot en français, un tout petit mot
et soudain
en Wörtlichlüber (expression alémanique: «un éplucheur de mots»)
un écrivain.[7]

On trouve aussi le phénomène inverse à l'occasion: un Suisse français, un Suisse italien, sans véritablement s'enthousiasmer, peut s'intéresser à l'élément alémanique, tout en manifestant une légère ironie. Ce qui donne quelque chose d'assez curieux, comme la chanson sur un chœur suisse allemand, ivre de printemps et de vin, où Gilles, le chansonnier vaudois, aligne une série de diminutifs, d'une manière aussi perfide que drôle:

> *Le Männerchor de Steffisbourg*
> * chante avec ivresse*
> *quand il célèbre le retour,*
> *im Frühling, des beaux jours.*
> * Les Vögeli,*
> * les Spätzeli*
> *et mêm' les Wienerlis,*
> * les Maiteli,*
> * les Vreneli,*
> *qu'on s'rait bien dans leurs lits!*[8]

Ces textes de cabaret de Kübler et de Gilles sont sans aucun doute de la littérature. Leur habile bilinguisme est cependant une exception. Il en va de même chez les essayistes, chez les représentants des sciences morales: un auteur comme J.R. von Salis, qui écrit aussi sûrement en français qu'en allemand, est une rareté (citons aussi le cas particulier de Hans Leopold Davi, né en 1928 aux îles Canaries, qui vit à Lucerne et écrit ses poèmes en allemand et en espagnol). Le pur bilinguisme ou le trilinguisme est beaucoup moins fréquent en Suisse que l'étranger n'est enclin à le supposer: il est particulièrement rare dans le domaine littéraire.

* * *

Dans ses rapports avec l'étranger, l'attitude de l'écrivain romand est différente de celle de son confrère alémanique. La position indépendante de ce dernier, sa «majorité littéraire», pour ainsi dire, n'est pas remise en question dans ses relations avec Francfort, Munich,

Hambourg, Berlin ou Vienne — et aujourd'hui moins encore que jadis. L'écrivain de Suisse française a vécu et vit toujours à l'ombre de la culture et de la langue de Paris. «Gagner ce Paris est la plus grande victoire que puisse remporter un écrivain romand. La perspective d'échouer à cause de la dictature du goût de cette capricieuse métropole est pour lui un constant cauchemar. Entre la nécessité d'exprimer ce qu'on a de plus intime et l'obligation de créer en fonction des exigences de la Ville Lumière, on se trouve fatalement tiraillé», écrit Roberto Bernhard[9]. Les dialectes primitifs ont presque totalement disparu en Suisse romande; les idiotismes locaux, régionaux, cantonaux, se sont cependant maintenus dans le vocabulaire, la syntaxe, l'élocution, l'accent. Un inventaire est dressé dans le *Glossaire des Patois de la Suisse romande*, établi d'une manière scientifique, complète, planifiée (citons les entreprises parallèles: le *Schweizerische Idiotikon*, le *Vocabolario dei Dialetti della Svizzera italiana* et le *Dicziunari rumantsch grischun*).

Combien ce trésor linguistique apparaît riche, aujourd'hui encore, dans le langage courant! Un exemple va nous le montrer: pour le concept «neige mouillée, neige fondante», le glossaire indique, rien que dans le canton de Neuchâtel et dans le Jura, les expressions pittoresques onomatopéiques: *pètche, pouètche, papètche, pépètche, popotche, flotche, pflotche, flatche, flachtre, plètche, ploetche, plotche*![10] Dans sa chanson *Le Langage vaudois*, en 1959, Gilles fit un amusant assemblages de tournures régionales:

Glossaire vaudois: *la panosse,*   (Traduction: *serpillère*
une bedoume, un penatzet,   *une idiote, une piquette*
une berclure, une tzergosse,   *une perche, un traîneau à foin*
un poire, une homme, un trabetzet.   *une figure, un homme, un tabouret à traire*
Ça fait des gouilles quand il roille.   *des flaques … il pleut*
Se mettre à la chotte au cani!   *… au sec au café*
Ce tâdier en lâchant sa boille   *cet imbécile … sa hotte à lait*
a épéclé tout le chenit![11]   *a cassé tout le matériel*)

Cependant la littérature traditionnelle de Suisse française fut avant tout la création de pasteurs et de professeurs: dans la langue, l'exigence de la correction, du caractère cultivé, ont primé l'originalité du style. Le purisme linguistique est très répandu dans certains milieux : des journalistes, des gens de radio discutent avec leur public des problèmes du *bon usage* du français (Jean Humbert, Jacques Adout, Claude Bodinier). Un germaniste alémanique vivant en Suisse romande, Werner Günther, voit dans ce phénomène «la nécessaire résistance contre les influences alémaniques»[12]. Effectivement la minorité française doit constamment assimiler des Alémaniques venus s'installer en Suisse romande; à cela s'ajoute la puissance économique des entreprises alémaniques en Suisse romande, téléguidées de Zurich et de Bâle; enfin l'élément alémanique domine dans l'administration fédérale. Pourtant, dans son ensemble, le principe territorial de la langue s'est fort bien maintenu jusqu'à aujourd'hui, et il n'est qu'une région où il puisse paraître menacé: le Jura des vallées méridionales qui demeurent bernoises; l'assimilation des Suisses alémaniques réussit, à peu d'exceptions près, au plus tard lors de la deuxième génération; et les frontières linguistiques se sont à peine déplacées depuis plusieurs siècles. Le purisme linguistique de la Suisse française n'est pas seulement l'expression d'une situation minoritaire, c'est aussi le signe de la puissance durable du modèle normatif parisien. Pour l'intellectuel romand, le canon des auteurs classiques français et l'emploi d'une langue fixée par l'Académie font toujours autorité. Il va donc chercher dans son expression, ainsi que l'écrit Henri Perrochon, «non pas un français abâtardi, mais une langue de valeur universelle, aux richesses remarquables»[13]. D'un autre côté on a cependant réfléchi aux possibilités qui sont offertes en Suisse romande de recourir à une tradition linguistique propre. Un Centre de dialectologie et d'étude du français régional a vu récemment le jour à l'Université de Neuchâtel, dont la direction a été confiée à Ernest Schülé. Le linguiste Georges Redard dit: «Ne rejetons pas nos provincialismes authentiques»; selon lui il faut à tout prix éviter, dans l'apprentissage de la langue, «cette peur du ridicule qui retarde ou entrave chez le Romand l'expression spontanée de la sensibilité»[14]. Des auteurs contemporains comme Maurice Chappaz ou Jacques Chessex réalisent un tel vœu dans leur œuvre, en usant consciemment des expressions régionales comme moyens stylistiques.

Mais l'émancipation de la littérature romande vis-à-vis de la France doit compter avec de tout autres conditions que celle des

Alémaniques vis-à-vis de l'ancien Reich ou de l'Allemagne fédérale. Longtemps l'auteur romand s'est heurté, dans son champ de communication, à une alternative: ou bien rester un auteur régional, coupé de sa «littérature maternelle» française; ou bien percer à Paris comme auteur «français». L'importante renaissance des lettres romandes, au début de ce siècle, n'avait pu résoudre ce dilemme. L'exemple de Ramuz, à cet égard, est caractéristique: son destin fut d'affronter ce problème-là. Quel contraste avec la souveraine aisance d'un Dürrenmatt! Toutefois les circonstances en Suisse française se sont passablement modifiées ces dernières décennies. Les aspirations culturelles à une régionalisation dans la France d'après 1945 y ont certes contribué: encore que les rapports de la Suisse romande avec l'ensemble de la francophonie n'aient pas été seulement renforcés; il est arrivé qu'ils aient été occasionnellement handicapés par l'Ethnie française, ce mouvement «national» qui a pour objet de renforcer les minorités au Canada, en Belgique, dans le val d'Aoste et en Suisse, et qui entretient des relations merveilleusement ambiguës avec le centralisme parisien — maints observateurs, en effet, ont pu y voir l'instrument de prestige de la politique gaullienne[15]. Néanmoins il est un fait plus important que cette politique linguistique équivoque: la Suisse française a surmonté son traditionnel complexe d'infériorité, grâce à la qualité de ses auteurs, de ses critiques, et grâce à l'apparition d'un public ouvert à la littérature[16].

* * *

La question jurassienne a agité depuis un quart de siècle la scène politique fédérale: c'est essentiellement un problème d'identité linguistique et culturelle. Le point de départ de l'affaire remonte à une décision politique des puissances réunies au Congrès de Vienne, en 1815: la réunion de l'évêché de Bâle au canton de Berne — en guise de «consolation», pour ce dernier, de la perte du Pays de Vaud devenu indépendant. Tandis que le Sud du Jura, protestant, avait entretenu des relations politiques avec Berne durant l'Ancien Régime, le Jura du Nord, catholique, entrait dans l'Etat bernois comme un corps étranger. Berne en un siècle et demi ne parvint pas à intégrer les générations successives de Nord-Jurassiens: la volonté de résoudre réellement ce problème manquait. L'abandon économique du Jura, les frictions verbales, les maladresses répétées de la part des autorités cantonales, surtout pendant le XIXe et au début du XXe siècle, l'immigration massive de Bernois de l'ancien canton souvent mal assimilables et mal assimilés, aboutirent à un conflit ouvert. Depuis 1947 le Rassemblement jurassien a combattu, avec tous les moyens jugés légaux, pour une séparation du canton de Berne et du Jura, en vue de la création d'un nouveau canton francophone. On a pu constater avec toujours plus de précision que le mouvement séparatiste avait la majorité de la population pour lui dans le Nord du Jura, mais non dans le Sud. Une première initiative cantonale lancée par le Rassemblement pour l'organisation d'un plébiscite dans le Jura fut acceptée en 1959 par les districts de Delémont, des Franches-Montagnes, de Porrentruy, mais rejetée par les districts de Courtelary, Moutier, La Neuveville et par le Laufonnais germanophone (une minorité dans la minorité). Le Rassemblement jurassien digéra cet échec; et, sous la direction de son secrétaire général et directeur spirituel Roland Béguelin, il a dès lors combattu selon des arguments renouvelés: il s'est référé d'une manière plus marquée à l'étranger, a fait valoir la solidarité linguistique et ethnique des francophones de tous les pays, a multiplié les démonstrations et les actions de choc d'une organisation de jeunes, les Béliers, qui sont, par exemple, entrés de force au parlement fédéral à Berne. De l'autre côté, les Jurassiens partisans de Berne se sont organisés, avec l'appui des autorités, en une Union des patriotes jurassiens (UPJ), nommée plus tard «Force démocratique». Entre ces deux blocs, une «troisième force» modératrice essaya de s'articuler, sans grand succès. Périodiquement, des idées de prestige, le fanatisme, le terrorisme exercé sur l'opinion publique ont provoqué une dangereuse escalade. Les premières tentatives de conciliation de la Confédération échouèrent. L'attitude du Rassemblement jurassien se fit toujours plus intransigeante, alors que, du côté bernois, on opéra avec une remarquable étroitesse d'esprit. Depuis longtemps certes le problème jurassien n'est plus bernois, mais suisse: cependant il subsiste une question de politique purement jurassienne, conditionnée par le clivage de l'opinion au sein du Jura même.

En la circonstance, il est intéressant de savoir que le mouvement séparatiste n'a pas seulement défendu en principe la langue et une politique culturelle — ce qui dégénère à l'occasion en manifestations de chauvinisme — mais qu'il compte dans ses rangs de remarquables écrivains, comme Alexandre Voisard et Jean Cuttat. Roland Béguelin, poète lui-même à ses heures, écrivit un jour dans un journal alémanique: «Je ne sais pas si la majorité des Suisses est capable d'aimer les Jurassiens, qui se considèrent depuis 150 ans comme des bâtards, ainsi que le dit l'historien Bessire. Je le souhaite. Je n'en suis pas sûr.»[17] L'expression fait clairement ressortir le facteur émotionnel: la minorité culturelle et linguistique, désavantagée sur le plan économique, s'est longtemps sentie *bâtarde*, parce que la représentation politique propre lui était interdite. La constitution d'un canton du Jura n'a pas été seulement une preuve de la vitalité du principe fédéral — elle doit être le témoignage de l'amitié confédérale qui mettra un baume sur une vieille frustration! «Si les Jurassiens pouvaient se mettre d'accord sur ce qu'ils veulent, il y aurait de fortes chances que Berne, comme la Confédération, donne son accord avec soulagement», écrivait Herbert Lüthy en 1972[18]. En juin 1974 une consultation du peuple dans les sept districts jurassiens, rendue possible par une modification de la Constitution bernoise, a posé la question: «Voulez-vous former un canton propre?» Le résultat global apporta cette fois-ci une majorité significative (quoique non spectaculaire) de oui. Ainsi la création d'un nouveau canton était tranchée. Mais le clivage entre un Nord autonomiste et un Sud probernois amena du même coup l'éclatement du Jura en tant qu'entité politique. Le danger d'une nouvelle «radicalisation» du problème subsiste[19].

Des minorités linguistiques à l'intérieur de frontières cantonales existent ailleurs, par exemple dans la ville bilingue de Bienne. Au pied du Jura, politiquement dépendante de Berne, mais non touchée par les revendications séparatistes, cette ville vit toujours des relations très (certains pensent même trop) détendues entre les communautés d'expressions germanique et française. En Valais, la conscience d'appartenir à un même canton et la pratique commune du catholicisme l'emportent sur la différence de langues (français en Bas-Valais, alémanique en Haut-Valais).

La position de la minorité germanique (en partie protestante) dans le canton de Fribourg est plus délicate. La commission des langues de l'Institut de Fribourg a analysé les relations entre les deux communautés dans un important document, la *Charte des Langues*, mise au point en 1969: celle-ci circonscrit les droits et les devoirs de chaque partie. Mais lorsqu'on parle de plurilinguisme, on ne doit pas seulement faire état des questions litigieuses: on peut aussi relever les aspects positifs, les apports culturels. Comme le dit la charte fribourgeoise: «La pluralité des langues dans une communauté entraîne... une mission, en ce sens qu'elle confère et impose à la communauté mixte un rôle de liaison entre les langues en présence et les cultures qu'elles enferment, par la confrontation naturelle, l'exercice de la transposition et la pratique de la coordination...»[20]

La Suisse plurilingue a pu devenir au XIXe siècle un peuple partageant des réactions communes et l'alliance fédérale fut marquée par l'apparition d'un sentiment national, parce que l'Etat, dans chacune des régions, continuait à se confondre avec la patrie la plus proche[21]. Le problème néanmoins reste posé: ce pluralisme ne saurait demeurer une indifférence réciproque, mais devrait se transformer en échanges, en connaissance mutuelle, en dialogue. Cela ne résoudrait pas les tensions: politiquement et économiquement, la Suisse est un compromis qui entraîne des conséquences jusque dans la vie quotidienne. La diversité linguistique et culturelle n'exige en revanche aucun compromis au sens d'un renoncement. Car, consciemment assumée, la diversité peut devenir le ferment d'un examen de soi-même, d'une critique et d'un élargissement de la personne.

XVI
LITTÉRATURE SUISSE
ET LITTÉRATURES
SUISSES

Dès que l'on considère la production littéraire de la Suisse dans son ensemble, qu'elle soit ancienne ou nouvelle, on est amené à se poser une question de principe: existe-t-il une littérature suisse? Ce thème a fait l'objet d'un essai dû à Fritz Ernst, paru en 1954, et dont le titre pose expressément la question: *Y a-t-il une littérature nationale suisse?* Après un examen prudent et équilibré, quoiqu'il soit écrit dans la perspective d'un patriotisme militant, l'auteur conclut: «La littérature nationale helvétique n'est pas simplement une vue de l'esprit, cependant, c'est plutôt une idée qu'une institution et ce n'est qu'avec une grande prudence qu'elle peut, ne serait-ce que très partiellement, en devenir une. Les conditions particulières, les susceptibilités, les conceptions concernant ce phénomène diffèrent selon le temps et le lieu. On s'exposerait à tout perdre, dans ce domaine, en voulant sacrifier à une conception unitaire.»[1] Quelques décennies plus tôt, en 1910, Ernst Jenny et Virgile Rossel écrivaient, dans leur introduction à une *Histoire de la littérature suisse* (le titre est à lui seul tout un programme), que le caractère national était sans doute présent dans notre littérature en tant que conscience conservatrice et réaliste du monde et de la liberté: «Depuis les *Alpes* de Haller, et pendant les trois derniers quarts du XIXe siècle notamment, le caractère national de notre littérature s'est manifesté avec une exceptionnelle vigueur... Les lettres helvétiques sont bien, à cette heure, le miroir de notre peuple; elles ont assez de rudesse démocratique, la tendance moralisante, le sens profond du pays, le réalisme tranquille, le tour pratique, l'inaptitude au romanesque, aux problèmes esthétiques, au culte de l'abstraction... La Suisse se doit à elle-même de concentrer sa vie autour d'un idéal que les lettres ont la mission d'exprimer.»[2] Les opinions de ces deux auteurs, telles qu'ils les présentaient également, sous une forme quelque peu différente, dans l'édition allemande de leur livre, ont soulevé à l'époque une assez vive discussion.

Elle fut l'objet d'une thèse de Jakob Marius Bächtold à Zurich, sous la direction d'Adolf Frey, historien de la littérature et écrivain réputé. Bächtold écrit que «la convergence de la politique, de l'histoire et du pays n'a pas suffi à créer une littérature nationale»[3]. Il ne conteste certes pas une certaine affinité des littératures alémanique et romande[4], lorsqu'elles traitent de sujets semblables; le goût du réalisme[5] lui paraît être une tendance bien établie dans la poésie suisse — du moins pour tout ce qui a trait au domaine alémanique. Mais il se tourne résolument contre la construction purement intellectuelle d'une littérature et d'une culture helvétiques communes, porteuses d'un *esprit suisse*. Il se trouve ainsi en consciente contradiction avec les conceptions de son contemporain romand Gonzague de Reynold. Les premières recherches sur la littérature de ce dernier s'appliquent en effet à l'expression de l'*esprit suisse* dans les œuvres de langue allemande et française au XVIIIe siècle, à l'époque de l'«helvétisme»[6]. Une telle réflexion sur la littérature nationale pouvait se justifier par la nécessité de soustraire la Suisse au nationalisme agressif de l'Allemagne de Guillaume II, en particulier dans la politique culturelle. Le phénomène s'est répété du temps de Hitler. Mais on pouvait déjà affirmer au XIXe siècle, en dehors de tout réflexe commun de défense: «On a déjà souvent parlé d'une littérature nationale en Suisse. Mais l'expression sonne d'une manière plus patriotique que véridique... Ce qui nous exalte dans la nation, c'est la conscience d'une appartenance commune, d'un rassemblement volontaire, pour le bien de tous, d'une histoire commune... Mais il en va autrement dans le domaine de la littérature.»[7] Et les exemples de se multiplier: la question apparaît évidemment difficile à beaucoup d'observateurs. Werner Weber, alors responsable des pages culturelles de la *Neue Zürcher Zeitung*, en fit la remarque à Fritz Ernst: «Nous n'inclinons, dans cette question, ni au oui, ni au non. »[8] En revanche, un professeur suisse de littérature comparée aux Etats-Unis, François Jost, après une analyse minutieuse, nie qu'il existe une littérature nationale suisse[9]. Quant à Denis de Rougemont, il ne voit aucun danger à ce qu'il n'y ait pas de littérature suisse; au contraire, il y trouve un enrichissement, et même une compensation à la petitesse du pays: «Qu'il n'y ait pas de littérature suisse, du seul fait que ses écrivains font partie du domaine allemand, ou du français ou de l'italien, voilà qui me paraît réjouissant, et qui compense les désavantages culturels d'un trop petit pays. »[10]

Lorsque le concept lui-même de littérature nationale perd de sa force d'attraction, ce qui est nettement le cas depuis 1945, du moins en Europe occidentale, la question passe du domaine de la politique culturelle — de la politique tout court — à celui de la discussion académique, théorique. Le spécialiste zurichois Max Wehrli a également attiré l'attention sur l'absence de clarté qui entoure les représentations romantiques d'une littérature nationale, en général: «L'hypostase de Herder d'un esprit national imprégnant la langue et la littérature d'un peuple est en déclin. »[11] Certes Wehrli fait remarquer qu'il serait assez difficile de se priver complètement de l'idée nationale. Quoi qu'il en soit, il faudrait, dans le cas de la littérature suisse, circonscrire les seules composantes propres aux «communautés d'intérêts» étatiques, politiques, économiques: et là on se rendrait compte que le développement littéraire commun est de peu d'importance, tout juste embryonnaire — on a affaire à une ébauche de politique littéraire. Mais est-ce vraiment tout? Est-ce qu'il n'y aurait pas d'autre dénominateur commun?

Guido Calgari pose la question au début de sa présentation des *Quatre Littératures de la Suisse* (1958)[12]. Il attire l'attention sur le «principe de tolérance, et, avec lui, sur celui, politique, de la démocratie, qui fait respecter l'homme d'une autre mentalité». Le principe du pluralisme, de la polyphonie, serait exactement le caractère littéraire national au sens helvétique. Cette considération pourrait indiquer une possibilité non pas à limiter, mais bien à marquer la position de la Suisse littéraire vis-à-vis de l'étranger. Un tel principe, s'il permet d'«encourager» la création littéraire, se prête mal à une «politique littéraire nationale». En réalité, en effet, la Confédération ne fait rien de tel, jusqu'ici du moins: et les publications assez rares qui tentent de donner une image générale de la production littéraire suisse, à l'intention du pays comme de l'étranger, ne sont guère que des «synthèses de reliure», jusque dans leur forme. Dès qu'une telle entreprise, histoire de la littérature ou anthologie, vise plus qu'à une simple réunion de textes, elle est obligée de se limiter soit à une série de présentations distinctes, soit à un seul domaine linguistique[13].

Il est un autre point de vue: la littérature ne peut être considérée que dans les œuvres individuelles, soit à l'intérieur d'un domaine linguistique, ou alors suivant le concept de la «littérature universelle», mondiale; on peut défendre cette approche par de bons arguments qui combattent l'idée d'une littérature nationale dans un Etat plurilingue. Goethe avait déjà assisté consciemment à la naissance d'une «littérature universelle». Marx et Engels l'ont présentée comme liée à l'économie capitaliste: «Les œuvres intellectuelles d'une nation deviennent un bien commun. Le particularisme et la frontière nationale deviennent de plus en plus impossibles; de la multiplicité des littératures locales naît une littérature mondiale.»[14] Mais les nouvelles relations qui se sont établies se trouvent de leur côté endiguées dans un nouveau rapport de forces — dialectique cette fois-ci. Le développement de la littérature universelle n'a pas effacé les littératures nationales et locales, il en a modifié la valeur.

On peut dire que les littératures de la Suisse appartiennent naturellement aux grandes littératures de leurs langues respectives, elles appartiennent par là à la littérature universelle; elles gardent cependant un caractère particulier, autre: dans la constellation des possibles, elles sont des manifestations individuelles. De nos jours, on parle d'ouverture, contrairement au mot d'ordre des années de guerre: il s'agit de sortir du «réduit suisse», d'abandonner l'attitude du «hérisson», sans toutefois que le sol vienne à manquer sous les pieds. Autrement dit la littérature tient éveillé le sens du particulier dans la conscience de l'universel, sans doute d'une manière autre que jadis, mais tout aussi bien. Les œuvres littéraires de la Suisse actuelle répondent moins à un programme délibéré qu'aux sollicitations du temps. Aussi bien est-ce par les livres que la littérature devient réalité: les livres qui sont écrits de Genève à Rorschach, de Chiasso à Porrentruy, et il faut en rendre compte comme d'une somme d'entreprises personnelles appartenant à la pluralité linguistique foisonnante d'une «littérature nationale» qui n'en est pas une.

XVII
ÉCARTS ET PARENTÉS

«La Suisse a souvent été jugée comme l'idéal de la vie en commun, fertile et paisible, entre trois races, trois langues, trois cultures, comme un petit échantillon d'une future Europe. Cela est sûrement flatteur pour notre petit pays, mais la vision est un peu idéalisée. Vue de près, la réalité est différente. Les rapports entre les trois cercles linguistiques ne sont pas aussi dénués de problèmes et de tensions qu'on se le représente à l'extérieur. C'est tout particulièrement valable pour le monde de la littérature.»[1] L'homme qui décrit ainsi la situation suisse, au début des années soixante, était bien placé pour émettre de telles réserves, en effet, en qualité de président de la Société suisse des écrivains, il représentait à l'intérieur comme à l'extérieur le pluralisme du pays. Hans Zbinden avait raison d'attirer l'attention sur le problème des relations entre Suisses alémaniques et romands; mais le problème spécifique de la littérature ne tient pas au fait qu'il y ait des tensions entre des domaines linguistiques différents, il réside dans le fait que de telles tensions demeurent stériles: que le pluralisme ne soit qu'une addition de particularismes, régionaux ou cantonaux, isolés. Parlant de l'encouragement fédéral à la culture, la philosophe genevoise Jeanne Hersch dit: «Il y a une méfiance réciproque. Nous croyons trop que chaque région de la Suisse protège sa littérature, si bien qu'on ne se fie pas entièrement au jugement des autres. On ne se fait pas assez confiance.»[2] Les

188

discussions sur l'ensemble de la vie littéraire suisse, qui reviennent avec une belle régularité en des cercles divers, se réduisent souvent à un problème d'ouverture, d'information. La remarque de Zbinden est toujours exacte à cet égard: «La connaissance mutuelle des littératures entre les domaines linguistiques différents est en général insuffisante, elle fait défaut d'une manière déconcertante.»[3] Mais l'observateur qui ne se limite pas à un seul domaine linguistique peut faire d'intéressantes comparaisons au cours de ses pérégrinations par-dessus les frontières; il peut percevoir des structures parallèles et opposées dans nos littératures.

Si nous nous en tenons, en premier lieu, à la question des relations intra-helvétiques, sans même prendre en considération l'élément rhéto-romanche qui offre la particularité de n'être pas rattaché à la langue d'un autre pays, nous pouvons établir que les relations des domaines linguistiques allemand, français et italien avec ces trois grandes littératures européennes ont des traits apparentés. Partout ces relations sont doubles, déterminées à la fois par l'appartenance à une culture et le fait d'être distinct d'elle. Jean Starobinski a caractérisé dans un essai la situation des écrivains romands: ils appartiennent à la communauté littéraire française, mais en même temps se trouvent extérieurs, réduits au rôle de spectateurs: «Il est difficile aux Romands de se sentir tout à fait ‹dans le coup›: nous sommes au spectacle.»[4] Starobinski parle d'un décalage, mais il s'agit pour lui d'un décalage fécond: «Un écart, malgré tout, persiste. Je le crois fécond, comme tout écart.» Cette notion de décalage fécond est aussi applicable aux deux autres domaines linguistiques. Un triple décalage est donc la caractéristique commune de la situation helvétique, les facteurs historiques, économiques, sociaux et psychologiques agissant d'une manière analogue dans les différentes régions — même si d'importantes différences subsistent. Si l'on considère nos littératures de l'extérieur, si on les observe en tant que philologue, ou en tant que Suisse à l'étranger, ce qu'il y a de commun à l'ensemble du pays peut se manifester de la même manière dans les trois littératures, par exemple un certain réalisme, un pragmatisme, une tendance pédagogique et moralisante, une intériorité, un égoïsme. A l'intérieur du pays, les particularités prétendument helvétiques apparaissent davantage conditionnées par l'individu lui-même, si ce n'est par la région ou le canton. Les lettres romandes se diversifient considérablement lors d'un examen minutieux, et deviennent vaudoises, genevoises, jurassiennes, etc. En Suisse allemande, combien bernois reste un Dürrenmatt, combien fortes demeurent, chez Frisch, les sources zurichoises!

A la fin de ses considérations, Starobinski souligne le fait que les grands auteurs romands ont contribué à accentuer plutôt qu'à compenser le décalage mentionné: dans la «mise en œuvre de la différence» il voit deux extrêmes qu'il nomme «tentations»: «la vigilance critique, le repli lyrique sur l'expérience intime». On pourrait en fait placer une bonne partie de la littérature suisse sous le signe de la vigilance critique, dans chacun des domaines linguistiques. La distance réfléchie vis-à-vis de sa propre personne comme à l'égard du milieu et le besoin de nommer des concepts ont donné en Suisse une place considérable à l'essai. Pour ce qui concerne la partie germanophone du pays, le fait peut être aisément vérifié. Dans son livre *Wissenschaft und Gestaltung* (1957), ouvrage analysant des écrits critiques et scientifiques d'Eduard Korrodi, Gotthard Jedlicka, Max Rychner, Emil Staiger, Carl J. Burckhardt, Hans Barth et Werner Kaegi, Werner Weber écrit: «Dans une histoire littéraire ayant pour objet la littérature suisse entre 1900 et 1950, un genre particulier devrait être mis soigneusement en évidence, qui avant la période mentionnée, ne s'est que rarement manifesté d'une façon aussi éclatante. Nous pensons à la prose scientifique où les intérêts d'une discipline — histoire, art, littérature, philosophie, droit, théologie, sciences naturelles — ont pu s'élever, grâce au style du savant, au-dessus des frontières académiques et ont pu fournir à la communauté des éléments de sa culture spirituelle, morale et politique.»[5] Parfois on est même allé plus loin en affirmant que c'est dans l'essai et les textes scientifiques que les lettres helvétiques ont produit leurs œuvres majeures. Tandis que «les soi-disant belles-lettres restent hélas trop souvent une affaire régionale à l'intérieur de notre pays, les voix de nos essayistes et exégètes en vue portent loin au-delà de nos frontières», affirmait en 1955 un critique zurichois[6]. A côté des auteurs cités plus haut par Weber, il nomme aussi le romaniste Theophil Spoerri et le comparatiste Fritz Ernst. La série devrait être complétée; les noms du zoologue Adolf Portmann, du théologien Karl Barth, de l'historien de la littérature Karl Schmid, du critique d'art Georg Schmidt[7] ont leur place dans l'histoire de la littérature.

190

Ce n'est certainement pas un hasard que la grande monographie *Der deutsche Essay* (1966) ait été écrite par un Suisse, Ludwig Rohner.

Dans le domaine français il en va de même : la critique littéraire, la pédagogie, la théologie, la philosophie appartiennent au domaine de prédilection des hommes de lettres, l'essai et le journal intime sont des expressions classiques de l'esprit romand, surtout dans sa variante protestante. Denis de Rougemont, nous l'avons vu, se place au premier rang des écrivains-penseurs. Les poèmes de Gonzague de Reynold peuvent apparaître comme des gammes, mais son œuvre scientifique et ses essais demeurent ; comme critiques et théoriciens de la littérature, Marcel Raymond, Jean Rousset et Jean Starobinski occupent une place extrêmement importante dans le dialogue international, et la recherche littéraire française a reçu des apports remarquables par l'œuvre d'Albert Béguin. Et, tandis que la Suisse alémanique a participé à la pensée contemporaine dans différents domaines, avec Heinrich Wölfflin, Carl Gustav Jung, le psychiatre Ludwig Binswanger, le philosophe Jean Gebser, immigré d'Allemagne, et aussi les théologiens Emil Brunner, Hans Urs von Balthasar, Hans Küng, la Suisse française a joué le même rôle avec les linguistes Ferdinand de Saussure («le père du structuralisme») et Charles Bally, ou avec le psychologue Jean Piaget[8]. En face de cela la contribution du domaine italien peut apparaître modeste ; mais la réflexion critique et la «culture formelle» de l'écrivain (pour ne pas dire le culte de la forme) vont aussi souvent de pair au sud de la Suisse (Piero Bianconi, Remo Fasani, Adolfo Jenni, etc).

La «littérature de l'essai» peut ainsi être décrite d'une manière parfaitement helvétique non seulement grâce aux grandes contributions, mais aussi par les risques qu'elle fait courir : difficulté de communication, manque d'immédiateté, sans oublier une propension à se cantonner à la dimension intellectuelle des choses, au retrait dans une position de pur observateur. L'aspiration à la justice peut alors devenir hésitante, errer dans une permanente abstraction, la volonté d'objectivité se transformer en pharisaïsme et en pédanterie, la circonspection, la prudence en stérile impersonnalité, la distance critique en égoïsme. Il y a dans les littératures de Suisse comme un problème de neutralité spirituelle, c'est-à-dire une distanciation objective à l'égard du monde, et cela d'un double point de vue : comme engagement positif et comme obsession négative à surmonter. C'est ainsi que se manifestent, dans ces littératures, agissant la plupart du temps d'une manière prudente, timide, mais parfois violemment, des aspects révolutionnaires, par réaction contre cette neutralité, de la protestation d'un Ramuz à l'engagement d'un Max Frisch ou d'un Niklaus Meienberg.

L'ambivalence d'une position partagée entre l'étroitesse du pays et les dimensions du «grand» monde est une constante dans l'histoire intellectuelle helvétique. La littérature aborde, par ce biais, le thème de l'évasion: l'évasion vers l'extérieur aboutit souvent à un échec, cela tourne à la résignation ou devient un retour: «Le retour au pays est un des thèmes constants de notre littérature» affirme Denis de Rougemont[9]. Deux éléments se manifestent dans l'orientation vers l'introspection et la méditation: le dégoût de la réalité médiocre du pays et la réduction du grand au petit. Dans une telle intériorité, ainsi que l'exprime la poésie traditionnelle — la poésie romande encore plus que l'alémanique — l'universalité qui manque est reconstruite, comme un paysage personnel où d'ailleurs la nouvelle rencontre avec la médiocrité du présent peut conduire à une crise. La démarche de l'intériorisation est amenée d'une manière conséquente dans l'appropriation mystique de l'absolu; ainsi, précisément, la religion apparaît souvent comme *ultima ratio* dans la littérature suisse — et, sur un plan plus pratique, il en est de même de la pédagogie, de l'éthique, de la morale: ici s'efface l'ambition purement littéraire, l'individu gagne sa raison d'être métaphysique que l'art seul lui refuse. La religion et la morale sont des formes d'engagement qui semblent possibles en Suisse, c'est-à-dire praticables (car l'engagement en faveur de «l'art pour l'art» conduit presque toujours à la tragédie). Il y a aussi certes un engagement sur les plans politique, civique, social. On a même voulu y voir un trait fondamental de l'écrivain[10], mais parfois sans tenir compte que ses relations avec la chose publique sont rarement positives; en fait, la plupart du temps, elles sont de l'ordre de la contestation.

La tension entre l'intériorité et l'engagement, entre l'individu et le social, mais aussi entre l'art et la didactique dans les littératures de notre pays met en relief une situation particulièrement complexe dans les relations du créateur et de son milieu, qu'il s'agisse du petit pays qui est le sien, ou de la langue littéraire qui circonscrit un domaine plus vaste. L'observateur doit se garder de formules trop faciles, du genre « les poètes vraiment grands de la Suisse ont aussi été, la plupart du temps, de grands citoyens »[11], car en ce sens ni Robert Walser ni Blaise Cendrars n'auraient été des poètes « vraiment grands ». Il est certes exact que les littératures de Suisse accusent des traits conservateurs, surtout du point de vue formel (d'un autre côté, l'apport de Cendrars a été décisif pour la poésie française, avant et en même temps qu'Apollinaire, tandis qu'Eugen Gomringer a créé la poésie concrète et que Friedrich Glauser a participé au mouvement dada), mais il est proprement erroné d'en déduire la proposition suivante : « Les écrivains suisses ne sont pas disposés, pour la plupart, à renoncer aux biens qu'ils ont acquis pour les échanger contre de douteuses expériences nées de la misère... »[12] Même la noble formulation selon laquelle la « tradition littéraire qui honore notre pays » serait caractéristique d'une « mission humaniste, d'une volonté de mesure et de moyenne, en vue d'un ordre harmonieux et d'une reconnaissance spontanée des lois morales, d'un fécond compromis entre les contraires, d'un refus des expériences extrêmes et de ce qui n'est que jeu »[13] passe sous silence les tensions au lieu de les révéler. Elles deviennent évidentes en revanche chez un Karl Schmid, qui en 1963 analyse, à partir des œuvres de C.F. Meyer, Amiel, Schaffner, Frisch et Jacob Burckhardt, le « malaise dans le petit Etat » *(Unbehagen im Kleinstaat)*. En 1949 il dit de la poésie suisse : « La participation à trois cultures la prédestine à l'ouverture au monde... La neutralité nous en exclut, semble-t-il. *A l'écart de... entre* : ces deux mots, depuis cinq siècles, planent invisibles au-dessus de la vie intellectuelle suisse, et en eux il y a limitation, mise en péril... mais aussi possibilité et promesse... »[14] Dans cette polarité nous retrouverons une forme fondamentale de la structure intérieure de nos littératures, une structure qui est bien plus marquée par les oppositions que nous avons voulu longtemps l'admettre.

Si les ressemblances essentielles sont perceptibles dans les rapports des trois domaines linguistiques avec des cultures étrangères, on ne doit pas perdre de vue cependant que les accents ne correspondent souvent nullement dans l'espace et le temps. La remarque est surtout valable pour la Suisse alémanique et la Suisse française. Ainsi, on peut observer, chez l'écrivain romand, et en général chez l'intellectuel romand, la tendance à une pensée plus spéculative, il voudrait épuiser les applications d'un modèle de pensée (par exemple le modèle marxiste, le modèle nationaliste); on voit donc chez les Romands une prédilection pour la théorie, occasionnellement aussi pour le jeu, un penchant plus fort pour l'effet, alors que chez leurs collègues alémaniques domine le souci de soupeser le pour et le contre, le pragmatisme, le sérieux, la retenue souvent liés aussi à l'absence d'humour et parfois même à des œillères. Ce sont toujours, bien entendu, des distinctions sommaires, et la réalité change de cas en cas. Est-il vrai, d'autre part, que le phénomène du réalisme de la littérature suisse plonge ses racines dans la mentalité alémanique? Voilà une question à laquelle on n'a pas encore répondu de manière définitive. D'ailleurs, malgré Lukács, le concept du réalisme reste encore et toujours difficile à manipuler, si bien qu'on doit se méfier en ce domaine de conclusions précipitées [15]. Parlant de la littérature alémanique, Karl Schmid croit pouvoir établir une tendance particulière à la psychologie, tout en concevant sa définition d'une manière assez exhaustive («où la psychologie signifie: parler de l'existence humaine et de culture»); il rappelle alors Fehr, lorsque celui-ci parle de réalisme, et à ce moment les deux concepts sont un peu trop larges [16]. En ce sens la littérature romande est en tout cas aussi psychologique, même si l'on tient compte des autres caractéristiques mentionnées par Schmid (indécision, demi-mesure, sens critique face aux valeurs établies), peut-être même dans une mesure plus forte que la littérature alémanique.

Un jeune savant soviétique, Vladimir Sedelnik, souligne dans une étude générale et comparative, l'internationalisme croissant et les composantes de critique sociale de l'ensemble de la littérature suisse actuelle [17]. Pourtant il semble justement ici qu'on puisse observer une opposition caractéristique. En Suisse romande, immédiatement après 1945, a eu lieu certes une nette politisation, une socialisation et une internationalisation de la littérature, surtout dans le cercle de la revue *Rencontre*, mais dans les années soixante on a enregistré un net retour à la littérature liée au régionalisme traditionnel — il suffit de penser aux écrivains de la revue *Ecriture*, à des noms comme ceux de Chessex, Chappaz ou Voisard. Cette évolution est caractéristique en revanche d'une littérature suisse allemande qui, au départ, était engagée dans les valeurs nationales traditionnelles et cultivait l'échantillonnage stylistique des grands individualistes allemands, pour se résoudre, dix à quinze ans plus tard, en une orientation vers la

194

critique sociale qui domine aujourd'hui, avec un modernisme influencé par les modèles d'auteurs contemporains européens et américains. Dans les années soixante-septante est née une littérature alémanique consciemment démythifiante, celle de la «nouvelle objectivité» et des «petits pas», prônant une description carrément pédante, un inventaire critique du milieu (un mystique comme Adrian Wolfgang Martin et aussi une Erika Burkart sont des exceptions), tandis que, dans la partie française du pays paraissent des œuvres pleines d'un sentiment cosmique, mystique, fantastique. En 1967, Otto Walter publie en Allemagne *Les Saisons* de Peter Bichsel et en 1968 Bertil Galland sort *Le Match Valais-Judée* de Maurice Chappaz à Lausanne : on ne peut guère imaginer plus grand contraste. Bien entendu de telles remarques ne sont valables que maniées très prudemment : il serait prématuré de ranger tous les écrivains romands actuels dans une ligne prétendument conservatrice et les alémaniques dans une ligne progressiste — affichée ou authentique. En Suisse alémanique on perçoit également une tendance à un nouveau régionalisme, un régionalisme qui se distinguerait passablement, dans son caractère supranational, exemplaire, du «nationalisme vaudois» d'un Chessex, par exemple. Mais on pourrait presque admettre qu'il règne dans les relations des littératures suisses les unes par rapport aux autres une loi de complémentarité, plutôt qu'une loi d'identité. La distance reste considérable entre elles, et on ne peut parler d'un consensus entre la Suisse germanique et la Suisse latine. C'est justement dans cette différence que réside — ou résiderait — cependant la possibilité de ce qu'un jour Gottfried Bohnenblust nomma la «pensée contrapuntique»[18]. Mais pour que s'établisse une pareille manière de penser, un rapport dialectique ou, ce qui est probablement plus exact, un «rapport de dialogue»[19], on a besoin, des deux côtés, d'une ouverture, d'une information réciproque. Or où sont la discussion et la comparaison ? Bien que, dans les cercles d'écrivains et de critiques on soit depuis longtemps convaincu qu'elles sont nécessaires, nous n'observons souvent, dans la pratique, que l'indifférence, au lieu d'une confrontation et d'une rencontre réelles. Il va absolument de soi que, pour l'auteur suisse, la vie littéraire de l'étranger occupe une place beaucoup plus importante que les écrits et problèmes de ses compatriotes d'une autre langue. On ne peut cependant affirmer que rien n'ait été entrepris dans le domaine des communications. En témoignent les travaux documentaires très riches qui traitent des relations entre la Suisse allemande et française jusqu'à la deuxième guerre mondiale, ainsi qu'entre la Suisse allemande et italienne[20]. Des «intermédiaires» comme Fritz Ernst et Siegfried Lang du côté alémanique, comme Jean Moser et Charly Clerc du côté romand, ont accompli un effort digne de remarque. C'est un Romand, Wilfred Schiltknecht, qui a présenté en 1975 la première étude d'ensemble de la nouvelle littérature alémanique *(Aspects du roman contemporain en Suisse allemande entre 1959 et 1973)*. Il faut rappeler à ce propos l'activité intermédiaire clarifiante des germanistes suisses allemands dans les universités romandes, comme Bernhard Böschenstein à Genève, Werner Stauffacher à Lausanne, et Werner Günther à Neuchâtel (le récent «Rapport Clottu» sur la politique culturelle en Suisse accorde, il est vrai, très peu d'attention aux problèmes d'échanges entre les différentes ethnies du pays).[21] La Confédération n'a ni l'ambition ni la possibilité constitutionnelle de systématiser les relations dans le cadre d'une politique culturelle nationale, mais elle se manifeste toujours davantage, du moins, en distribuant des encouragements grâce à la Fondation Pro Helvetia. Dans ces conditions, les efforts entrepris par des groupes et des institutions isolés restent toujours un peu incohérents, et souvent sporadiques aussi. Un exemple: une rencontre d'écrivains de toute la Suisse fut organisée à l'Université de Fribourg en novembre 1968 par un groupe d'étudiants dont l'élan — mais rien d'autre justement que l'élan — se manifesta en faveur d'un dialogue. Les cantons bilingues n'entreprennent d'ailleurs pour ainsi dire aucun effort pour mettre sur pied de tels échanges littéraires et culturels. Ainsi la discipline de la littérature comparée, qui est précisément chargée d'établir un tel pont, manque au programme d'études des universités de Berne et de Fribourg! Pour ce qui concerne Berne, la remarque de J. R. von Salis s'applique à la lettre: «Après la Révolution, la ville de Berne, qui a été bilingue, n'a presque plus exercé son rôle historique, d'intermédiaire entre la Confédération alémanique et française.»[22] Entre les auteurs germanophones et francophones la séparation est quasiment totale, dans ce canton bilingue — même chez ceux qui ne sont pas séparatistes. Dans la balance, le fait que pendant des décennies la Société suisse des écrivains a très mal exercé sa fonction médiatrice, pèse également lourd. Comme les anthologies généralement parues sur la Suisse, le petit lexique publié en 1962 *Ecrivains suisses d'aujour-d'hui*[23] n'est qu'une pure «synthèse de reliure». Des manifestations occasionnelles, verbales ou journalistiques, sur la «littérature suisse», ne doivent donc pas faire illusion : il n'existe pas de relations littéraires suivies par-dessus les frontières linguistiques[24].

Quoi qu'il en soit, il ne faut pas perdre de vue les éléments positifs. Aussi bien l'Alliance culturelle romande, présidée par Myriam Weber-Perret, organisation faîtière d'associations culturelles de langue française, que la Nouvelle Société helvétique, aux préoccupations civiques et politiques, sont intéressées au problème de l'information réciproque[25]. La télévision et la radio offrent occasionnellement une documentation comparative : ainsi l'écrivain genevois Yvette Z'Graggen (dont le nom provient de la Suisse centrale) présente des poètes alémaniques et tessinois à la Radio suisse romande. Au début des années cinquante, la revue *Rencontre* s'empara de nouveautés alémaniques et tessinoises en attirant énergiquement l'attention sur Frisch et Dürrenmatt[26] (les deux «classiques» des modernes alémaniques ne devinrent cependant populaires en Suisse romande qu'après avoir été consacrés par la France : le même processus s'est produit pour Peter Bichsel et se répète peut-être pour Jörg Steiner). La *Revue de Belles-Lettres* publiée par l'association d'étudiants du même nom présenta en 1969 un numéro spécial dédié à Ludwig Hohl : hommage d'intellectuels romands à un Suisse allemand de premier plan, méconnu par la plupart de ses compatriotes alémaniques[27]. Des journaux comme la *Neue Zürcher Zeitung* ou le *Tages-Anzeiger* donnent des informations sur les événements littéraires romands grâce aux efforts d'une rédaction culturelle ouverte aux échanges «internes». De l'autre côté de la barrière linguistique Franck Jotterand à la *Gazette de Lausanne*, Walter Weideli, puis Isabelle Martin au *Journal de Genève* ont fait connaître la littérature suisse alémanique. Des éditeurs isolés publient des anthologies et des traductions, commandent même celles-ci au lieu de se limiter, comme c'est souvent le cas, à recevoir des manuscrits de fortune[28].

Le travail de traduction prend une importance particulière dans le cadre des échanges littéraires. Une planification d'ensemble, pour la Suisse, ou même seulement par région, de ce travail de traduction n'existe pas, bien qu'elle soit régulièrement l'objet de vœux. La «Bibliothèque de la Suisse romande» fondée par un jeune éditeur bernois ne réussit pas à percer. Plus prometteur apparaît le programme de la Collection CH mis sur pied par la Fondation pour la collaboration confédérale de Soleure. Ce programme d'échanges littéraires promu par le journaliste zurichois Hans Tschäni ainsi que les Editions Benziger, Bertil Galland, Casagrande et Ex Libris, et subventionné entre autres par une fondation privée, a réalisé depuis 1974 un nombre important de traductions en français, allemand et italien (œuvres de Jacques Chessex, Maurice Chappaz, Corinna Bille, Alice Rivaz, Anne Cuneo, Beat Brechbühl, Kurt Guggenheim, Adolf Muschg, Paul Nizon, Giovanni Orelli, Anna Felder, Plinio Martini, etc.). Il manque cependant des possibilités de formation pour les traducteurs, il manque aussi des échanges d'expériences sous la forme de séminaires. Mais malgré tout les prestations individuelles sont importantes, de Werner Johannes Guggenheim, le traducteur alémanique de Ramuz, et Charles Baudouin, le traducteur de Spitteler en français, aux contemporains, par exemple Marcel Schwander, dont la version allemande du *Portrait des Vaudois* est de grande qualité, ou Aline Gavillet, qui n'a pas hésité devant les difficultés des collages alertes d'un Brechbühl (*Basile*, version française du roman *Kneuss*).

Le vif intérêt qui se manifeste en Suisse romande pour les productions alémaniques est frappant. Ainsi Eugène Badoux, un Vaudois, traduit parmi d'autres Meinrad Inglin, Kurt Marti et Max Frisch (*Guillaume Tell pour les Ecoles*, paru la même année que l'édition allemande). Walter Weideli a traduit, à côté des œuvres de Dürrenmatt dont il est le traducteur attitré, Herbert Meier, Kurt Guggenheim et Robert Walser (*L'Homme à tout faire*), et Adolf Muschg a eu la chance de trouver en Philippe Jaccottet un traducteur aussi sensible qu'averti (*Liebesgeschichten — Histoires d'Amour*). Les travaux de Badoux, de Weideli et de Jaccottet ont une qualité que tous les traducteurs sont loin d'atteindre. On doit rapprocher cela du fait que ni du côté allemand ni du côté français n'existe une critique de traduction à la hauteur de sa tâche. En Suisse alémanique on a récemment pris le risque de faire une nouvelle édition de Ramuz, intéressante par le fait qu'elle réunit, comme traducteurs, différents auteurs contemporains[29]. Cette tentative, ainsi que les efforts de la Collection CH, montrent dans quel sens pourrait s'orienter une politique suisse de traduction, comme échange littéraire continu et vivant. Sans doute la traduction elle-même ne suffit pas toujours; ainsi la confrontation des thèses sur la situation du roman moderne que fit Jean-Pierre Monnier dans *L'Age ingrat du Roman* (1967) passa pratiquement inaperçue en Suisse allemande, bien que le livre ait rapidement paru en traduction[30]. Parallèlement à la médiation doit avoir lieu un travail d'animation; il faut créer, éveiller un public, la littérature n'étant pas simplement une affaire d'écrivains, mais tout autant une affaire de lecteurs. Il y a quelques années le Genevois Nicolas Bouvier écrivit que la littérature romande serait liée à l'alémanique dans une «participation créatrice», et le Valaisan Maurice Chappaz esquissait au même moment le programme d'une nouvelle communication entre la Suisse latine et germanique: «Les trois Suisses sont les trois langues, mais surtout une solitude à transformer.»[31] La tâche est donc bien définie. Elle dépasse même le «cas suisse», si le modèle helvétique du fédéralisme culturel et littéraire veut jouer un rôle dans une Europe future.

NOTES

CHAPITRE I

1 Pierre Kohler, «La littérature de la Suisse romande», in: Pierre Kohler / Gilbert Guisan / Edmond Pidoux: *Histoire de la Littérature française*, t. III, Lausanne: Payot 1949, p. 724.
2 Robert Escarpit, *Sociologie de la Littérature*, Paris: PUF 1958 («Que sais-je?», 778), p. 42.
3 *...les mots de lettres romandes signifieront dès lors, pour nous, les lettres suisses d'expression française, aussi bien d'ailleurs celles qui sont proprement nationales par leurs origines, leur inspiration et leur développement, que celles représentées par des auteurs étrangers dont notre pays est devenu la patrie d'adoption...* (Virgile Rossel, *Histoire Littéraire de la Suisse romande*, Neuchâtel: Zahn 1903, introduction, p. 7).
4 Vincent Philippe: «*24 Heures*» – *Feuille d'Avis de Lausanne*, 20 février 1973, p. 52.
5 Cf. Otto Frei, *Vielfältige welsche Schweiz*, Zurich: Buchverlag *Neue Zürcher Zeitung* 1968 (*NZZ*-Schriften zur Zeit, 5).
6 Yves Velan, «Suisse romande», in: *Rencontre*, N° 9-10, juin-sept. 1951, p. 11.
7 Citons quelques titres de Chappuis et de ses collaborateurs: *Juste avant l'Orage, La Neige en Deuil, Le Village englouti, La Grotte aux Loups, Les Foins sauvages, Le Troupeau errant...* et ainsi de suite.
8 Jean Vuilleumier, «La Suisse française d'aujourd'hui», in: *Tribune de Genève*, 27-28 novembre 1965, p. III.
9 «Table ronde: Jeunes, que lisez-vous?», in: *Journal de Genève* / Samedi littéraire, 1er avril 1968, N° 3, p. 2.
10 Chiffres donnés par la Société des libraires et éditeurs de la Suisse romande. L'exportation de livres suisses en France a atteint en 1969 la somme de 44 millions de frs. (République fédérale d'Allemagne: 29 milions).
11 Bertil Galland, «Petite analyse structurale de la littérature en Suisse romande», in: *Feuille d'Avis de Lausanne*, 22 juin, 23 juin, 24 juin, 28 juin 1966 (Citation: 28 juin, p. 48).

CHAPITRE II

1 C. F. Ramuz, *Lettres 1900-1918. Textes de E. Ansermet, A. Bovy, G. de Reynold*, Lausanne: Guilde du Livre 1956, p. 31.
2 *C. F. Ramuz, ses Amis et son Temps. I: 1903-1904. Du «Petit Village» à la «Voile latine»*. Présentation, choix et notes de Gilbert Guisan, Lausanne et Paris: Bibl. des Arts 1967, p. 7.
3 C. F. Ramuz: *Lettres*, l.c., p. 32.
4 Voir Alfred Berchtold: *La Suisse romande au cap du XXᵉ siècle*, Lausanne: Payot 1964 et 1966, pp. 766-808, ainsi que les bibliographies de T. Bringolf et Berchtold.
5 C. F. Ramuz, *Werke in sechs Bänden*, vol. I: Aline, Jean-Luc der Verfolgte, Samuel Belet, Frauenfeld et Stuttgart: Huber 1972, p. 9, (introduction).
6 Edmond Gilliard, *Œuvres complètes*. Etablies et publiées par François Lachenal en collaboration avec Jean Descoullayes, André Desponds et Alfred Wild, Genève: Trois Collines 1965, p. 61.
7 Charles Ferdinand Ramuz, *Pastorale und andere Erzählungen*, Auswahl und Nachwort von E. Brock-Sulzer, Zurich: Diogenes 1963, p. 452.
8 Albert Béguin, *Patience de Ramuz*, Neuchâtel: La Baconnière 1949.
9 G. Guisan, *C. F. Ramuz ou le Génie de la Patience*, Genève: Droz 1958, ainsi que Donald R. Haggis, *C. F. Ramuz, Ouvrier du Langage*, Paris: Lettres Modernes 1968.
10 C. F. Ramuz, *Œuvres complètes*, Edition commémorative présentée par Gustave Roud et Daniel Simond, t. 1-20. Lausanne: Rencontre 1967-1968 (t. I, p. XXXII).
11 «Ramuz, vingt ans après», *Revue neuchâteloise*, 11ᵉ année, N° 38, printemps 1967, p. 36. (Enquête de Jeanlouis Cornuz: «Ramuz et la jeunesse d'aujourd'hui»).
12 «Ramuz, vingt ans après», l.c., p. 24.
13 «Ramuz, vingt ans après», l.c., pp. 29-32 («Ramuz et le romancier d'aujourd'hui»).
14 «Ramuz élémentaire» (préface à Ramuz, *La*

201

Mort du Grand Favre et autres Nouvelles. Lausanne: Le Livre du Mois 1970).

[15] Edmond Gilliard, *Entretiens avec Georges Anex,* Genève: Trois Collines 1960.

[16] Voir note 6.

[17] *National-Zeitung,* Bâle 1936 (cité dans Edmond Gilliard, *Œuvres complètes,* l.c., p. 1686).

[18] *Le quattro Letterature,* l.c., p. 511.

[19] Cf. *La Nouvelle N.R.F.* (Nouvelle Revue Française), N⁰ 27, Paris, 1ᵉʳ mars 1955: «Couronne pour Charles-Albert Cingria». Voir également le numéro spécial de la *Revue de Belles-Lettres* (N⁰ 3, Lausanne-Genève 1966).

[20] *Charles-Albert Cingria,* Etude, choix de textes et bibliographie par Jacques Chessex. Dessins, portraits, fac-similés, Paris: Seghers 1967 (Poètes d'aujourd'hui, 170), p. 11.

[21] Charles-Albert Cingria, *Œuvres complètes,* t. 6: «Proses, propos, chroniques», Lausanne: L'Age d'Homme, s.d., p. 280. L'éd. complète en 10 volumes fut publiée de 1967 à 1970.

[22] Paul Budry, *Le Hardi chez les Vaudois, suivi de: Trois Hommes dans une Talbot.* Préface de Jacques Chessex. Lausanne: Le Livre du Mois 1970 (cf. *Les Saintes Ecritures,* pp. 25-33). Voir également *Œuvres incomplètes* de Paul Budry, p. p. Gérard Buchet. Neuchâtel: La Baconnière 1950.

[23] René Auberjonois, *Lettres et Souvenirs,* Lausanne: Faculté des lettres de l'Université 1972. (Etudes de Lettres III/5, N⁰ 4.)

CHAPITRE III

[1] Gonzague de Reynold, *Mes Mémoires,* t. III, Genève: Ed. Générales 1963, p. 710 (Coll. Le Monde, les Hommes et les Idées).

[2] Gonzague de Reynold, *Cités et Pays suisses.* Première série, Lausanne: Payot s. d. (1914), p. 187. Il n'existe pas d'éd. complète des œuvres de Reynold. Voir François Jost, *La Pensée de Gonzague de Reynold.* *Essai et Anthologie,* Bienne; Chandelier 1950 et Neuchâtel: Delachaux et Niestlé 1954. – *Gonzague de Reynold et son Œuvre.* Etudes et Témoignages, Fribourg: Ed. Universitaires 1955.

[3] Gonzague de Reynold, *Histoire littéraire de la Suisse au XVIIIᵉ Siècle,* t. I: *Le Doyen Bridel et les Origines de la Littérature romande,* Lausanne: Bridel 1909. – T. II: *Bodmer et l'Ecole suisse,* Lausanne: Bridel 1912.

[4] Gonzague de Reynold, *Destin du Jura. Origine et prise de Conscience. L'histoire. Vers une Conclusion,* Lausanne: Rencontre 1968.

[5] Cf. Paul König, *Gonzague de Reynold. Die*

föderalistischen Grundlagen seines europäischen Gedankens, Winterthur: Keller 1960.

[6] Maurice Zermatten, «Quelques écrivains fribourgeois», in: *Visages de Fribourg. Alliance culturelle romande,* cahier N⁰ 10 (déc. 1967), p. 91.

[7] Alexis Peiry, *L'Or du Pauvre.* Préface de Claude Mettra, Lausanne: L'Aire / Coopérative Rencontre 1968, p. 10.

[8] Léon Savary, «Fribourg», in: L. S., *Le Secret de Joachim Ascalles suivi de Fribourg et de La Bibliothèque de Sauvives.* Préface de Pierre Cordey, Lausanne: Le Livre du Mois 1970, p. 163.

[9] Henri Perrochon dans un article en 1965. Voir p. ex. ses polémiques spirituelles dans *Lettres à Suzanne,* Lausanne, Marguerat 1949. Les Mémoires de Savary restèrent inachevées.

[10] Jean-Baptiste Mauroux, *Glas Martre ou La Récupération divine,* Lausanne: L'Age d'Homme 1969, p. 69.

[11] *Livres ouverts,* N⁰ 7, Lausanne 1972/73, p. 4.

CHAPITRE IV

[1] Philippe Jaccottet, «L'œuvre de Landry», in: *Hommage à C.-F. Landry publié par ses amis à l'occasion de son soixantième anniversaire,* Lausanne: Au Verseau 1969, p. 57.

[2] C.-F. Landry, «Parce qu'il faut», in: *Pourquoi j'écris.* Préface de Franck Jotterand, Lausanne: *La Gazette littéraire* 1971, p. 110.

[3] C.-F. Landry, *Petit Bar Mistral.* Roman. Préface de Vincent Philippe, Lausanne: Le livre du Mois 1969, p. 140.

[4] Jacques Chessex, «Davel, ou l'imagination» – Gaston Cherpillod, «Ordre, où est ta victoire?», in: *Hommage au Major 1970,* Lausanne: Au Verseau 1970.

[5] Richard Garzarolli, *Les Brigands du Jorat,* Lausanne: L'Age d'Homme 1968, p. 132.

[6] Cette attitude est souvent critiquée par les écrivains alémaniques. Le journaliste zurichois Hugo Leber s'exprimait ainsi: *L'expérience de Fribourg* (les rencontres d'écrivains de 1968) *nous a déçus dans la mesure où la plupart des jeunes écrivains romands ont paru se rattacher à un romantisme d'un autre temps...* (*Tribune de Genève,* 18 juin 1969.)

[7] Voir le chapitre «Poésie de l'intériorité».

[8] *Pays du Lac.* N⁰ 4 de la seconde série, juillet 1955, p. 4.

[9] Jacques Chessex, *Portrait des Vaudois,* Lausanne: *Cahiers de la Renaissance vaudoise* 1969, p. 53.

[10] Lausanne: *Cahiers de la Renaissance vaudoise* / Paris: Grasset 1971.

[11] Jacques Chessex, *Carabas,* l.c., p. 137.

[12] Alfred Berchtold, *La Suisse romande au Cap du XXe Siècle*, l.c., p. 467.

[13] Alice Rivaz, *L'Alphabet du Matin*. Récit, Lausanne: L'Aire / Coopérative Rencontre 1968, p. 338.

[14] Voir ci-dessous (Appendice «Langue, civilisation, politique»).

[15] Voir le chap. «De la critique considérée comme littérature».

[16] Georges Anex, «Thomas l'Incrédule», in: *Ecriture* 8, Lausanne: Bertil Galland 1972, p. 17.

[17] Jacques Chenevière, «Avec Jacques Mercanton», in: *Ecriture*, l.c., pp. 25 ss.

[18] Voir plus bas le chap. sur le Valais.

[19] Alice Rivaz: *La Paix des Ruches / Comptez vos Jours...* Préface de Marcel Raymond. Lausanne: Le Livre du Mois 1970, pp. 11 ss.

[20] Syyed Mohammad Ali Djamalzadeh, «Janine Buenzod», in: *18 Romanciers suisses et leurs Amis* (1re partie), *Alliance culturelle romande*, cahier No 13, septembre 1969, p. 16.

[21] Hélène Perrin, *La Fille du Pasteur, suivi de: La Route étroite*. Romans. Postface de Bertil Galland, Lausanne: Le Livre du Mois 1969, p. 251.

[22] Voir le chap. «La question de l'engagement».

[23] Etienne Barilier: *Laura* (préface Georges Anex), Lausanne: L'Age d'Homme 1973, p. 11.

[24] Voir p. ex.: «Voix intérieures», *Revue neuchâteloise* 66/17 (1974); «Cinq voix nouvelles», *Ecriture* 11 (1975).

[25] Voir p. ex. Le *Cahier des Lettres et des Arts* publié par la Société des écrivains vaudois en 1971. La bibliographie littéraire d'une seule année renferme 77 titres de publications.

[26] Voir le chap. «La question de l'engagement».

[27] André Bonnard, *Prométhée enchaîné d'Eschyle, Œdipe Roi de Sophocle, Alceste d'Euripide*. Préface de Jean-Luc Seylaz, Lausanne: L'Aire / Coopérative Rencontre 1969, p. 7.

[28] Jotterand dit qu'il écrit «pour mettre du jeu dans les structures figées». (*Pourquoi j'écris*, Lausanne: *La Gazette littéraire* 1971, p. 8).

CHAPITRE V

[1] André Guex, *Le Demi-siècle de Maurice Troillet*, I: 1913-1931, II: 1932-1952, III: 1953-1970, Martigny: Pillet / Lausanne: Payot 1971 (Bibliotheca Vallesiana, t. 8-10).

[2] Voir Robert Marclay, *C. F. Ramuz et le Valais*, Lausanne: Payot 1950. – Maurice Zermatten, *Les Années valaisannes de Rilke*, Lausanne: Rouge 1941.

[3] Jacqueline Piatier: Georges Borgeaud et la vie intérieure. *Le Monde des Livres*, 18 octobre 1974.

[4] Henri Perrochon, «Ecrivains du Valais romand», in: *Alliance culturelle romande*, cahier No 5, janvier 1965, p. 44.

[5] Maurice Zermatten, *Der Sturm*. Aus dem Französischen übersetzt (und mit einem Vorwort) von Waltrud Kappeler, Zurich: Gute Schriften 1960, p. 3 ss.

[6] Guido Calgari, l.c., p. 523.

[7] Maurice Zermatten, *Les Sèves d'Enfance*. Récits, Bienne: Panorama 1968, p. 137.

[8] Ce livre, publié par le Département fédéral de Justice et Police, conçu dans un esprit de conformisme, fut adapté en français par Zermatten, alors président de la Société Suisse des écrivains, qui en souligna encore l'idéologie simpliste. L'éclatement de la SSE et la fondation du Groupe d'Olten furent les résultats directs de cette publication (1969/1970).

[9] Ainsi Zermatten ne figure même plus dans le manuel *Gegenwartsdichtung der Westschweiz* de Max A. Schwendimann. (Berne: Benteli 1972).

[10] Maurice Chappaz, *Chant de la Grande-Dixence*, Lausanne: Payot 1965, p. 7 (Petite collection poétique d'écrivains romands). Réédition chez Bertil Galland, 1975.

[11] *Chant*, l.c., p. 57.

[12] Maurice Chappaz, *Portrait des Valaisans en Légende et en Vérité* (texte revu et augmenté), préface de Georges Borgeaud, Lausanne: Le Livre du Mois 1969, p. 15.

[13] Maurice Chappaz, *Die Walliser. Dichtung und Wahrheit*. Übersetzt und mit einem Nachwort versehen von Pierre Imhasly, Berne: Kandelaber 1968, p. 173 (Bibliothek der Romanischen Schweiz).

[14] *Die Walliser*, l.c., p. 172.

[15] Voir aussi: *Anthologie romande de la littérature alpestre*. Bibliothèque romande, 1972.

[16] Dominique Aury, préface à S. Corinna Bille: *La Fraise noire*. Nouvelles, Lausanne: Guilde du Livre 1968, p. 8.

[17] «Ma forêt, mon fleuve», in: *La Fraise noire*, l.c., p. 162 ss.

[18] «Veilleuse des morts», in: *La Fraise noire*, l.c., p. 185.

CHAPITRE VI

[1] Cf. Daniel Buscarlet, *Genève, Citadelle de la Réforme*, Neuchâtel: Delachaux et Niestlé 1966.

[2] André Chavanne, «De Genève à Villeneuve», in: *Alliance culturelle romande*, cahier No 9, juin 1967, p. 7.

[3] Voir le chap. «De la critique considérée comme littérature».

[4] Voir *Les Souvenirs nous vengent*, Genève: Editions L'autre son de cloche 1956. Voir aussi Gonzague de Reynold, *Mes Mémoires*, l.c., t. III, pp. 661-663, ainsi que *L'Union nationale 1932-1939, un Fascisme en Suisse romande*, par Roger Joseph, Neuchâtel: A la Baconnière, 1975.

[5] Jean-Pierre Meylan, *La Revue de Genève, Miroir des Lettres européennes 1920-1930*, Genève: Droz 1969.

[6] Pierre Girard, *Lord Algernon. La Rose de Thuringe*. Postface de Jacques Buenzod, Lausanne: Bibliothèque Romande 1971, p. 322 ss.

[7] Pierre Girard, *Le Gouverneur de Gédéon, suivi de Charles dégoûté des Beefsteaks*. Préface de Jean Vuilleumier, Lausanne: Le Livre du Mois 1971, p. 15.

[8] Pierre Girard, *Le Gouverneur...*, l.c., p. 296.

[9] Voir le chap. «Les formes du roman».

[10] *Poètes de Genève présentés par Jeune Poésie*, Genève: Jeune Poésie 1967, p. 9 s.

[11] Ernest Dutoit, «Lectures», in: *Ecriture* 7, Lausanne: *Cahiers de la Renaissance vaudoise* 1971, p. 200.

[12] Claude Aubert, «Le reste est sans importance», in: *Pourquoi j'écris*, l.c., p. 13.

[13] *...poèmes et proses, mais cela, déjà, ne fait plus qu'un...* (*Poètes de Genève présentés par Jeune Poésie*, l.c., p. 10).

[14] Voir «Les formes du roman».

[15] Voir «La situation du théâtre».

CHAPITRE VII

[1] «L'anarchisme dans les Montagnes», *Revue neuchâteloise*, 14e année, été-automne 1971, Nos 55/56, p. 3.

[2] Charly Guyot, *Littérature. Le Pays de Neuchâtel*. Collection publiée à l'occasion du Centenaire de la République, 1948, p. 10.

[3] Voir le chap. «Le pays natal et le monde».

[4] Voir «De la critique considérée comme littérature».

[5] Dorette Berthoud, *Vers le Silence*. Roman, Neuchâtel/Paris: Delachaux et Niestlé 1948, p. 238.

[6] Voir le chap. «De la critique considérée comme littérature».

[7] Roger-Louis Junod in: *Anthologie jurassienne*. Textes réunis et présentés par une société d'écrivains jurassiens sous la direction de P. O. Walzer. T. II: *Le XXe Siècle*. Porrentruy: Société jurassienne d'émulation 1965, p. 213.

[8] Voir les chap. sur le Jura et sur le théâtre.

[9] Jules Humbert-Droz, *Mon Evolution du Tolstoïsme au Communisme* (*Mémoires de Jules Humbert-Droz*, t. I), Neuchâtel: La Baconnière 1969, p. 17 ss. Les Mémoires comportent 4 volumes, publiés de 1969 à 1974.

[10] Jules Humbert-Droz, *Mon Evolution...*, l.c., p. 176.

[11] *Anthologie jurassienne*, l.c., p. 57.

[12] Edgar Tripet, «Neuchâtel et ses écrivains, côté Montagnes», in: *Cahier neuchâtelois. Alliance culturelle romande*, cahier No 8, juillet 1966, p. 52. Voir aussi Marc Eigeldinger dans: Jean-Paul Zimmermann, *Progrès de la Passion, suivi de Le Pays natal*, Lausanne: Bibliothèque romande 1972.

[13] *Hommage à Monique Saint-Hélier*, Neuchâtel: La Baconnière 1960, p. 9 (*Cahiers de l'Institut neuchâtelois*, introduction de Jacques Cornu).

[14] *Hommage à Monique Saint-Hélier*, l.c., p. 34 («La vie et la mort dans l'œuvre de Monique Saint-Hélier»).

[15] Voir le chap. «Les formes de roman». Velan est d'origine vaudoise, mais né en France. Il a vécu un certain temps à La Chaux-de-Fonds.

CHAPITRE VIII

[1] *Anthologie jurassienne* l.c. (cf. ci-dessus VII, 7), t. II, p. 16.

[2] Roland Béguelin (et autres), *Le Jura des Jurassiens*. Préface d'André Manuel. «Provinces qui n'en sont pas», Lausanne: *Cahiers de la Renaissance vaudoise* 1963, p. 189.

[3] Voir ci-dessous (Appendice, «Langue, civilisation et politique»).

[4] *Anthologie jurassienne*, l.c., t. I: *Des origines au XIXe Siècle*, p. 250.

[5] Werner Renfer, *Œuvres*. Préface et notes de P. O. Walzer. T. I: «*Poésie*», Porrentruy: Société jurassienne d'émulation, p. 7. – Cf. aussi P. O. Walzer, *Visages et Vertus du Poète jurassien Werner Renfer*, Porrentruy: Ed. du Provincial 1954.

[6] Voir aussi *Petite Anthologie de la Poésie jurassienne vivante*, s. l. (Porrentruy): Société jurassienne d'émulation 1968 (présentation par P. O. Walzer). On y trouve des poèmes de Francis Bourquin, Pierre Chappuis, Jean Cuttat, Henri Devain, Jacques-René Fiechter, Roger-Louis Junod, Hughes Richard, Robert Simon, Tristan Solier, Raymond Tschumi, Jean Vogel, Alexandre Voisard.

[7] In: «Le Jura, terre romande», *Alliance culturelle romande*, cahier No 17, juin 1971, p. 71.

[8] «Jura et culture française», in: *Le Jura des Jurassiens* l.c., p. 120.

[9] «Ce Jura que nous aimons», in: *Feuille d'Avis de Neuchâtel*, 3 février 1967.

[10] Voir le chap. «Poésie de l'intériorité».

[11] *Revue neuchâteloise*, IXe année, No 36, automne 1966, pp. 12, 14.

[12] Voir le chap. «Les formes du roman».

[13] Alexandre Voisard, *Liberté à l'Aube*, préface de Maurice Chappaz, Porrentruy: Ed. des Malvoisins 1967, p. 45.

[14] «Supplique à sainte Cécile», in: *Les Couplets de l'Oiseleur*, Lausanne: *Cahiers de la Renaissance vaudoise* 1967, p. 23.

CHAPITRE IX

[1] Jean-Paul Sartre: *Qu'est-ce que la littérature?* Coll. Idées, Gallimard 1964, p. 44.

[2] Georges Haldas, *Les Poètes malades de la Peste*, Paris: Seghers 1953, p. 7.

[3] *Les Poètes malades de la Peste*, l.c., p. 51.

[4] Georges Haldas, «Une rencontre et un poème», in: *Rencontre*, troisième année, No 13, Lausanne, mai 1952, p. 10. – «*Rencontre* est communiste?», ib. deuxième année, No 11, novembre 1951, pp. 54-56.

[5] Georges Haldas, «Démission de *Rencontre*», ib., troisième année, No 18, août-sept. 1953, p. 80.

[6] Marcel Raymond, «Une poésie humaine», in: *Poètes de Genève*, l.c., p. 13 ss.

[7] Voir «La Situation du Théâtre».

[8] Jeanlouis Cornuz, «Des causes pour lesquelles je combats», in: *Pourquoi j'écris*, l.c., p. 41.

[9] Cf. Louis de Montmollin, Samuel Chevallier (et autres), *Le Peuple contre l'Armée? Une Confrontation unique sur «L'Œuf de Colombe»*, Neuchâtel: Les Editions Nationales 1955.

[10] *Almanach du Groupe d'Olten* (Comité de rédaction: Nicolas Bouvier, Anne Cuneo, Claude Frochaux, Franck Jotterand, Edgar Tripet), s. l. (Lausanne): L'Age d'Homme 1973 et 1974.

[11] «Ecriture et engagement», in: *Almanach du Groupe d'Olten*, 1973, pp. 116-121.

CHAPITRE X

[1] Hughes Richard, «Blaise Cendrars», in: *Schweizer Monatshefte*, 50, Jhg., Heft 3, Zurich, juin 1970, p. 236. Voir aussi Jean Buhler: *Blaise Cendrars, Homme libre, Poète au Cœur du Monde*, Bienne: Ed. du Panorama 1960;

ainsi que Georges Piroué, «Cendrars et la Suisse», in: *Mercure de France*, t. 345, année 1962, pp. 45-53.

[2] Blaise Cendrars, *Vol à Voile*. Prochronie, Lausanne: Payot 1932, p. 53 (*Les Cahiers romands*, deuxième série, No 6).

[3] Cf. le disque *Paroles de Romandie* (une production de la Radio suisse romande et de *Radio TV Je vois tout*), BIEM 6601/A.

[4] Denis de Rougemont, *Lettres sur la Bombe atomique*, Paris: Gallimard 1946, pp. 80, 83.

[5] *Lettres sur la Bombe atomique*, l.c., p. 29.

[6] Denis de Rougemont, *Vingt-huit Siècles de l'Europe, La conscience européenne à travers les textes d'Héraclite à nos jours*, Paris: Payot 1961, p. 386.

[7] Nouvelle édition, «aggravée d'une Suite des Méfaits», Lausanne: Eureka 1972. Voir aussi le texte d'Edmond Gilliard *L'Ecole contre la Vie*, 1942.

[8] Denis de Rougemont, *Journal d'une Epoque 1926-1946*, Paris: Gallimard 1968, p. 9 (préface, 1967). Le volume contient *Le Paysan du Danube* (1932), *Journal d'un Intellectuel en Chômage* (1936), *Journal d'Allemagne* (1938), *Journal des Deux Mondes* (1946).

[9] Jacqueline Ormond, *Après l'Aube*. Récit, Lausanne: Rencontre / L'Aire 1970, p. 223.

[10] Jacques Chessex, *Les Saintes Ecritures*, l.c., p. 179.

[11] Ella Maillart, *Oasis interdites*. Avec vingt-trois photographies inédites de l'auteur. Présentation de Nicolas Bouvier et postface de Gilbert Etienne, Lausanne: Le Livre du Mois 1971 (la première éd. est de 1937.)

[12] Bertil Galland, *Les Yeux sur la Chine*. Un reportage, Lausanne: *24 Heures* 1972.

[13] Voir Marcel Brion dans *Le Monde*, 20 sept. 1967.

[14] Voir l'appendice.

CHAPITRE XI

[1] Henri Debluë, «Saint-Saphorin», in: *Domaine suisse. Revue littéraire*, No 2, juin-juillet 1956, pp. 33-40.

[2] B. G. (= Bertil Galland), «Suisse romande» (littérature), in: *Encyclopaedia Universalis*, vol. 15, Paris: Encyclopaedia Universalis France 1973, p. 526.

[3] Dans ce contexte, l'importance d'Albert Béguin (*L'Ame romantique et le Rêve*) fut particulièrement grande. Voir Albert Béguin/ Gustave Roud, *Lettres sur le Romantisme allemand*, Lausanne: Etudes de Lettres 1974.

4 Vahé Godel, «25 ans de poésie romande», in: *Courrier du Centre international d'Etudes poétiques*, s.d.n.l., N⁰ 92, p. 7.

5 Voir C.-H. Crisinel, *Poésies*. Postface de Jean-Pierre Monnier, Lausanne: Bibliothèque romande 1972.

6 Philippe Jaccotet et Jean-Charles Potterat, in: *Pierre-Louis Matthey, Approches critiques – Textes et Documents inédits*, Lausanne: Etudes de lettres 1972, pp. 20 s., 24, 41.

7 Pierre-Louis Matthey, *Poésies complètes*, Lausanne: *Cahiers de la Renaissance vaudoise* 1968, p. 57.

8 *Gustave Roud*. Présentation et choix de textes par Philippe Jaccottet. Bibliographie, portraits, Paris: Seghers 1968 (Poètes d'aujourd'hui, 173), p. 11.

9 *Gustave Roud*, l.c., p. 58.

10 Gustave Roud, *Campagne perdue*. Dessin de René Auberjonois, Lausanne: Bibliothèque des Arts 1972, p. 9.

11 Gustave Roud, *Campagne perdue*, l.c., p. 79.

12 Philippe Jaccottet, «Die Suche nach dem Akzent einer Stimme. Dank an die Deutsche Akademie für Sprache und Dichtung», in: *Neue Zürcher Zeitung*, 8 mai 1966.

13 Philippe Jaccottet, *Leçons*, Lausanne: Payot 1969, p. 22 (Collection poétique d'écrivains romands).

14 Philippe Jaccottet, *Eléments d'un Songe*. Gallimard 1961, pp. 182 ss.

15 Francis Bourquin, *De Mille Ombres cerné*, Neuchâtel: Baconnière 1972, p. 85 (Coll. La Mandragore qui chante).

16 Anne Perrier, *Le Petit Pré*, Lausanne: Payot 1960, p. 56 (Collection poétique d'écrivains romands). ·

17 Pierre Chappuis, «En marge d'un poème», in: *Almanach du Groupe d'Olten*, I, p. 125.

CHAPITRE XII

1 Voir le chap. sur le Canton de Vaud.

2 Gerda Zeltner-Neukomm, *Das Wagnis des französischen Gegenwartromans. Die Neue Welterfahrung in der Literatur*, Reinbek: Rowohlt 1960, p. 13 (Rowohlts Deutsche Enzyklopädie).

3 Jacques Chessex, *Carabas*, Lausanne: *Cahiers de la Renaissance vaudoise* 1971, p. 131.

4 Jean-Pierre Monnier, *L'Age ingrat du Roman*, Neuchâtel: La Baconnière 1967, p. 168.

5 Gerda Zeltner, «Der umgekehrte Krimi», in: *Gut zum Druck. Literatur der deutschen Schweiz seit 1964*, hg. v. Dieter Fringeli, Zurich: Artémis 1972, p. 433.

6 Robert Pinget, *L'Inquisitoire*, Paris: Coll. 10 × 18 1971, p. 319 (L'éd. originale est de 1962).

7 Bernard Pingaud dans *Ecrivains d'aujourd'hui, 1940-1960*. Grasset 1960, p. 412.

8 André Desponds, in: *Les Critiques de notre Temps et le Nouveau Roman*, éd. Réal Quellet, Paris: Garnier 1972, p. 109.

9 Yves Velan, *La Statue de Condillac retouchée. Roman*, Paris: Le Seuil 1973, p. 9.

10 Catherine Colomb, *Œuvres. Châteaux en Enfance – Les Esprits de la Terre – Le Temps des Anges –* Préface de Gustave Roud, Lausanne: Rencontre – L'Aire 1968, p. 10 ss.

11 Jean-Luc Seylaz, «Une seule blessure», in: *Ecriture* 3, Lausanne: *Cahiers de la Renaissance vaudoise* 1967, pp. 163-170. Voir aussi *Catherine Colomb – Visages, Trois Lectures. Etudes de Lettres* VI/N⁰ 3, Lausanne: Faculté des lettres de l'Université, 1973.

12 Catherine Colomb, «Les Esprits de la terre», *Œuvres*, l.c., p. 316.

13 Pierre-Henri Simon, *« Belle du Seigneur* d'Albert Cohen», in: *Le Monde des Livres*. Paris, 9 nov. 1968, p. 1.

14 Gérald L'Eplattenier, *A l'Aube une Duchesse de la Rue*, Lausanne: L'Age d'Homme 1972, p. 56.

CHAPITRE XIII

1 Jo Excoffier, «Situation du théâtre», in: *Aspects des Lettres romandes, Revue neuchâteloise*, 8ᵉ année, N⁰ 32, 1965, p. 24.

2 Pierre Biner, «Le théâtre», in: *Annuaire de la Nouvelle Société Helvétique*, 1968, p. 58.

3 Alfred Berchtold, l.c., pp. 541 ss.

4 Claude Vallon, *Le Dossier canadien du Théâtre romand*, Lausanne: La Cité 1967, p. 19.

5 Charles Apothéloz: *Je pense que nous vivons dans un pays sans culture, sans tradition théâtrale... 24 Heures/Feuille d'Avis de Lausanne*, 2 oct. 1973, p. 41.

6 Voir Jean Nicollier, *René Morax, Poète de la Scène. Théâtre du Jorat et Plateaux romands*, Bienne: Panorama 1958.

7 Voir Alfred Gehri, *Le Roman d'une Pièce* (Sixième Etage). Genève: Cailler 1947.

8 Andersson fut expulsé de la Suisse, pour des raisons politiques, au début de 1967.

9 Henri Debluë in: *« Unter Vierzig», DU, kulturelle Monatsschrift*, Zurich, novembre 1962, p. 43.

10 Programme du Théâtre de Carouge et du Centre

dramatique romand concernant la création du *Serviteur absolu*, 1967, p. 29. On y lit également: *Rapprochement entre plusieurs théâtres, confiance dans la survie d'une troupe menacée, créations d'œuvres suisses, autant de promesses d'avenir pour ce qu'on commencera bientôt d'appeler le théâtre suisse romand.*

CHAPITRE XIV

1 Alexandre Vinet, *Poètes du Siècle de Louis XIV.* Publiés avec une préface documentaire par Henri Perrochon, Lausanne: Payot 1964, p. 23 (*Œuvres d'A. Vinet*, I/3).

2 Voir les chap. sur Fribourg et Neuchâtel.

3 Charly Guyot, *De Rousseau à Marcel Proust.* Essais littéraires. Préface par Marcel Raymond, Neuchâtel: Ides et Calendes 1968, p. 5.

4 Voir «La littérature romande et son public».

5 Voir les chap. «La poésie de l'intériorité» et «Vaud».

6 Thèse de Genève, Lausanne: Payot 1964 et 1966, avec des *Matériaux pour une bibliographie*, ibid. 1963.

7 Olivier Bonard, «Un grand lettré», in: *Ecriture* 8, 1972, p. 32.

8 Voir Pierre Grotzer: *Les Ecrits d'Albert Béguin.* Essai de bibliographie. Neuchâtel: La Baconnière 1967 (Coll. Langages-Documents). Id., *Existence et destinée d'Albert Béguin* et *A.B. ou la passion des autres*, ibid., 1977.

9 Jean Rousset, *Forme et Signification. Essais sur les Structures littéraires de Corneille à Claudel*, Paris: Corti 1962, p. XI.

10 Jean Starobinski, *L'Œil vivant.* Essai, Paris: Gallimard 1961, p. 27 (Coll. Le Chemin).

CHAPITRE XV

1 Jürg Steiner, *Gewaltlose Politik und kulturelle Vielfalt. Hypothesen entwickelt am Beispiel der Schweiz.* Avec une préface de S. Rokkan, Berne et Stuttgart: Haupt. 1970, p. 4 (Res publica, t. 2).

2 Herbert Lüthy, «La Suisse à contre-courant» (article paru en 1961 dans la *« Revue économique franco-suisse »*), ms. ronéotypé, Bibl. Nat., Berne, pp. 9 et 3.

3 Lüthy, l.c., p. 10.

4 Fritz René Allemann, «Die Schweiz – ein Modell Europas?», in: *Sprache und Politik. Festgabe für Dolf Sternberger zum 60. Geburtstag,* Heidelberg: L. Schneider 1968, p. 483 ss.

5 Lüthy, l.c., p. 3.

6 Lüthy, l.c., p. 4.

7 Arnold Kübler, «Un mot en français», voir: *Gut zum Druck. Literatur der deutschen Schweiz seit 1964,* éd. de Dieter Fringeli, Zurich et Munich: Artémis 1972, p. 201.

8 Gilles – Jean Villard, *Chansons que tout cela! 90 Chansons nues*, Lausanne: Rencontre 1963, p. 182.

9 Roberto Bernhard, *Alemannisch-welsche Sprachsorgen und Kulturfragen. Mit Beiträgen von Friedrich Dürrenmatt und Alfred Richli*, Frauenfeld: Huber 1968, p. 10 (*Schriften des deutschschweiz. Sprachvereins*, cahier 3).

10 Ernest Schüle, «Documents de français régional actuel», in: *Revue neuchâteloise*, 14e année, 1971, No 54, p. 17.

11 Gilles: *Chansons que tout cela!*, p. 164.

12 Werner Günther, «Alemannisch-welsche Sprachsorgen und Kulturfragen», in: *Neue Zürcher Zeitung*, 6 juill. 1969, p. 21.

13 Henri Perrochon, «La situation du français en Suisse romande», in: *Procès-Verbaux et Mémoires de l'Académie des Sciences, Belles-Lettres et Arts de Besançon*, vol. 177, 1966-1967, p. 9.

14 Georges Redard, «Sur le français de Suisse romande», in: *Revue neuchâteloise*, 14e année, 1971, No 54, p. 6.

15 Cf. Guy Héraud, *L'Europe des Ethnies,* Paris: Presses d'Europe 1963 (*Réalités du Présent*, cahier No 3).

16 Cf. la *Lettre à Bernard Grasset* (1928), de Ramuz.

17 Roland Béguelin, «Werden die Schweizer verstehen, daß eine Lösung der Jura-Frage nötig ist?», in: *Weltwoche*, Zurich, 4 sept. 1966, No 1608, p. 11, (article publié en allemand).

18 Herbert Lüthy, *Ein Vorschlag für den Jura. 15 Thesen zur jurassischen Selbstbestimmung*, Berne: H. Lang 1972, p. 44 ss.

19 Voir aussi *Le Jura des Jurassiens. Textes réunis par Roland Béguelin*, Lausanne: Cahiers de la Renaissance vaudoise 1963. – Kurt Müller, *Der Jura – ein unbewältigtes Minderheitenproblem*, Zurich: Buchverlag der *Neuen Zürcher Zeitung* 1969 (*NZZ*-Schriften zur Zeit, 15). – Marcel Schwander, *Jura... Ärgernis der Schweiz*, Bâle: Pharos 1971. – Alain Charpilloz: *Le Jura irlandisé*, Lausanne: B. Galland 1976 (Coll. Jaune Soufre).

20 *Charte des langues de l'Institut fribourgeois / Sprachencharta des Freiburger Instituts*, Fribourg 1969, p. 54.

21 Hermann Weilenmann, *Die vielsprachige Schweiz. Eine Lösung des Nationalitätenproblems*, Bâle-Leipzig: Rhein-Verlag 1925, p. 255.

CHAPITRE XVI

[1] Fritz Ernst, *Gibt es eine schweizerische National-literatur?*, Saint Gall: Tschudy 1955 (Der Bogen, 44), p. 21 ss.

[2] Ernst Jenny et Virgile Rossel, *Histoire de la litté-rature suisse, des origines à nos jours*. Lausanne: Payot 1910, t. 1, pp. 35 et 38.

[3] Jakob Marius Bächtold, *Eine schweizerische Literaturgeschichte*, Thèse lettres, Zürich 1915, p. 50.

[4] Bächtold, l.c., p. 58.

[5] Bächtold, l.c., p. 26.

[6] Gonzague de Reynold, *Histoire littéraire de la Suisse au XVIIIe Siècle*, t. I: *Le Doyen Bridel et les Origines de la Littérature romande*, Lausanne: Bridel 1909. – T. II: *Bodmer et l'Ecole suisse*, Lausanne: Bridel 1912.

[7] Jakob Baechtold, *Geschichte der deutschen Literatur in der Schweiz* (1892), voir: Emil Ermatinger, *Dichtung und Geistesleben der deutschen Schweiz*, Munich: Beck 1933, p. 11 ss.

[8] Fritz Ernst, l.c., p. 28.

[9] François Jost, «Y a-t-il une littérature suisse?», in: F. J., *Essais de Littérature comparée*, I. *Helvetica*, Fribourg: Ed. Universitaires 1964, pp. 315-338.

[10] Denis de Rougemont, *La Suisse ou L'Histoire d'un Peuple heureux*, Lausanne: Le Livre du Mois 1969, p. 224.

[11] Max Wehrli, «Sinn und Unsinn der Literatur-geschichte», in: *Neue Zürcher Zeitung*, 26 févr. 1967.

[12] Guido Calgari, *Storia delle quattro letterature della Svizzera*. Milano: Nuova Accademia, s.d. (1958; Storia delle letterature di tutto il mondo, dir. da A. Viscardi), p. 17.

[13] Cf. *Bestand und Versuch. Schweizer Schrifttum der Gegenwart / Lettres suisses d'aujourd'hui / Lettere elvetiche d'oggi / Vuschs svizras da nos temp*, Zurich et Stuttgart: Artémis 1964. – Eduard Korrodi: *Geisteserbe der Schweiz*, 2e éd., Zurich: E. Rentsch 1943. – Charly Clerc, Jean Moser, Piero Bian-coni, E. Piguet: *Panorama des Littératures contem-poraines de Suisse*, Paris: Sagittaire 1938.

[14] Karl Marx, Friedrich Engels, *Manifeste du Parti communiste*, cité d'après l'éd. 10 × 19, Paris 1962, p. 25.

CHAPITRE XVII

[1] Hans Zbinden, «Aspekte schweizerischer Lite-ratur im Verhältnis zu Europa», in: *Neue Zürcher Zeitung*, 8 décembre 1963.

[2] «Deutsch und Welsch (II). Transcription d'un débat radiophonique», in: *Schweizer Rundschau*, Soleure, juillet/août 1965, p. 390.

[3] «Aspekte schweizerischer Literatur», l.c.

[4] Jean Starobinski, «Nous sommes au spectacle», in: *La Gazette littéraire*, Lausanne, No 275. 23-24 novembre 1968, p. 1.

[5] Werner Weber, *Wissenschaft und Gestaltung*, Olten 1957, p. 7 (76. Publikation der Ver-einigung Oltner Bücherfreunde).

[6] Hansres Jacobi, «Schweizer Lese», in: *Dichtung der Gegenwart, Schweizer Rundschau*, Zurich, févr.-mars 1955, p. 757.

[7] Cf. Georg Schmidt, *Umgang mit Kunst. Aus-gewählte Schriften 1940-1963*, mit einem Nach-wort von Adolf Max Vogt. Olten et Fribourg-en-Brisgau: Walter 1966.

[8] A cet égard voir notamment le livre de Berchtold.

[9] Denis de Rougemont, *La Suisse ou l'Histoire d'un Peuple heureux*, l.c., p. 175.

[10] P. ex. Guido Calgari, *Storia delle quattro lette-rature*, l.c., p. 10.

[11] Arnold Schwengeler, *Vom Geist und Wesen der Schweizer Dichtung*, Saint Gall: Tschudy 1964, p. 18.

[12] Schwengeler, l.c., p. 54.

[13] Adrian Wolfgang Martin, «Emanuel Stickel-berger. Weg und Auftrag eines Schweizer Dichters», in: *Emanuel Stickelberger, Festgabe zum 75. Geburtstag, 13. März 1959*, Frauenfeld: Huber 1959, p. 53.

[14] Karl Schmid, *Vom Geist der neueren Schweizer Dichtung*, Stuttgart: Engelhorn 1949, p. 17.

[15] Voir Georg Lukács, «Gottfried Keller», in: *Deutsche Realisten des 19. Jahrhunderts*, Bern: Francke 1951, pp. 147-230, ainsi que Karl Fehr, *Der Realismus in der schweizerischen Literatur*, Berne et Munich: Francke 1965 (malheureuse-ment Fehr ne parle que des lettres alémaniques!).

[16] *Vom Geist...*, l.c., p. 18.

[17] Vladimir Sedelnik, «Le développement de la littérature suisse: tendances et perspectives», in: *Revue neuchâteloise*, IXe année, No 36, automne 1966, pp. 25-35.

[18] Gottfried Bohnenblust, «Von der Freiheit eidgenössischen Geistes», in: *Vom Adel des Geistes. Gesammelte Reden*, Zurich: Morgarten 1943, p. 381.

[19] Sur la «philosophie du dialogue», voir Hermann Levin Goldschmidt: *Dialogik, Philo-sophie auf dem Boden der Neuzeit*, Francfort-sur-le-Main: Europ. Verlagsanst. 1964.

[20] Trudi Greiner, *Der literarische Verkehr zwischen der deutschen und welschen Schweiz seit 1948*, Berne: Haupt 1940 (Sprache u. Dichtung, 67). – Olivier Secretan: *La Suisse alémanique à travers les lettres romandes de 1848 à nos jours*, Lausanne:

L'Age d'Homme 1974. – Guido Locarnini, *Die literarischen Beziehungen zwischen der italienischen und der deutschen Schweiz*, Berne: Francke 1946. – Voir aussi le mémoire de diplôme de bibliothécaire de Jane Suzanne Mauerhofer, *Œuvres d'écrivains suisses en traductions françaises et allemandes, Essai bibliographique*, Berne: Bibl. Nationale Suisse 1968.

21 *Eléments pour une politique culturelle en Suisse. Rapport de la Commission fédérale d'experts pour l'étude de questions concernant la politique culturelle suisse*, Berne: Office fédéral des imprimés et du matériel 1975.

22 *Schwierige Schweiz*. Beiträge zu einigen Gegenwartsfragen, Zurich: Orell Füssli 1968, p. 50.

23 *Schweizer Schriftsteller der Gegenwart | Ecrivains suisses d'aujourd'hui | Scrittori svizzeri d'oggi | Scriptuors svizzers da noss dis,* Berne: Francke 1962. (Ne contient que les membres de la SSE).

24 A propos d'un colloque sur les quatre littératures suisses organisé en 1972 par la SSE, on lit dans la *Nationalzeitung* de Bâle: « Tout ce qu'on a pu dire des collègues des autres parties linguistiques du pays n'a apparemment guère intéressé les écrivains présents. »

25 *Alliance culturelle romande, Dialogue à travers la Sarine*, cahier No 6, novembre 1965. – *Nebeneinander – und miteinander? Beiträge für eine bessere Zusammenarbeit auf kulturellem Gebiet | Les uns à côté des autres – et les uns avec les autres? Essais pour une meilleure coopération sur le plan culturel | L'uno accanto all'altro – e insieme con l'altro? Contributi per una migliore collaborazione in campo culturale,* Rédaction: Théo Chopard, Annuaire de la Nouvelle Société helvétique 1968.

26 Voir « Aspects d'une littérature suisse », *Rencontre. Revue littéraire,* IIe année, No 9-10, juin-sept. 1951.

27 *La Revue de Belles-Lettres,* 94e année, No 3, 1969.

28 Ainsi les Ed. Benziger de Zurich avec *Texte | Les Romands. Prosa junger Autoren aus der Westschweiz,* mit einem Vorwort von Franck Jotterand, Zurich 1965.

29 C. F. Ramuz, *Werke in sechs Bänden*, hg. von Werner Günther, Frauenfeld et Stuttgart: Huber 1972 ss.

30 Jean-Pierre Monnier, *Bekenntnis zum offenen Roman*, a. d. Franz. übertr. v. Margrit Huber-Staffelbach, Frauenfeld et Stuttgart: Huber 1970. – Ajoutons que quelques auteurs suisses ont été traduits à l'étranger, Steiner, Otto Walter et Bichsel en France, Robert Pinget, Velan, Anne-Lise Grobéty, Jaccottet en Allemagne. Mais ce sont des exceptions.

31 « La Suisse en question », in: *Annuaire de la NSH,* p. 269.

ESQUISSE
D'UNE BIBLIOGRAPHIE

Choix d'éditions originales
et de rééditions importantes
parues depuis 1945

A

ANDRÉ Paul
Visages spirituels de la Suisse. Neuchâtel: Messeiller 1968.

ANEX, Georges
Entretiens avec Edmond Gilliard. Genève: Trois Collines 1960.

ANSERMET, Ernest
Les fondements de la musique dans la conscience humaine. Neuchâtel: La Baconnière 1961.
Entretiens sur la musique. (Avec Jean-Claude Piguet). Neuchâtel: La Baconnière 1963.
Ecrits sur la musique. Publiés par J.-C. Piguet. Neuchâtel: La Baconnière 1971.

AUBERJONOIS, René
Lettres et souvenirs. Lausanne: Etudes de lettres (Bulletin de la Faculté des lettres de l'Université de Lausanne), série III, tome 5, N⁰ 4, 1972.

AUBERT, Claude
Persiennes. Neuchâtel: La Baconnière 1953.
Terres de cendres. Genève: Jeune Poésie 1957.
Pierre de touche. Lausanne: Payot 1962 (Petite collection poétique d'écrivains romands).
L'unique belladone. Lausanne: Payot 1968 (ib.).
Œuvres inédites dans: Hommage à Claude Aubert. Lausanne: Galland 1974 *(Ecriture 10).*

B

BADOUX, Eugène
Terrestres. Poèmes. Lausanne: L'Age d'Homme 1972.
Traductions:
Hugo von Hofmannsthal: *Une histoire de rêtre* (et autres récits). Lausanne: Rencontre 1968.
Friedo Lampe: *Au bord de la nuit.* Lausanne: L'Age d'Homme 1970.
Meinrad Inglin: *Un monde ensorcelé.* Contes et récits. Lausanne: Le Livre du mois 1971.
Max Frisch: *Guillaume Tell pour les écoles.* Lausanne: L'Age d'Homme 1972.

BARBEY, Bernard
P.C. du Général. Neuchâtel: La Baconnière 1948.
Chevaux abandonnés sur le champ de bataille. Roman. Paris: Julliard 1951.
Aller et retour. Mon journal pendant et après la Drôle de Guerre. Neuchâtel: La Baconnière 1967.

BARD, Jean
Qui es-tu. Arlequin? Récit de ma vie. Neuchâtel: Attinger 1972.

BARILIER, Etienne
Orphée. Récit. Lausanne: L'Age d'Homme 1971.
L'incendie du château. Lausanne: L'Age d'Homme 1973.
Laura. Lausanne: L'Age d'Homme 1973.
Passion. Roman. Lausanne: L'Age d'Homme 1974.
Une seule vie. Roman réaliste. Lausanne: L'Age d'Homme 1975.
Journal d'une mort. Lausanne: L'Age d'Homme/Paris: Ch. Bourgois 1977.
Albert Camus. Littérature et philosophie. Lausanne: L'Age d'Homme 1977.
Le chien Tristan. Lausanne: L'Age d'Homme 1977.

BAUD-BOVY, Daniel
Corot. Genève: Jullien 1957.
L'Homme à la femme de bois. Roman. Genève: Jullien 1970.

BAUDOUIN, Charles-L.
Florilège poétique. Blainville s.M.: L'amitié par le livre 1964.
Blaise Pascal. Paris: Ed. Universitaires 1969.
Traductions:
Carl Spitteler: *Printemps olympien.* Genève: Cailler 1950.
Carl Spitteler: *Prométhée et Epiméthée.* Paris: Presses du compagnonnage 1961.

BEAUJON, Edmond
Némésis ou la limite. Essai d'humanisme dialectique. Paris: Gallimard 1965.
Prises de vues. Genève: Editions du Journal de Genève 1971.
Le métier d'homme et son image mystique chez Hermann Hesse. Essai. Genève: Mont-Blanc 1971.

BEAUSIRE, Pierre
Hymnes. Genève: Trois Collines 1950.

BÉGUIN, Albert
L'âme romantique et le rêve. Essai sur le romantisme allemand et la poésie française. 15e mille. Paris: Corti 1963.
Gérard de Nerval. Paris: Corti 1945.
Patience de Ramuz. Neuchâtel: La Baconnière 1949.
Pascal par lui-même. Paris: Le Seuil 1952.
Bernanos par lui-même. Paris: Le Seuil 1954.
Poésie de la présence. De Chrétien de Troyes à
Pierre Emmanuel. Neuchâtel: La Baconnière 1957.
Balzac lu et relu. Neuchâtel: La Baconnière 1965.
Création et destinée. Essais de critique littéraire.
L'âme romantique allemande. L'expérience poétique. Critique de la critique. Choix de textes et notes par P. Grotzer. Paris: Le Seuil 1973.
Création et destinée II. La réalité du rêve. Préface de Marcel Raymond. Choix de textes et notes par P. Grotzer. Paris: Le Seuil 1974.
Albert Béguin-Marcel Raymond: *Lettres 1920-1957.* P.p. G. Guisan. Lausanne: Bibl. des arts 1976.
Albert Béguin-Gustave Roud: *Lettres sur le romantisme allemand.* Lausanne: Etudes de lettres 1974.

BÉGUIN, Pierre
Le Balcon sur l'Europe. Petite histoire de la Suisse pendant la guerre 1939-1945. Neuchâtel: La Baconnière 1950.

BENOZIGLIO, Jean-Luc
Quelqu'un bis est mort. Roman. Paris: Le Seuil 1972.
Le Midship. Roman. Paris: Le Seuil 1973.
La boîte noire. Roman. Paris: Le Seuil 1975.
Béno s'en va-t-en guerre. Roman. Paris: Le Seuil 1976.

BERCHTOLD, Alfred
La Suisse romande au cap du XXe siècle. Portrait littéraire et moral. Lausanne: Payot 1963.

BERGER, Jeanclaude
Gravir la nuit. Poèmes. Zurich: L'arc-en-ciel 1968.
Parlé. Poèmes. Lausanne: L'Aire 1971.
Phaéton. Poèmes. Lausanne: L'Aire 1974.
Cercle du soleil. Poèmes. Lausanne: Payot 1974 (Coll. poétique).

BERGER, René
Chlore et Silex. Poèmes. Paris: Le Messager boiteux 1953.
Découverte de la peinture. Lausanne: Guilde du livre 1958.
Connaissance de la peinture. Genève: Club français du livre 1963 ss.
Art et communication. Paris: Casterman 1972.
La mutation des signes. Paris: Denoël 1972.

BERNARD, Richard Edouard
Les poètes refusés. Lausanne: Girod 1947.

Signe de vie. Poèmes. Ed. La Syrinx. Lausanne 1954.
Trente jeux pour aimer. Poèmes. Ed. La Syrinx. Lausanne 1956.
Ta beauté ma blessure. Poèmes. Lausanne: Galland 1974.
Les arbres sont des bois de cerf dans la forêt des hommes. Poème. Vevey: Galland 1977.

BERTHOUD, Dorette
Vers le silence. Roman. Neuchâtel: Delachaux 1948.
Les Indiennes neuchâteloises. Neuchâtel: La Baconnière 1951.
Le Général et la Romancière. Neuchâtel: La Baconnière 1959.

BEUCHAT, Charles
Histoire du Naturalisme français. 2 volumes. Paris: Corrêa 1949.
Terre aimée. Roman. Genève: Editions générales 1958.
Comme un vin de vigueur. Roman. Paris: Debresse 1960.
Partir quand même ou Le piéton impénitent. Bienne: Panorama 1977.

BILLE, S. Corinna
Théoda. Roman. Nouvelle édition: Albeuve: Castella 1978.
Le sabot de Vénus. Roman. Lausanne: Rencontre 1952 et Lausanne: Le Livre du mois 1970.
Douleurs paysannes. Récits. Lausanne: Guilde du livre 1954.
Entre hiver et printemps. Nouvelles. Lausanne: Payot 1967.
Le mystère du monstre. Lausanne: CRV 1968.
La fraise noire. Nouvelles. Lausanne: Guilde du livre 1968.
Juliette éternelle. Nouvelles. Lausanne: Guilde du livre 1971.
Cent petites histoires cruelles. Lausanne: Galland 1973.
La Demoiselle sauvage. Nouvelles. Lausanne: Galland 1974 et Paris: Gallimard 1975.
Le salon ovale. Nouvelles et contes baroques. Lausanne: Galland 1976.
Les invités de Moscou. Roman. Lausanne: Galland et Ex Libris 1977.
La Maison musique. Dix-sept contes. Lausanne: Ex Libris 1977.

Cent petites histoires d'amour. Vevey: Galland 1978.

BLANC, Géo H.
Les éléphants. Pièce. *Ce dimanche qu'il pleuvait.* Comédie. Genève: Meyer 1954. (Le Mois théâtral).
Le Quart d'heure vaudois (avec Michel Jaccard, Pierre Walker). Lausanne: Marguerat 1976.

BOLLE, Louis
La Faucille et la Lavande. Paris: GLM 1949.
Marcel Proust ou le complexe d'Argus. Paris: Grasset 1966.

BONNARD, André
La tragédie et l'homme. Neuchâtel: La Baconnière 1950.
Civilisation grecque. 3 volumes. Lausanne: Ed. Clairefontaine et Guilde du livre 1954-1959.
Les dieux de la Grèce. Nouvelle éd. Lausanne: Rencontre 1970.
Traductions:
La poésie de Sapho. Etude et traduction. Lausanne: Mermod 1948.
Eschyle: *Prométhée enchaîné.* Sophocle: *Œdipe Roi.*
Euripide: *Alceste.* Lausanne: Rencontre 1969.

BOPP, Léon
Catalogisme. Essai. Genève: Mont-Blanc 1946.
Philosophie de l'art. Essai. Paris: Gallimard 1954.
Paris. Essai. Paris: Gallimard 1957.
Impressions d'Amérique. Essais. Paris: Gallimard 1959.
Ciel et terre. Roman d'un croyant. 4 vols. Paris: Gallimard 1962-1963.
Psychologie des Fleurs du Mal. 3 vols. Genève: Droz 1964-1966.

BOREL, Pierre-Louis
Situation de l'écrivain en Suisse romande. Essai. Neuchâtel: Messeiller 1950.
Le chemin de la vie. Roman. Neuchâtel: Messeiller 1955.
De Péguy à Sartre. Paradoxes du XXe siècle. Neuchâtel: Messeiller 1964.
La symphonie intérieure. Roman. 4 vols. Neuchâtel: Messeiller 1969-1976.

BORGEAUD, Georges
Le préau. Roman. Paris: Gallimard 1952 et Lausanne: Le Livre du mois 1969.
La vaisselle des évêques. Roman. Paris: Gallimard 1959.
Italiques. Lausanne: L'Age d'Homme 1969.
Le voyage à l'étranger. Roman. Paris: Grasset et Lausanne: Galland 1974.

BORY, Jean-René
Les Suisses au service de l'étranger. Nyon: Ed. Courrier de la Côte 1965.

BOSSON, Netton
Paillache ou La nuit des quatre Temps. Lausanne: L'Age d'Homme 1969.

BOURQUIN, Francis
O mon Empire d'Homme. Poèmes. Neuchâtel: La Baconnière 1970 (La Mandragore qui chante).
De mille ombres cerné. Poèmes. Neuchâtel: La Baconnière 1972 (ib.).

BOUVIER, Nicolas
L'usage du monde. Récit. Genève: Droz 1963.
Japon. Essai. Lausanne: Rencontre 1967.

BOVY, Adrien
La peinture suisse de 1600 à 1900. Bâle: Birkhäuser 1948.

BRACHETTO, Roland
La folie arlequine. Poèmes. Genève: Jeune Poésie 1957.

BUACHE, Freddy
Ombres exaspérées. Poèmes. Genève: Trois Collines 1951.
Michel Simon. Un acteur et ses personnages. Bienne: Panorama 1962.
Luis Bunuel. Ed. mise à jour. Lyon: Serdoc 1964.
G.W. Pabst. Lyon: Serdoc 1965.
Le cinéma suisse. Lausanne: L'Age d'Homme 1974.
Le cinéma américain. Lausanne: L'Age d'Homme 1974.

BUCHET, Edmond
Les vies secrètes. Roman. 5 vols. Paris: Corrêa 1946-1948.
Les auteurs de ma vie ou Ma vie d'éditeur. Paris: Buchet-Chastel 1969.

BUCHET, Gérard
C.F. Ramuz 1878-1947. Lausanne: Marguerat 1969.

BUDRY, Paul
Histoires. (Un document. La prise de Jéricho. Le Hardi chez les Vaudois. Scènes de la révolution. Etc.). Neuchâtel: La Baconnière 1949 (Coll. Œuvres incomplètes de P.B.).
Pinget dans la cage aux lions (et autres histoires pour dérider ces Vaudois). Lausanne et St-Saphorin: Cahiers de Paul Budry 1959.
Ernest Ansermet. (avec Romain Goldron). Lausanne: Abbaye du livre et Neuchâtel: Delachaux & Niestlé 1965.
Le Hardi chez les Vaudois, suivi de: *Trois hommes dans une Talbot*. Préface de J. Chessex. Nouvelle édition: Lausanne: Le Livre du mois 1970.

BUENZOD, Emmanuel
Musiciens. Etudes. Lausanne: Rouge 1945 et 1949.
Gens de rencontre. Nouvelles. Neuchâtel: La Baconnière 1958.

BUHLER, Jean
Blaise Cendrars, homme libre, poète au cœur du monde. Bienne: Panorama 1960.
Népal. Lausanne: Rencontre 1964.

BURGER, Anne-Marie
Présence de Genève. Essai. Neuchâtel: Le Griffon 1961 (Trésors de mon pays).
L'Arche de Noé. Roman. Neuchâtel: La Baconnière 1971.
Les naufrages de l'amour. Cinq affaires criminelles. Lausanne: Payot 1976 (Coll. Histoires d'ici).

BURNAT, Dominique
Le Mouroir. Nouvelles. Lausanne: Galland 1974.

BURNOD, Elisabeth
Les arrangeurs. Roman. Lausanne: Spes 1963.
Ornements pour la solitude. Roman. Lausanne: Spes 1964.
Le vent d'août. Roman. Bienne: Panorama 1970.
Le dimanche padouan. Roman. Bienne: Panorama 1976.

C

CENDRARS, Blaise
Œuvres complètes. 8 vols. Paris: Denoël 1960-1965.

Œuvres complètes. 16 vols. Paris: Club Français du Livre 1968-1971.

CHABLE, Jacques-Edouard
Le domaine des Obrets. Roman. Lausanne: Payot 1948 et Vulliens: Mon Village 1975.
Seigneurs de l'Atlas et rois du désert. Paris: Les Presses Universelles 1950 et 1962.

CHAPONNIÈRE, Paul
Billets genevois. Genève: Ed. du Journal de Genève 1958.

CHAPONNIÈRE, Pernette
Eau douce. Roman. Paris: Julliard 1957.
Au fil du temps... Feuilletons. Genève: Ed. du Journal de Genève 1961.
Toi que nous aimions. Roman. Paris: Julliard 1955 et Neuchâtel: La Baconnière 1965.

CHAPPAZ, Maurice
Les grandes journées de printemps. Nouvelle éd. Lausanne: CRV 1966.
Verdures de la nuit. Lausanne: Mermod 1945 et ib.: CRV 1966.
Testament du Haut-Rhône. Lausanne: Rencontre 1953 et ib.: CRV 1966.
Le Valais au gosier de grive. Nouvelle éd. Vevey: Galland 1975.
Chant de la Grande Dixence. Nouvelle éd. Vevey: Galland 1975.
Portrait des Valaisans en légende et en vérité. Nouvelle éd. Vevey: Galland 1976.
Office des morts. Lausanne: CRV 1966.
Tendres campagnes. Lausanne: CRV 1966.
Un homme qui vivait couché sur un banc, suivi de: *L'Apprentissage.* Lausanne: CRV 1966.
Le match Valais-Judée. Lausanne: CRV 1968.
La tentation de l'Orient. Une correspondance avec Jean-Marc Lovay. Lausanne: CRV 1970.
La Haute Route. Lausanne: Galland 1974.
Lötschental secret. Lausanne: Ed. 24 Heures 1975.
Les maquereaux des cimes blanches. Vevey: Galland 1976 (Collection jaune soufre).

CHAPPUIS, Albert-Louis
Les labours de l'espérance. Roman. Vulliens: Mon Village 1958.
La moisson sans grain. Roman. Vulliens: Mon Village 1959.
Que revienne le soleil... Roman. Vulliens: Mon Village 1967.

Le troupeau errant. Roman. Vulliens: Mon Village 1972.
Les foins sauvages. Roman. Vulliens: Mon Village 1973.
L'adopté. Roman. Vulliens: Mon Village 1977.

CHAPPUIS, Pierre
Le soleil couronne et diamant. Poèmes. Paris: Caractères 1957.
Ma femme ô mon tombeau. Moutier: Robert 1969.
Distance aveugle. Moutier: Robert 1974.
Michel Leiris. Essai. Paris: Seghers 1974 (Poètes d'aujourd'hui).
L'invisible parole. Premier: La Galerne 1977.

CHENEVIÈRE, Jacques
Campagne genevoise. Essai. Neuchâtel: Griffon 1950 (Trésors de mon pays).
Le bouquet de la mariée. Roman. Paris: Julliard 1955.
Retours et images. Lausanne: Rencontre 1966.
Daphné ou l'Ecole des sentiments. Nouvelles. Nouvelle éd. Lausanne: Rencontre 1969.

CHÉRIX, Robert-Benoît
Essai d'une critique intégrale: Commentaire des « Fleurs du Mal ». Genève: Cailler 1949.

CHERPILLOD, Gaston
Retour ni Consigne. Poèmes. Lausanne: Parisod s.d.
Ramuz ou l'alchimiste. Essai. Yverdon: Cornaz 1958.
Le chêne brûlé. Récit. Lausanne: Rencontre 1969.
Promotion Staline. Lausanne: La Cité 1970.
Alma Mater. Récit. Lausanne: L'Age d'Homme 1971.
Le gour noir. Récit. Lausanne: L'Age d'Homme 1972.
Les Avatars de Juste Palinod. Pièce. Lausanne: Eurêka 1973.
Le collier de Schanz. Roman. Lausanne: L'Age d'Homme 1975.
La bouche d'ombre. Récit. Lausanne: L'Age d'Homme 1977.

CHESSEX, Jacques
Le jour proche. Poèmes. Lausanne: Aux Miroirs partagés 1954.
Chant de Printemps. Poèmes. Genève: Jeune Poésie 1955.

215

Une voix la nuit. Poèmes. Lausanne: Mermod 1957.

La tête ouverte. Roman. Paris: Gallimard 1962.

Le jeûne de huit nuits. Poèmes. Lausanne: Payot 1966.

La confession du pasteur Burg. Récit. Nouvelle éd. Lausanne: Ex Libris 1977. Réédition, avec d'autres récits: Lausanne: Le Livre du mois 1970. Paris: Collection 10 × 18 1974.

Reste avec nous. Lausanne: CRV 1967.

Charles-Albert Cingria. Essai. Paris: Seghers 1967 (Poètes d'aujourd'hui).

Portrait des Vaudois. Nouvelle éd. Lausanne: Galland 1976.

Carabas. Lausanne: CRV et Paris: Grasset 1971.

Les saintes écritures. Critique. Lausanne: Galland 1972.

L'ogre. Roman. Paris: Grasset 1973.

L'ardent royaume. Roman. Paris: Grasset 1975.

Bréviaire. Lausanne: Galland 1976.

Elégie soleil du regret. Poèmes. Lausanne: Galland 1976.

Le séjour des morts. Nouvelles. Paris: Grasset 1977.

CHEVALLIER, Samuel

Rêve à ciel ouvert. Roman. Lausanne: NRL 1955.

L'impossible bonté. Lausanne: La Thune du Guay 1957.

CINGRIA, Charles-Albert

Œuvres complètes. 11 vols. Lausanne: L'Age d'Homme 1968-1977.

Correspondance générale. 3 vols. Lausanne: L'Age d'Homme 1975-1977.

CLAVIEN, Germain

Désert de mon âge. Poèmes. Lausanne: Payot 1961.

La montagne et la mer. Poèmes. Lausanne: L'Age d'Homme 1971.

Un hiver en Arvèche. Lausanne: L'Age d'Homme 1970 (Lettres à l'imaginaire, I.).

La saison des mirages. Lausanne: L'Age d'Homme 1971 (Lettres à l'imaginaire, II.).

L'air et la flûte. Roman. Lausanne: L'Age d'Homme 1972 (Lettres à l'imaginaire, III.).

Les filles. Sans lieu: La Douraine 1973 (Lettres à l'imaginaire, IV.).

Les moineaux de l'Arvèche. S.l.: La Douraine 1974 (Lettres à l'imaginaire V.).

Le Partage. S.l.: La Douraine 1976 (Lettres à l'imaginaire VI, VII.).

Châtaigne rouge. Souvenirs et portraits (Lettres à l'imaginaire, VIII.) S.l.: La Douraine 1977.

CLÉMENT, Pierre-Paul

Jean-Jacques Rousseau de l'éros coupable à l'éros glorieux. Neuchâtel: La Baconnière 1976 (Coll. Langages).

CLERC, Charly

L'âme d'un pays. Essais. Neuchâtel: Delachaux 1950.

Une patrie à faire. Conférences. Neuchâtel: Delachaux 1960.

COHEN, Albert

Le livre de ma mère. Souvenirs. Paris: Gallimard 1954.

Ezéchiel. Théâtre. Paris: Gallimard 1956.

Belle du Seigneur. Roman. Paris: Gallimard 1968.

O vous, frères humains. Paris: Gallimard 1972.

COLOMB, Catherine

Châteaux en enfance. Roman. Lausanne: Guilde du livre 1945.

Les esprits de la terre. Roman. Lausanne: Rencontre 1953. Réédit., suivi de: *La Valise.* Lausanne: Bibliothèque romande 1972.

Le temps des anges. Roman. Paris: Gallimard 1962.

Œuvres. Préface de G. Roud. Lausanne: Rencontre 1968.

CORDEY, Pierre

Madame de Staël et Benjamin Constant sur les bords du Léman. Lausanne: Payot 1966.

Madame de Staël ou le deuil éclatant du bonheur. Lausanne: Rencontre 1967.

CORNUZ, Jeanlouis

Jules Michelet. Genève: Librairie Droz.

Parce que c'était toi. Roman. Neuchâtel: La Baconnière 1966.

Les USA à l'heure du LSD. Lausanne: La Baconnière 1968.

Reconnaissance à Edmond Gilliard. Lausanne: L'Age d'Homme 1975.

Portraits sans réserves. Lausanne: Payot 1977 (Coll. Histoires d'ici).

Traduction:

Walter M. Diggelmann: *L'interrogatoire de*

Harry Wind. Roman. Lausanne: Rencontre 1963.

COURTHION, Pierre
Klee. Essai. Paris: Hazan 1953.
Georges Rouault. Paris: Flammarion 1962.
Georges Seurat. Paris: Cercle d'Art 1969.
Manet. Paris: Nouv. Ed. françaises 1974.

CRISINEL, Edmond-Henri
Poésies. Genève: Cailler 1950.
Poésies. Lausanne: Bibliothèque romande 1972.

CUNEO, Anne
Gravé au diamant. Lausanne: Rencontre 1967.
Mortelle maladie. Roman. Lausanne: Rencontre 1969.
La vermine. Lausanne: Cedips 1970.
Poussière du réveil. Récit. Lausanne: Galland 1972.
Le piano du pauvre. La vie de Denise Letourneur musicienne. Vevey: Galland 1975.
La machine fantaisie. Enquête sur le cinéma suisse. Vevey: Galland 1977.
Passage des panoramas. Vevey: Galland 1978.

CURCHOD, Alice
Les pieds de l'ange. Roman. Lausanne: Guilde du livre 1950.

CUTTAT, Jean
La corrida. Poèmes. Porrentruy: Malvoisins 1966.
Les couplets de l'oiseleur. Lausanne: CRV 1967.
Frère lai. Poèmes. Lausanne: CRV 1968.
Bravoure du mirliflore. Lausanne: CRV 1970.
Poèmes du chantier. Lausanne: CRV 1970.
A quatre épingles. Lausanne: CRV 1971.
Les chansons du mal au cœur. Nouvelle éd. Lausanne: CRV 1972.
Feu profond. Poèmes. Lausanne: CRV 1972.
Vive la mort. Lausanne: CRV 1972.
Lamento de l'oiseleur. Lausanne: CRV 1972.
Le Poète flamboyant. Lausanne: CRV 1972.
Noël d'Ajoie. Porrentruy: Pré Carré 1974.

D

DEBLUË, Henri
Force de loi. Pièce. Lausanne: La Cité 1959.
Le procès de la truie. Comédie. Lausanne: La Cité 1962.

L'alter ego. Pièce. Lausanne: Rencontre 1967.
La visite, suivi de *L'insecte.* Récits. Lausanne: Rencontre 1971.
Et Saint-Gingolph brûlait. Récit. Vevey: Galland 1977.
Traduction:
Aristophane: *Lysistrata.* En collab. avec J. Messmer. Lausanne: Rencontre 1951.

DELAY, Georges-Emile
Vertige sur le marais. Roman. Neuchâtel: La Baconnière 1956.
Journal d'un pasteur. Lausanne: Galland 1973.

DENTAN, Michel
C. F. Ramuz. L'espace de la création. Neuchâtel: La Baconnière 1974 (Coll. Langages).

DERIEX, Suzanne
Corinne. Roman. Lausanne: Rencontre 1961.
San Domenico. Roman. Neuchâtel: La Baconnière 1964.
L'enfant et la mort. Roman. Lausanne: Rencontre 1968.

DESHUSSES, Jérôme
La Gauche réactionnaire. Paris: Julliard 1969 (Coll. Libertés).

DEVAIN, Henri
Au jardin de ma tendresse. Poèmes. La Ferrière: Chante-Jura 1956.

DUBOUCHET, John
Personne ne connaît Julien. Roman. Paris: Laffont.
La moto de Pelrino. Roman. Paris: Laffont 1977.

E

EIGELDINGER, Marc
Terres vêtues de soleil. Poèmes. Neuchâtel: La Baconnière 1957.
Mémoire de l'Atlantide. Poèmes. Neuchâtel: La Baconnière 1961.
Jean-Jacques Rousseau et la réalité de l'imaginaire. Neuchâtel: La Baconnière 1962.
Alfred de Vigny. Essai. Paris: Seghers 1965.
La mythologie solaire dans l'œuvre de Racine. Neuchâtel: Secrétariat de l'Université 1969.
Poésie et métamorphoses. Essais. Neuchâtel: La Baconnière 1973.

F

FAVROD, Charles-Henri
Une certaine Asie de Hong-Kong à Tel-Aviv.
Neuchâtel: La Baconnière 1955.
Le poids de l'Afrique. Paris: Le Seuil 1958.
La Révolution algérienne. Paris: Plon 1959.
L'Afrique seule. Paris: Le Seuil 1961.
La faim des loups. Neuchâtel: La Baconnière
1961.

FELL, René
Dans l'été brûlant. Roman. Lausanne: Spes
1965.
Les idoles creuses. Roman. Bienne: Gassmann
1973.

FIECHTER, Jacques-René
Quarante chants d'arrière-automne. Poèmes.
Genève et Moutier: La Coulouvrenière et
La Prévôté 1962.

FOLLONIER, Jean
La nuit mauvaise. Lausanne: Payot 1946.
Valais d'autrefois. Neuchâtel: Attinger 1968.

FONTAINE, Anne
L'Oiseleur. Poèmes. Paris: Grasset 1954.
A comme Amour. Lausanne: Marguerat
1977.

FONTANET, Jean-Claude
Qui perd gagne. Roman. Neuchâtel: La Baconnière 1959.
Tu es le père. Roman. Neuchâtel: La Baconnière 1965.
La montagne. Roman. Paris: La Table ronde
1970.
L'effritement. Roman. Neuchâtel: La Baconnière 1975.
Mater dolorosa. Lausanne: L'Age d'Homme
1977.

FOSCA, François
Degas. Essai. Genève: Skira 1954.
Bilan du cubisme. Paris: Bibl. des Arts 1956.
*De Diderot à Valéry. Les écrivains et les arts vi-
suels.* Paris: Albin Michel 1960.

FOURNET, Charles
Poètes romantiques. Essais. Genève: Georg
1962.

FRANCILLON, Clarisse
Les meurtrières. Roman. Paris: Gallimard
1952.
Le quartier. Nouvelles. Lausanne: L'Abbaye
du livre 1958.

La lettre. Roman. Paris: P. Horay 1958.
Le désaimé. Roman. Lausanne: L'Abbaye du
livre 1959.
Le frère. Roman. Paris: Julliard 1963.
Le carnet à lucarnes. Roman. Paris: Denoël
1968.

FRANZONI, François
Choix de poèmes, dans: Renée Franzoni:
François Franzoni, poète et graphologue. Ge-
nève: Jullien 1972.

FROCHAUX, Claude
Le lustre du Grand-Théâtre. Paris: Le Seuil
1967.
Heidi ou le défi suisse. Lausanne: La Cité 1969.
Lausanne ou les sept paliers de la folie. Lau-
sanne: L'Age d'Homme 1970.

G

GABEREL, Henri
Prières pour la pluie. Poèmes. Lausanne: Mer-
mod 1956.
Le saisonnier. Poèmes. Lausanne: CRV 1971.
Traduction:
Homère, *Navigations d'Ulysse.* Lausanne:
Rencontre 1952.

GABUS, Jean
Au Sahara. 2 vols. Neuchâtel: La Baconnière 1954-1958.
*Art nègre. Recherche de ses fonctions et dimen-
sions.* Neuchâtel: La Baconnière 1967.

GAGNEBIN, Laurent
André Gide nous interroge. Lausanne: CRV
1961.
Albert Camus dans sa lumière. Lausanne:
CRV 1964.
Simone de Beauvoir ou le refus de l'indifférence.
Paris: Fischbacher 1968.
Quel Dieu? Lausanne: L'Age d'Homme
1971.
Connaître Sartre. Paris: Resma 1972.

GALLAND, Bertil
La Machine sur les Genoux. Portrait des Etat-
Unis à la fin du règne d'Eisenhower. Lau-
sanne: CRV 1960.
Les Yeux sur la Chine. Lausanne: 24 heures
1972.

GARDAZ, Emile
Frères comme ça. Dix histoires. Lausanne:
CRV 1970.

Saute-saison. Soixante-cinq escales pour retenir le temps. Lausanne: Centre social protestant 1976.

GARZAROLLI, Richard
Le grand nocturne. Lausanne: L'Age d'Homme 1967.
Les brigands du Jorat. Lausanne: L'Age d'Homme 1968.
Le tambour de la pauvre gloire. Lausanne: L'Age d'Homme 1970.

GAULIS, Louis
Capitaine Karagheuz. Chronique. Lausanne: Rencontre 1976.
Le serviteur absolu. Pièce. Lausanne: Rencontre 1967.
La Suisse insolite. Lausanne: Ed. Mondo 1971.
La fin d'une corvée de bois. Lausanne: L'Age d'Homme 1974.

GAVILLET, André
La littérature au défi. Aragon surréaliste. Neuchâtel: La Baconnière 1957.

GEHRI, Alfred
Sixième étage. Pièce. Nouv. éd. Genève: Cailler 1947.

GIAUQUE, Francis
Parler seul. Genève: Jeune Poésie 1959 et Porrentruy: Malvoisins 1969.
Terre de dénuement. Lausanne: Rencontre 1968.

GIGON, Fernand
Henri Dunant. Nouvelle éd. Paris: Gallimard 1960.
Etapes asiatiques. Lausanne: Vie 1953.
Chine en casquette. Paris: Del Duca 1956.
Multiple Asie. Paris: Arthaud 1958.
Apocalypse de l'atome. Paris: Del Duca 1958.
Guinée, Etat pilote. Paris: Plon 1959.
La Chine devant l'échec. Paris: Flammarion 1962.
Les Américains face au Vietcong. Paris: Flammarion 1965.
Dieux et fêtes d'Asie. Neuchâtel: Avanti 1975.

GILLES, (Jean Villard)
Chansons que tout cela. 90 chansons nues. Lausanne: Rencontre 1963.
Mon demi-siècle et demi. Lausanne: Rencontre 1970.

Le dernier mot. Poème. La Chaux-de-Cossonay: Parisod 1971.
La Venoge et autres poèmes. Lausanne: Verseau et Payot 1975.

GILLIARD, Edmond
Œuvres complètes, p.p. F. Lachenal, J. Descoullayes, A. Desponds, A. Wild. Genève: Trois Collines 1965.

GIRARD, Pierre
Genève. Textes et prétextes. Lausanne: Mermod 1946.
Le Gouverneur de Gédéon, suivi de *Charles dégoûté des beefsteaks.* Nouvelle éd. Lausanne: Livre du Mois 1971.
Lord Algernon. La rose de Thuringe. Nouv. éd. Lausanne: Bibliothèque romande 1971.

GODEL, Vahé
Que dire de ce corps? Poèmes. Paris: Ed. José Millas-Martin 1966.
Poètes à Genève et au-delà. Genève: Georg 1966.
Signes particuliers. Poèmes. Paris: Grasset 1969.
Cendres brûlantes. Proses. Lausanne: Rencontre 1970.
L'œil étant la fenêtre de l'âme. Paris: Grasset 1972.
Coupes sombres. Poèmes. Neuchâtel: La Baconnière 1974.
Voies d'eau. Poèmes. Paris: Arcam 1977.
Traductions:
Le chant du pain de Daniel Varoujan. Paris: Seghers 1959.
Poèmes d'amour de Nahabed Koutchak. Paris: Publications orientalistes de France 1974.
La nouvelle poésie de l'Arménie soviétique. Paris: Publ. orientalistes de France 1977.

GOELDLIN, Michel
Les sentiers obliques. Roman. Lausanne: Galland 1972.
Le vent meurt à midi. Roman. Vevey: Galland 1976.
Juliette crucifiée. Roman. Vevey: Galland 1977.

GONSETH, Ferdinand
Le problème du temps. Essai. Neuchâtel: Le Griffon 1964.
Les mathématiques et la réalité. Essai. Nouvelle éd. Paris: Blanchard 1974.

219

GRAVEN, Jean
La pensée non humaine. Paris: Retz 1963.

GRÉGOIRE, Hélène
Poignée de Terre. Neuchâtel: La Baconnière 1964.
La Jiarde et autres contes. Neuchâtel: La Baconnière 1968.

GROBÉTY, Anne-Lise
Pour mourir en février. Roman. Nouvelle éd. Vevey: Galland 1975.
Zéro positif. Roman. Vevey: Galland 1975.

GUEX, André
Barrages. Essai. Lausanne: Rencontre 1956.
Altitudes. Lausanne: Marguerat 1957.
Corse. Essai. Lausanne: Marguerat 1957.
Finlande. Lausanne: Rencontre 1965.
Forêt. Neuchâtel: Le Griffon 1966.
De l'eau, du vent, des pierres. Lausanne: CRV 1969.
Le demi-siècle de Maurice Troillet. Essai sur l'aventure d'une génération. 3 vol. Martigny: Pillet 1971. (Bibliotheca Vallesiana).
Valais naguère. Lausanne: Payot 1971.
Mémoires du Léman. Lausanne: Payot 1975.
Sous le signe des poissons. Lausanne: Payot 1975.

GUEX-ROLLE, Henriette
Au Creux des Mains. Poèmes. Genève: Trois Collines 1951
Le verbe être. Poèmes. Lausanne: Rencontre 1956.
Rhône. Lausanne: Marguerat 1956.
Dédié aux vautours. Roman. Lausanne: Rencontre 1965.
Traductions:
Herman Melville. *Billy Budd.* Lausanne: Guilde du Livre 1960 (Coll. La Petite Ourse).
Charlotte Brontë. *Jane Eyre.* Lausanne: Rencontre 1960.
Emily Brontë. *Wuthering Heights.* Lausanne: Rencontre 1968.
Anne Brontë. *La dame du château de Wildfell.* Lausanne: Rencontre 1969.
Herman Melville. *Moby Dick.* Genève: Cercle des Bibliophiles et Paris: Garnier 1970.

GUISAN, Gilbert
C. F. Ramuz ou le génie de la patience. Genève: Droz 1958.

C. F. Ramuz. Paris: Seghers 1966 (Poètes d'aujourd'hui).
C. F. Ramuz, ses amis et son temps. 6 vols. Lausanne et Paris: Bibliothèque des arts 1967-1970.

GUYOT, Charly
La vie intellectuelle et religieuse en Suisse française à la fin du XVIIIe s.: H.-D. de Chaillet. Neuchâtel: La Baconnière 1946.
Diderot par lui-même. Paris: Le Seuil 1953.
Le rayonnement de l'Encyclopédie en Suisse française. Neuchâtel: Secrétariat de l'Université 1955.
De Rousseau à Marcel Proust. Essais. Neuchâtel: Ides et Calendes 1968.

H

HALDAS, Georges
Les Poètes malades de la peste. Essai. Paris: Seghers 1954.
La peine capitale. Poèmes. Lausanne: Rencontre 1957.
Le pain quotidien. Poèmes. Lausanne: Rencontre 1960.
Corps mutilé. Poèmes. Lausanne: Rencontre 1962.
Le Royaume (Gens qui soupirent, quartiers qui meurent). Chronique. Neuchâtel: La Baconnière 1963.
Boulevard des Philosophes. Chronique. Lausanne: Rencontre 1966.
Sans feu ni lieu. Poèmes. Lausanne: Rencontre 1968.
Jardin des Espérances. Chroniques. Lausanne: Rencontre 1969.
La maison en Calabre. Chronique. Lausanne: Rencontre 1970.
Chute de l'Etoile absinthe. Récit. Paris: Denoël 1972.
Chronique de la rue Saint-Ours. Paris: Denoël 1973.
Passion et mort de Michel Servet. Chronique historique et dramatique. Lausanne: L'Age d'Homme 1975.
A la recherche du rameau d'or. Chroniques. Lausanne: L'Age d'Homme et Paris: Bourgois 1976.
Funéraires. Poèmes. Lausanne: L'Age d'Homme 1976.
La légende des cafés. Lausanne: L'Age d'Homme 1976.

Traductions:
Anacréon: *Poèmes et fragments.* Lausanne: Rencontre 1950.
Catulle: *Poèmes d'amour.* Lausanne: Rencontre 1954.
Umberto Saba: *Vingt et un poèmes.* Lausanne: Rencontre 1962.
HEINZELMANN, Alice
Saisons. Poèmes en prose. Zurich: Coll. L'Arc-en-Ciel 1971.
HERCOURT, Jean
Pour mémoire. Poèmes. Paris: Seghers 1954.
Ecrans. Poèmes. Genève: Club du poème 1961.
Matière friable. Poèmes. Lausanne: Rencontre 1968.
HERSCH, Jeanne
L'être et la forme. Neuchâtel: La Baconnière 1946.
Idéologies et réalité. Essai d'orientation politique. Paris: Plon 1956.
Temps alternés. Roman. Nouvelle éd. Vevey: Galland 1976.
HUMBERT-DROZ, Jules
L'œil de Moscou à Paris. Paris: Julliard 1964.
L'origine de l'Internationale communiste. Neuchâtel: La Baconnière 1968.
Mémoires. Tomes I-IV. Neuchâtel: La Baconnière 1969-1974.

I

IMER, André
Le cadran lunaire. Poésies. La Neuveville: La Tour de Rive 1972.
Rupture de ban. Lausanne: L'Age d'Homme 1974.

J

JACCARD, Roland
L'exil intérieur. Paris:Puf.
Freud. Jugements et témoignages. Paris: Puf.
JACCOTTET, Philippe
L'effraie et autres poésies. Paris: Gallimard 1953.
La promenade sous les arbres. Proses. Lausanne: Mermod 1957.
L'ignorant. Poèmes 1952-1956. Paris: Gallimard 1957.
L'obscurité. Récit. Paris: Gallimard 1961.
Eléments d'un songe. Proses. Paris: Gallimard 1961.

La semaison. Carnets 1954-1962. Lausanne: Payot 1963. Id., *Carnets 1954-1967.* Paris: Gallimard 1971.
Airs. Poèmes. Paris: Gallimard 1967.
L'entretien des Muses. Chroniques de poésie. Paris: Gallimard 1968.
Gustave Roud. Essai. Paris: Seghers 1968
Leçons. Poème. Lausanne: Payot 1969.
Rilke par lui-même. Paris: Le Seuil 1970.
Paysages avec figures absentes. Paris: Gallimard 1970.
Poésie 1946-1967. Paris: Gallimard 1971
A la lumière d'hiver. Poèmes. Paris: Gallimard
Chants d'en bas. Lausanne: Payot 1974.
Journées (La Semaison II). Carnets 1968-1975. Lausanne: Payot 1977.
Traductions. Notamment:
Robert Musil: *L'homme sans qualités.* Tomes I-IV. Paris: Le Seuil 1957s.
Hölderlin: *Hyperion.* Paris: Mercure de France 1965.
JAQUILLARD, Claude
Requiem pour une révolution perdue. Lausanne: L'Aire 1978.
JAQUILLARD, Pierre
Matière et présence. Sur quelques jades archaïques de Chine. Essai: Ides et Calendes 1974.
JEANNERET, Edmond
La poésie servante de Dieu. Essai. Genève: CPE 1946.
Le soupir de la création. Poèmes. Neuchâtel: La Baconnière 1951.
Matin du monde. Poèmes. Neuchâtel: La Baconnière 1953.
Les rideaux d'environ. Neuchâtel: Ides et Calendes 1961.
JORAY, Marcel
Coghuf. Monographie. La Neuveville: Le Griffon 1951.
Jean-François Comment. Monographie. La Neuveville: Le Griffon 1954.
Visages du Jura. Neuchâtel: Le Griffon 1954
La sculpture moderne en Suisse. 3 vols. Neuchâtel: Le Griffon 1955-1967.
Théodore Bally. Monographie. Neuchâtel: Le Griffon 1964.
Vasarely. Neuchâtel: Le Griffon 1976.

221

JOST, François
La Suisse dans les lettres françaises au cours des âges. Fribourg: Ed. Universitaires 1956.
Rousseau et la Suisse. Neuchâtel: Le Griffon 1962.
Essais de littérature comparée. I. Helvetica. Fribourg: Ed. Universitaires 1964.
Essais de littérature comparée. II. Europeana, Ire série. Fribourg: Ed. Universitaires 1968.

JOTTERAND, Franck
Georges Ribemont-Dessaignes. Essai. Paris: Seghers 1968 (Poètes d'aujourd'hui).
Le nouveau théâtre américain. Paris: Le Seuil 1970.

JUNOD, Jean-Michel
Le blé de la mer. Roman. Neuchâtel: La Baconnière 1958.
Si la tour m'appelle. Roman. Neuchâtel: La Baconnière 1959.
La poudre d'escampette. Roman. Genève: Perret-Gentil 1965.
Archipel. Roman. Genève: Perret-Gentil.
Pindari. Roman. Genève: Perret-Gentil 1976.

JUNOD, Roger-Louis
Parcours dans un miroir. Roman. Paris: Gallimard 1962.
Une ombre éblouissante. Lausanne: L'Age d'Homme 1968.

K

KUENZI, André
Marcel Poncet. Essai. Neuchâtel: Le Griffon 1953.
Charles Chinet (avec G. Borgeaud, A. Champ). Lausanne: Verseau 1977.

KUÈS, Maurice
Tolstoï vivant. Genève: Mont-Blanc 1945.

KUFFER, Jean-Louis
O terrible, terrible jeunesse! Cœur vide! Lausanne: L'Age d'Homme 1973.

KUTTEL, Mireille
La parenthèse. Roman. Lausanne: Spes 1959.
Au bout du compte. Roman. Lausanne: Spes 1961.
Les cyclopes. Roman. Lausanne: Spes 1965.
L'oiseau-sésame. Roman. Bienne: Panorama 1970.

L

LAEDERACH, Monique
L'étain la source. Poèmes. Lausanne: Rencontre 1970.
Pénélope. Poème. Lausanne: Rencontre 1971.
J'habiterai mon nom. Poèmes. Lausanne: L'Age d'Homme 1977.

LANDRY, Charles-François
Garcia. Roman. Rolle: Eynard 1947 et Lausanne: Le Livre du mois 1971.
Les grelots de la mule. Roman. Rolle: Eynard 1948.
Domitienne. Roman. Rolle: Eynard 1949.
Reine. Roman. Rolle: Eynard 1948 et Paris: Flammarion 1950.
La Devinaize. Lausanne: Guilde du Livre 1950 et Paris: Flammarion 1951.
Chambre noire. Poésies. Paris: Seghers 1952.
Suza. Roman. Paris: Flammarion 1955.
Charles, dernier Duc de Bourgogne. Roman. Lausanne: Guilde du Livre et Ed. Clairefontaine 1960.
Le Téméraire, dernier Duc de Bourgogne. Roman. Lausanne: Rencontre 1966.

LANGENDORF, Jean-Jacques
Un débat au Kurdistan. Roman. Lausanne: L'Age d'Homme 1969.
Eloge funèbre du Général de Lignitz. Récit. Lausanne: L'Age d'Homme 1973.

LAUBSCHER, Jean-Pierre
La Dixence cathédrale. Roman. Lausanne: Grand-Pont 1970.

LE CORBUSIER
Architecture du bonheur. L'urbanisme est une clef. Paris: Presses d'Ile-de-France 1955.
Le poème de l'angle droit. Paris: Tériade 1955.
Quand les cathédrales étaient blanches. Nouvelle éd. Paris et Genève: Gonthier 1965.

L'EPLATTENIER, Gérald
La colère d'Achille. Poésie. Genève: Perret-Gentil 1968.
A l'aube, une duchesse de la rue. Prose. Lausanne: L'Age d'Homme 1972.

LIÈGME, Bernard
Les murs de la ville. Pièce. Lausanne: La Cité 1961.
Le soleil et la mort. Pièce; Lausanne: La Cité 1966.

Théâtre complet. Tome I. Lausanne: La Cité 1972.

Tandem. Pièce. Lausanne: L'Age d'Homme 1976.

Lossier, Jean-Georges
Chansons de misère. Poésies. Paris: Seghers 1952.

Lovay, Jean-Marc
La tentation de l'Orient. Lettres (avec M. Chappaz). Lausanne: CRV 1970.
Les régions céréalières. Roman. Paris: Gallimard 1976.

Lucas, Gérald
Les lions dans la ville. Roman. Genève: Le Pavé 1962.
Le chant des éboueurs. Roman. Neuchâtel: La Baconnière 1968.
Les médiocrates. Nouvelles. Genève: Ed. de la Louve 1974.

M

Maillart, Ella
Croisières et caravanes. Neuchâtel: La Baconnière 1951.
Oasis interdites. Nouvelle Ed. Lausanne: Le Livre du mois 1971.

Marat, Janine
Le beau monstre. Roman. Paris: Julliard 1953.
Le mage. Roman. Paris: Julliard 1955.

Marsaux, Lucien
Le chant du cygne noir. Roman. Bienne: Chandelier 1947.
Le bois de pins. Contes. Neuchâtel: Messeiller 1950.
Les incroyables ou Les sursauts de l'honneur. Roman. Neuchâtel: Messeiller 1952.
Suite mérovingienne. Essai. Neuchâtel: Messeiller 1958.

Martin, Jean-Georges
La Roue. Paris: Ed. Saint-Germain-des-Prés 1975.

Martin, Vio
L'enchantement valaisan. Poèmes en prose. Lausanne: Perspectives 1950.
Terres noires. Poèmes en prose. Lausanne: Rencontre 1959.
Visages de la flamme. Poèmes. Neuchâtel: La Baconnière 1963.

Grave et tendre voyage. Poèmes. Neuchâtel: La Baconnière 1969.
Le chant des coqs. Poèmes. Neuchâtel: La Baconnière 1973.

Matter, Jean
Bach éternel. Essai. Genève: Kister 1953.
Honegger ou la quête de joie. Essai. Lausanne: Foetisch 1956.
Parsifal ou le Pays romand. Roman. 2 vols. Neuchâtel: La Baconnière 1969.
Les saisons de la musique. Essai. Lausanne: L'Age d'Homme 1969.
Connaissance de Mahler. Lausanne: L'Age d'Homme 1974.

Matthey, Pierre-Louis
Aux jardins du père. Elégie. Genève: Cailler 1949.
Muse anniversaire. Poésies. Lausanne: Mermod 1955.
Poésies complètes. Lausanne: CRV 1968.
Traductions:
Un bouquet d'Angleterre. Poésies. Lausanne: Mermod 1946.
Shakespeare: *Roméo et Juliette.* Lausanne: Mermod 1947.

Mauroux, Jean-Baptiste
Du bonheur d'être Suisse sous Hitler. Paris: Pauvert 1968.
Glas Martre. Récit. Lausanne: L'Age d'Homme 1969.

Menthonnex, Rudolph
Hors jeu. Lausanne: La Cité 1962.
Bod Boddit. Roman. Lausanne: Rencontre 1970.
Mammy Lorry. Roman. Lausanne: Rencontre 1972.
Maffëi. Moutier: Ed. Prévôté, 1978.

Mercanton, Jacques
Poètes de l'univers. Essais. Genève: Skira 1947.
Le soleil ni la mort. Roman. Lausanne: Guilde du Livre 1948.
Christ au désert. Nouvelles. Neuchâtel: La Baconnière 1948.
La joie d'amour. Roman. Lausanne: Guilde du Livre 1951.
Celui qui doit venir. Nouvelles. Lausanne: Guilde du Livre 1956.

De peur que vienne l'oubli. Roman. Lausanne: Guilde du Livre 1962.
Les châteaux magiques de Louis II. Essai. Lausanne: Guilde du Livre 1963.
Les heures de James Joyce. Essai. Lausanne: L'Age d'Homme 1967.
Racine. Essai. Paris et Bruges: Desclée de Brouwer 1966.
La Sibylle. Récits italiens. Lausanne: Guilde du Livre 1967.
L'Eté des Sept-Dormants. Roman. Lausanne: Galland 1974.

MÉTRAL, Maurice
Le chemin des larmes. Roman. Paris: Debresse 1956.
La Suisse et ses illustres visiteurs. Neuchâtel: Nouvelle Bibliothèque 1963.
L'avalanche. Roman. Bienne: Panorama 1966.
La vallée blanche. Roman. Bienne: Panorama 1969.
Les destinées exceptionnelles. Essais. Neuchâtel: Nouvelle Bibliothèque 1969.
Les hauts cimetières. Roman. Bienne: Panorama 1970.
Les racines de la colère. Roman. Vulliens: Mon Village 1971.
Les vipères rouges. Roman. Sion: La Matze 1972.
La cordée de l'espoir. Roman. Sion: La Matze 1973.
Le carrefour des offensés. Roman. Sion: La Matze 1974.
Le soleil que tu nous as donné. Roman. Paris: Hachette 1975.
Un jour de votre vie. Roman. Sion: La Matze 1976.
Toi ou personne. Roman. Sion: La Matze 1977.

MICHELOUD, Pierrette
Le feu des ombres. Poèmes. Lausanne: Rivières 1950.
L'enfant de Salmacis. Poèmes. Paris: Debresse 1963.
Tout un jour, toute une nuit. Poésie. Neuchâtel: La Baconnière 1974.

MONNIER, Jean-Pierre
L'amour difficile. Roman. Paris: Plon 1953.
La clarté de la nuit. Paris: Plon 1956 et Lausanne: Le Livre du mois 1970.

Les algues du fond. Roman. Paris: Plon 1960.
La terre première. Roman. Neuchâtel: La Baconnière 1965.
L'âge ingrat du roman. Essai. Neuchâtel: La Baconnière 1967.
L'arbre un jour. Roman. Lausanne: CRV 1972.
L'allégement. Récit. Vevey: Galland 1975.

MOUCHET, Charles
Dix-sept poèmes à la craie. Genève: Jeune Poésie 1955.
Débris. Poésies. Genève: Jeune Poésie 1958.
Morte ou vive. Essai poétique. Lausanne: Rencontre 1969.
Marches. Récit. Lausanne: Rencontre et Paris: Saint-Germain des Prés 1973.
Arabesques I. Roman. Lausanne: Rencontre 1975.
Le sens. Recherche. Poésie. Paris: L'Athanor 1977.

MOULIN, Jean-Pierre
Retourne-toi sur l'ange. Roman. Paris: Laffont 1961.
J'aime le music-hall. Lausanne: Rencontre 1962.
Comment peut-on ne pas être Français? La France vue par un Suisse. Paris: Lattès 1975.

MULLER, Philippe
Vingt ans de présence politique. Neuchâtel: La Baconnière 1974.
Prévision et amour. Lausanne: L'Age d'Homme 1977.

N

NICOLE Georges
Poésie. Lausanne: Carrérouge 1961 et Vevey: Galland 1974.

NICOLET, Arthur
L'œil de bronze. Aventures d'un légionnaire. Lausanne-Paris: L'Echiquier 1946.
Mektoub. Roman argotique de la Légion étrangère. S.l.: Antipodes 1948.
Du haut de ma potence. Chroniques. Delémont: Jura libre 1961.
Les poèmes d'Arthur Nicolet. Delémont: Bibliothèque Jurassienne 1962.

NICOLLIER, Jean
René Morax, poète de la scène. Théâtre du Jo-

rat et plateaux romands. Bienne: Panorama 1958.
Les horizons enflammés. Roman. Neuchâtel: La Baconnière 1959.
Châteaux vaudois. Essai. Neuchâtel: Le Griffon 1964 (Trésors de mon pays).

O

ODIER, Daniel
Entretiens avec William Burroughs. Paris: Belfond 1969.
Les sculptures tantriques du Népal. Monaco: Ed. du Rocher 1970.
Les mystiques orientales (avec M. de Smedt). Paris: Denoël 1972.
Nuit contre nuit. Poèmes. Paris: P. J. Oswald 1972.
Le voyage de John O'Flaherty. Roman. Paris: Le Seuil 1972.
Nirvana Tao, techniques de méditation. Paris: Laffont 1974.
La voie sauvage. Roman. Paris: Le Seuil 1974.

OFAIRE, Cilette
L'étoile et le poisson. Nouvelles. Lausanne: Guilde du Livre 1949.
Un jour quelconque. Roman. Paris: Stock 1956.
La place ou Les rigueurs d'Adèle. Roman. Paris: Julliard 1961.

OLTRAMARE, Georges
La peur de se mouiller. Souvenirs. Genève: chez l'auteur 1955.
Les souvenirs nous vengent. Genève: L'autre son de cloche 1956.

ORMOND, Jacqueline
Transit. Roman. Paris: Gallimard 1966.
Après l'aube. Récit. Lausanne: Rencontre 1970.

OSIRIS, Jean
Les ailes de l'aube. Suivi de: *Elégies océaniques.* Lausanne: Ed. Sans Frontières 1977.

OTTINO, Georges
L'ombre et la proie. Roman. Paris: Gallimard 1955.
Oisive jeunesse. Roman. Paris: Gallimard 1956.
Le fils unique. Roman. Paris: Gallimard 1958.

P

PACHE, Jean
Poèmes de l'autre. Paris: Gallimard 1960.
Analogies. Poèmes. Neuchâtel: La Baconnière 1966.
Repères. Poèmes 1962-1966. Lausanne: Rencontre 1969.
Rituel. Poèmes 1966-1969. Lausanne: Rencontre 1971.
Anachroniques. Récit. Lausanne: Rencontre 1973.
L'œil cérémonial Poèmes 1970-1974. Lausanne: Rencontre 1975.

PATOCCHI, Pericle
Vingt poèmes. Milano: Cheiwiller 1948.
L'Ennui du Bonheur. Poésies. Paris: Mercure de France 1952.
Gris beau gris. Paris: Seghers 1954.
Pure perte. Poésies. Paris: Mercure de France 1959.
Horizon vertical. Lausanne: Rencontre 1968.

PÉCLARD, Luce
Comprendre. Poèmes. Genève: Perret-Gentil 1966.
Le veilleur d'aurores. Poèmes. Perret-Gentil 1969.

PEIRY, Alexis
L'or du pauvre. Lausanne: Rencontre 1968.

PELLATON, Jean-Paul
Cent fleurs et un adjudant. Nouvelles. La Neuveville: Le Griffon 1953.
Le visiteur de brume. Récit. Neuchâtel: La Baconnière 1960.
Vitraux du Jura. Textes réunis et présentés sous la dir. de J.-P. P. Moutier: Pro Jura 1968.
Les prisons et leurs clés. Nouvelles. Lausanne: L'Age d'Homme 1973.

PERRELET, Olivier
Aphrosyne ou l'autre rivage. Paris: Mercure de France 1967.
Les petites filles criminelles. Contes. Paris: Mercure de France 1967.
L'issue du miroir. Suivi de: *Le lierre.* Récits. Paris: Mercure de France 1968.
Terre novale. Poèmes. Paris: Mercure de France 1969.

PERRIER, Anne
Selon la nuit. Poèmes. Lausanne: Les amis du livre 1952.
Pour un vitrail. Poèmes. Paris: Seghers 1955.
Le voyage. Poèmes. Neuchâtel: La Baconnière 1958.
Le petit pré. Poèmes. Lausanne: Payot 1960.
Le temps est mort. Poèmes. Lausanne: Payot 1967.
Lettres perdues. Lausanne: Payot 1971.
Feu les oiseaux. Lausanne: Payot 1975.

PERRIN, Hélène
La fille du pasteur. Roman. Paris: Gallimard 1965 et Lausanne: Livre du mois 1969.
La route étroite. Roman. Paris: Gallimard 1967 et Lausanne: Livre du mois 1969 (avec *La fille du pasteur*).

PERROCHON, Henri
De Rousseau à Ramuz. Essais. Bienne: Panorama 1966.
Portraits et silhouettes du passé vaudois, 1706-1897. Lausanne: Spes 1969.
Esquisses et découvertes. Genève: Perret-Gentil 1971.

PESTELLI, Lorenzo
Le long été. 2 vol. Lausanne: CRV 1970-1971.
Piécettes pour un paradis baroque. Lausanne: L'Age d'Homme 1975.

PIAGET, Jean
La formation du symbole chez l'enfant. Neuchâtel et Paris: Delachaux et Niestlé 1945.
Etudes sur la logique de l'enfant. 2 vols. Neuchâtel: Delachaux et Niestlé 1967-1968.
Biologie et connaissance. Essai. Paris: Gallimard 1967.
Le structuralisme. Paris: PUF 1968.
L'épistémologie génétique. Paris: PUF 1970.
Epistémologie des sciences de l'homme. Paris: Gallimard 1972.
La construction du réel chez l'enfant. Septième éd. Neuchâtel et Paris: Delachaux et Niestlé 1977.

PICHARD, Alain
Vingt Suisses à découvrir. Portrait des cantons alémaniques, des Grisons et du Tessin. Lausanne: 24 Heures 1975.
La Romandie n'existe pas. Six portraits politiques: Fribourg, Genève, Jura, Neuchâtel, Valais, Vaud. Lausanne: 24 Heures 1978.

PIDOUX, Edmond
Lady Godvine ou Le marché de Coventry. Comédie. Genève: Meyer 1958 (Le Mois théâtral).
Une chance du diable. Comédie. Lausanne: L'Ale 1964.
Le château de Chillon. Essai. Neuchâtel: Le Griffon 1975 (Trésors de mon pays).
Une île nommée Newbegin. Neuchâtel: La Baconnière 1977.

PIGUET, Marie-José
Reviens ma douce. Roman. Lausanne: Galland 1974.

PINGET, Robert
Entre Fantoine et Agapa. Roman. Paris: Ed. de Minuit 1951, 1966.
Graal Flibuste. Roman. Paris: Ed. de Minuit 1956 et Coll. 10 × 18, 1963.
Le fiston. Roman. Paris: Ed. de Minuit 1959.
Clope au dossier. Roman. Paris: Ed. de Minuit 1961.
L'inquisitoire. Paris: Ed. de Minuit 1962 et Coll. 10 × 18, 1971.
Quelqu'un. Roman. Paris: Ed. de Minuit 1965.
Passacaille. Roman. Paris: Ed. de Minuit 1969.
Paralchimie. Suivi de: *L'architruc, L'hypothèse, Nuit.* Pièces de théâtre. Paris: Ed. de Minuit 1973.
Cette voix. Roman. Paris: Ed. de Minuit 1975.

PIROUÉ, Georges
Par les chemins de Marcel Proust. Essai. Neuchâtel: La Baconnière 1954.
Mûrir. Récit. Paris: Denoël 1958.
Les limbes. Roman. Paris: Denoël 1959.
Ariane ma sanglante. Nouvelles. Paris: Denoël 1961.
Une si grande faiblesse. Roman. Paris: Denoël 1965.
Ces eaux qui ne vont nulle part. Nouvelles. Lausanne: Rencontre 1966.
Pirandello. Essai. Paris: Denoël 1967.
La façade et autres miroirs. Nouvelles. Paris: Denoël 1969.
Le réduit national. Roman. Paris: Denoël 1970.
La surface des choses. Chronique. Lausanne: Rencontre 1970.
Cesare Pavese. Essai. Paris: Seghers 1976.

PRESTRE, Willy-A.
La piste des troupeaux. Neuchâtel: La Baconnière 1947.
Cordée sans corde. Roman. Neuchâtel: La Baconnière 1956.
La croisière de l'étoile. Roman. Neuchâtel: La Baconnière 1960.
Le roman de la vie. Neuchâtel: La Baconnière 1970.

PY, Albert
La nuit sur la ville. Poèmes. Genève: Jeune Poésie 1956.
Les mythes grecs dans la poésie de Victor Hugo. Genève: Droz 1963.
L'homme rouge et son ombre cheval. Poèmes. Neuchâtel: La Baconnière 1966.
Pietà. Poèmes. Neuchâtel: La Baconnière 1973.

R

RAMUZ, Charles Ferdinand
Œuvres complètes. Edition commémorative. 20 vols. Lausanne: Rencontre 1967-1968. Id. en 5 vols. Ib. 1973.
Lettres 1900-1918. Lausanne: Guilde du Livre 1956.
Lettres 1919-1947. Etoy: Les Chantres 1959.

RAYMOND, Marcel
Paul Valéry et la tentation de l'esprit. Neuchâtel: La Baconnière 1945, 1964.
De Baudelaire au surréalisme. Ed. nouvelle revue et remaniée. Paris: Corti 1947.
Baroque et Renaissance poétique. Paris: Corti 1955.
Jean-Jacques Rousseau. Paris: Corti 1962.
Vérité et poésie. Etudes. Neuchâtel: La Baconnière 1964.
Senancour. Sensations et révélations. Paris: Corti 1965.
Poèmes pour l'Absente. Lausanne: Rencontre 1966.
Le sel et la cendre. Récit. Lausanne: Rencontre 1970.
Etre et dire. Etudes. Neuchâtel: La Baconnière 1970.
Mémorial. Paris: Corti 1971.
Etudes sur Jacques Rivière. Paris: Corti 1972.
Souvenirs d'un enfant sage. Lausanne: L'Age d'Homme 1976.
Le trouble et la présence. Pages de Journal *1950-1957*. Lausanne: L'Age d'Homme 1977.
Albert Béguin-Marcel Raymond: *Lettres 1920-1975*. Lausanne: Bibl. des arts 1976.

RÉAL, Grisélidis
Le noir est une couleur. Roman. Paris: Balland 1974.

RENAUD-VERNET, Odette
Récits des peuples sauvages. Paris: Corti 1966.
Les temps forts. Récit. Lausanne: Rencontre 1974.

RENFER, Werner
Œuvres. 3 vols. Porrentruy: Société jurassienne d'émulation 1958.

REYMOND, Marie-Louise
Hors du jeu. Roman. Genève: Jeheber 1950.
La cloche de bois. Roman. Neuchâtel: La Baconnière 1956.

REYNOLD, Gonzague de
Cités et Pays suisses. Nouvelle éd. Lausanne: Payot 1948.
La formation de l'Europe. Tomes I-VII. Fribourg: Egloff et Paris: Plon 1944-1957.
Fribourg et le monde. Neuchâtel: La Baconnière 1957.
Mes mémoires. 3 vols. Genève: Ed. générales 1960-1963.
Le génie de Berne et l'âme de Fribourg. Nouvelle éd. Lausanne: Bibliothèque romande 1973.

RICHARD, Hugues
Le soleil délivré. Poèmes. Lausanne: Rencontre 1961.
La vie lente. Poèmes. Moutier: Robert 1965.
La saison haute. Poème. Lyon: Henneuse 1971.
Ici. Poèmes 1970-1973. Lausanne: Rencontre 1975.

RIVAZ, Alice
Comme le sable. Roman. Paris: Julliard 1946.
La paix des ruches. Roman. Fribourg: Egloff 1947 et Lausanne: Le Livre du mois 1970.
Sans alcool. Nouvelles. Neuchâtel: La Baconnière 1961.
Comptez vos jours... Prose. Paris: Corti 1966 et Lausanne: Le Livre du mois 1970 (avec *La Paix des ruches*).
Le creux de la vague. Roman. Lausanne: Rencontre 1967.

L'alphabet du matin. Récit. Lausanne: Rencontre 1969.

De mémoire et d'oubli. Récits. Lausanne: Rencontre 1973.

ROGER, Noelle
Au seul de l'invisible. Nouvelles. Neuchâtel: Attinger 1949.

ROLLAN, Jack
Petit maltraité d'histoires suisses. Lausanne: Thune du Guay 1950.

Que reste-t-il de ces Bonjour? Genève: Sonor 1970.

Or donc... rebonjour(s)! Genève: Sonor 1972.

ROUD, Gustave
Ecrits. 2 vols. Lausanne: Mermod 1950.

Le repos du cavalier. Poésie. Lausanne: Bibliothèque des Arts 1958.

Requiem. Lausanne: Payot 1967.

Campagne perdue. Lausanne: Bibliothèque des Arts 1972.

Traductions:
R. M. Rilke: *Lettres à un jeune poète*. Lausanne: Mermod 1945.

Novalis: *Les disciples de Saïs. Hymnes à la nuit. Journal*. Lausanne: Mermod 1948 (Réédition des *Hymnes à la nuit*: Albeuve: Castella 1966).

Hölderlin: *Œuvres*. Paris: Gallimard 1967 (Bibl. de la Pléiade, collaboration).

Albert Béguin-Gustave Roud: *Lettres sur le Romantisme allemand*. Lausanne: Etudes de lettres 1974.

Haut-Jorat. Lausanne: Payot 1978.

A paraître:
Ecrits III et IV. Journal. Réédition des traductions. La critique littéraire. La critique d'art.

ROUGEMONT, Denis de
Lettres sur la bombe atomique. Paris: Gallimard 1946.

Suite neuchâteloise. Récit. Neuchâtel: Ides et Calendes 1948.

Journal des deux mondes. Lausanne: Guilde du Livre 1946 et Paris: Gallimard 1948.

Lettres aux députés européens. Neuchâtel: Ides et Calendes 1950.

L'aventure européenne de l'homme. Paris: A. Michel 1957.

L'amour et l'Occident. Nouvelle éd. Paris: Coll. 10 × 18, 1964; éd. définitive 1972.

Vingt-huit siècles d'Europe. Paris: Payot 1961.

Les chances de l'Europe. Neuchâtel: La Baconnière 1962.

Le Suisse ou l'histoire d'un peuple heureux. Paris: Hachette 1965 et Lausanne: Le Livre du mois 1969.

Journal d'une époque. Paris: Gallimard 1968.

Lettre ouverte aux Européens. Paris: A. Michel 1970.

L'un et le divers. Neuchâtel: La Baconnière 1970.

Les méfaits de l'instruction publique. Nouvelle éd. Lausanne: Eurêka 1972.

L'avenir est notre affaire. Paris: Stock 1977.

ROULET, Claude
Traité de poétique supérieure. Neuchâtel: Messeiller 1956.

ROUSSET, Jean
La littérature de l'Age baroque en France. Circé et le Paon. Paris: Corti 1953.

Forme et signification. Essais. Paris: Corti 1962.

L'intérieur et l'extérieur. Essais sur la poésie et sur le théâtre au XVIIᵉ siècle. Paris: Corti 1968.

Narcisse romancier. Essai sur la première personne dans le roman. Paris: Corti 1973.

RUCHON, François
Essai sur Jean de la Ceppède. Genève: Droz 1953.

Jean-Arthur Rimbaud. Nouvelle éd. Genève: Slatkine 1970.

S

SAFONOFF, Catherine
La part d'Esmé. Roman. Vevey: Galland 1977.

SAINT-HÉLIER, Monique
Le martin-pêcheur. Roman. Paris: Grasset 1953.

Quick. Récit. Neuchâtel: La Baconnière 1954.

L'arrosoir rouge. Roman. Paris: Grasset 1955.

Bois-Mort. Roman. Nouvelle éd. Lausanne: Bibliothèque romande 1971.

SANDOZ, Maurice
Choix de poésies. Genève: Kundig 1948 et Paris: Seghers 1951.

La salière de cristal. Souvenirs. Genève: Kundig 1947 et Paris: La Table Ronde 1952.
La maison sans fenêtres. Paris: Seghers 1949.

SANTSCHI, Madeleine
Sonate. Récit. Paris: Mercure de France 1965.
Traductions d'écrivains italiens

SAVARY, Léon
Lettres à Suzanne. Chroniques. Lausanne: Marguerat 1949.
Le cendrier d'Erymanthe. Nouvelles. Genève: Ed. générales 1953.
Le fonds des ressuscités. Mémoires. Lausanne: Jack Rollan 1956.
Voulez-vous être Conseiller national? Essai. Lausanne: Jack Rollan 1958.
Le secret de Joachim Ascalles. Fribourg. La Bibliothèque de Sauvives. Nouvelle éd. Lausanne: Le Livre du mois 1970.

SCHAER, Eric
Transit. Roman. Paris: Denoël 1963.
Traductions d'écrivains alémaniques

SCHLUNEGGER, Jean-Pierre
Pour songer à demain. Poèmes. Genève: Jeune Poésie 1955.
La pierre allumée. Poèmes et proses. Neuchâtel: La Baconnière 1962.
Œuvres. Lausanne: Rencontre 1968.

SCHNEEBERGER, Jean-Francis
Emmanuelle ou Le doute. Roman. Paris: Gallimard 1958.
Le billet circulaire. Roman. Lausanne: Spes 1963.

SEYLAZ, Jean-Luc
« Les Liaisons dangereuses » et la création romanesque chez Laclos. Genève: Droz 1958.
La quintefeuille. Cinq études. Lausanne: Rencontre 1974.

SIMON, Robert
Trois miroirs pour un visage. Poèmes. Porrentruy: Aux Portes de France 1946.
Signes de vie. Poèmes. La Neuveville: Le Griffon 1951.

SIMOND, Daniel
Voyages en Sardaigne. Rolle: Rey 1963.
Avec Ramuz (en collaboration avec G. Roud). Lausanne: Rencontre 1967.
Paul Valéry et la Suisse. Lausanne: Revenandray 1974.

STAROBINSKI, Jean
Montesquieu par lui-même. Paris: Le Seuil 1957.
J.-J. Rousseau. La transparence et l'obstacle. Paris: Plon 1958 et Paris: Gallimard 1971 et 1976.
L'œil vivant. Paris: Gallimard 1961.
L'invention de la liberté. Genève: Skira 1964.
Histoire de la médecine. Lausanne: Rencontre 1965.
Portrait de l'artiste en saltimbanque. Genève: Skira 1970.
La relation critique. Paris: Gallimard 1970.
Les mots sous les mots. Les anagrammes de Ferdinand de Saussure. Paris: Gallimard 1971.
Trois fureurs. Essais. Paris: Gallimard 1974.
1789. Les emblèmes de la raison. Paris: Flammarion 1973.

T

TÂCHE, Pierre-Alain
Greffes. Poèmes. Lausanne: CRV 1962.
La boîte à fumée. Poèmes. Lausanne: CRV 1964.
Ventre des fontaines. Poèmes. Lausanne: L'Age d'Homme 1967.
La traversée. Lausanne: Payot 1974.
L'élève du matin. Poèmes. Vevey: Galland 1977.

TAUXE, Henri-Charles
La notion de finitude dans la philosophie de Martin Heidegger. Lausanne: L'Age d'Homme 1971.
Le nouveau Tour du monde. 80 jours, 100 ans après. Récit. Lausanne: 24 heures 1973.

THÉE, Pierre
Ces merveilleuses grilles. Poèmes. Genève: Présence 1962.

THÉVOZ, Michel
Louis Soutter. Monographie. Lausanne: L'Age d'Homme 1974.
Le langage de la rupture. Essai. Paris: Presses universitaires de France 1978.

THIERRIN, Paul
Sexo-cardio-psycho-encéphalogrammes. Aphorismes. Bienne: Panorama 1974.
La femme et l'enfant. Contes et fables. Bienne: Panorama 1976.

TRAZ, Robert de
Témoin. Chroniques. Neuchâtel: La Baconnière 1952.
Les heures du silence. Essais. Neuchâtel: La Baconnière 1956.

TRIPET, Edgar
Où cela était... Prose. Lausanne: L'Age d'Homme 1971.

TROLLIET, Gilbert
L'inespéré. Poèmes. Genève: Trois Collines 1949.
La colline. Poèmes. Paris: Seghers 1955.
Prends garde au jour. Poèmes. Genève: Présence 1962.
Laconiques. Poèmes. Paris: Courrier du livre 1966.
Le fleuve et l'être. Poèmes. Neuchâtel: La Baconnière 1968.
Le calepin. Poèmes. Genève: Présence 1973.
Visites. Poèmes. Lausanne: La Cité 1973.
Itinéraire la mort. Poème. Genève: Présence 1977.

TSCHUMI, Raymond
L'arche. Poème. Bienne: Le Chandelier 1950.
Concert d'ouvertures. Poèmes. Bonneville: Club du poème 1967.
De la pensée continue. Bâle: Gavisorium 1968.
Poèmes choisis. Uzès: Actuelles 1973.
Théorie de la culture. Lausanne: L'Age d'Homme 1975.

V

VALLOTTON, Benjamin
Cœur à cœur. Roman. Lausanne: Clocher 1950.
Sous le même toit. Lausanne: Vie 1952.
Ferme à vendre. Roman. Lausanne: Vie 1954.
La terre que j'aime. Roman. Lausanne: Spes 1958.
Rude étape (Comme volent les années). Souvenirs. Lausanne: Spes 1961.

VALLOTTON, Félix
La vie meurtrière. Roman. Genève: Trois Collines 1946.
Corbehaut. Roman. Lausanne: Le Livre du mois 1970.

VELAN, Yves
Je. Roman. Paris: Le Seuil 1959 et Lausanne: Le Livre du mois 1970.

La statue de Condillac retouchée. Roman. Paris: Le Seuil 1973.
Onir. Lausanne: Galland 1974.
Soft Goulag. Roman. Vevey: Galland 1977.
Contre-pouvoir. Lettre au Groupe d'Olten. Vevey: Galland 1978 (Coll. Jaune soufre).

VIALA, Michel
Violences. Poèmes à crier. Lausanne: La Cité 1970.
Le Bunker. Théâtre pseudo-historique. Lausanne: La Cité 1971.
Il. Poèmes. Lausanne: La Cité 1971.
Séance. Pièce. Genève: Pajouvertes 1974.
Hans Baldung Grien. Pièce. Genève: Pajouvertes 1975.
La remplaçante. Pièce. Genève: Pajouvertes 1975.
Vérification d'identité. Pièce. Genève: Pajouvertes 1975.

VIATTE, Auguste
Histoire littéraire de l'Amérique française. Québec: Presses univ. de Laval et Paris: PUF 1954.
Les Etats-Unis. La vie américaine. Paris: Flammarion 1962.

VOGEL, Jean
Flûte à tue-tête. Poèmes. Porrentruy: Aux Portes de France 1945.

VOISARD, Alexandre
Ecrit sur un mur. Poésies. Porrentruy: Ed. du Provincial 1954.
Vert paradis. Poèmes. Porrentruy: Ed. du Provincial 1955.
Chronique du guet. Poèmes en prose. Paris: Mercure de France 1961.
Liberté à l'Aube. Poèmes. Porrentruy: Malvoisins 1967. Vevey: Galland 1978.
Les deux versants de la solitude. Poèmes en proses. Lausanne: CRV 1969.
Louve. Récit. Lausanne: Galland 1972.
La nuit en miettes. Poèmes. Vevey: Galland 1975.
Je ne sais pas si vous savez. Histoires brèves. Vevey: Galland 1975.
Traduction:
Max Frisch: *Livret de service.* Vevey: Galland 1977.

VUILLEUMIER, Jean
Le mal été. Roman. Lausanne: L'Age d'Homme 1968.

Le rideau noir. Roman. Lausanne: Rencontre 1970.
L'écorchement. Roman. Lausanne: Rencontre 1972.
Le combat souterrain. Roman. Lausanne: Rencontre 1975.
Le simulacre. Roman. Lausanne: L'Age d'Homme 1977.

W

WALZER, Pierre-Olivier
Paul-Jean Toulet. Essai. Porrentruy: Aux Portes de France 1949.
La poésie de Valéry. Genève: Cailler 1953.
Porrentruy et l'Ajoie. Essai. Neuchâtel: Le Griffon 1956.
La révolution des Sept. Essai. Neuchâtel: La Baconnière 1970.
Le XXe siècle I, 1896-1920 (Littérature française, coll. dirigée par C. Pichois, t. XV). Paris: Arthaud 1975.

WANDELÈRE, Frédéric
Velléitaires. Poèmes. Lausanne: L'Age d'Homme 1976.

WEBER-PERRET, M.
Ecrivains romands 1900-1950. Lausanne: Vie 1951.
Explorations. Essais. Genève: Ed. romandes 1965.
Un regard ironique. Lausanne: Spes 1974.

WECK, René de
Les saisons de l'amour. Fribourg: Panorama 1956.

WEIDELI, Walter
Bertolt Brecht. Essai. Paris: Ed. universitaires 1961.
Un banquier sans visage. Spectacle. Lausanne: La Cité 1964.
Eclatant soleil de l'injustice. Pièce. Lausanne: Rencontre 1968.
Traductions:
Robert Walser: *L'homme à tout faire*. Lausanne: Le Livre du mois 1970.
Kurt Guggenheim: *Mon grain de sable*. Vevey: Galland et Lausanne: Ex Libris 1975 (Coll. CH).
Ludwig Hohl: *Tous les hommes presque toujours s'imaginent*. Lausanne: Rencontre 1971.
F. Dürenmatt: *Play Strindberg*. Paris: Gallimard 1973.

F. Dürenmatt: *La ville*. Paris: A. Michel 1974.
F. Dürenmatt: *La chute*. Paris: A. Michel 1975.
F. Dürenmatt: *Sur Israël*. Paris: A. Michel 1977.

WILD, Alfred
Traité du Mystère. Genève: Cailler 1956.
Mémorial. Lausanne: Revenandray 1960.
Scènes. Lausanne: Revenandray 1968.

Z

ZERMATTEN, Maurice
Les saisons valaisannes. Prose. Neuchâtel: Attinger 1948.
Traversée d'un paradis. Roman. Paris: Plon 1949.
Le Jardin des Oliviers. Roman. Paris et Lausanne: Vineta 1951.
La montagne sans étoiles. Roman. Paris: Desclée de Brouwer 1956.
Le lierre et le figuier. Paris: Desclée de Brouwer 1957.
La fontaine d'Aréthuse. Roman. Paris: Desclée de Brouwer 1958.
Le bouclier d'or. Roman. Paris: Desclée de Brouwer 1961.
Pays sans chemin. Roman. Lausanne: Spes 1966.
Les sèves d'enfance. Récits. Bienne: Panorama 1968.
Une soutane aux orties. Roman. Sion: Tamaris 1971.
La porte blanche. Roman. Sion: Tamaris 1973.
Pour prolonger l'adieu. Sion: Tamaris 1976.

Z'GRAGGEN, Yvette
L'herbe d'octobre. Roman. Genève: Jeheber 1950.
Le filet de l'oiseleur. Roman. Genève: Jeheber 1957.
Un été sans histoire. Neuchâtel: La Baconnière 1962.
Chemins perdus. Trois récits. Lausanne: Rencontre 1971.
Traduction:
Giorgio Orelli: *Choix de poèmes 1941-1971*. Lausanne: Rencontre 1973.

ZIÉGLER, Henri de
L'école des esclaves. Essais. Neuchâtel: La Baconnière 1947.

Genève et l'Italie. Essai. Neuchâtel: La Baconnière 1948.

Ciel et terre. Essai. Neuchâtel: La Baconnière 1951.

ZIEGLER, Jean
Sociologie et contestation. Essai. Paris: Gallimard 1969 (Coll. Idées).

Les vivants et la mort. Essai. Paris: Le Seuil 1975.

Une Suisse au-dessus de tout soupçon. Paris: Le Seuil 1976.

ZIMMERMANN, Jean-Paul
Œuvres poétiques. Neuchâtel: La Baconnière 1969.

Progrès de la passion. Le pays natal. Lausanne: Bibliothèque romande 1972.

ZUMTHOR, Paul
Histoire littéraire de la France médiévale. Paris: PUF 1954.

Les hautes eaux. Roman. Paris: Del Duca 1958.

Les contrebandiers. Roman. Paris: Del Duca 1962.

Guillaume le Conquérant. Paris: Hachette 1964.

Essai de poétique médiévale. Paris: Le Seuil 1972.

Langue, texte, énigme. Essais. Paris: Le Seuil 1975.

Quelques ouvrages généraux sur la littérature romande contemporaine

Weber-Perret
Ecrivains romands 1900-1950
Lausanne: Editions Vie/Imprimerie centrale 1951.

Ecrivains suisses d'aujourd'hui
Répertoire bio-bibliographique.
Berne: Editions Francke 1962
Nouveau répertoire en préparation.

Gérard Tougas
Littérature romande et culture française
Essai. Paris: Editions Seghers 1963.

Pourquoi j'écris
Témoignages de vingt-deux écrivains romands
recueillis et préfacés par Franck Jotterand.
Lausanne: La Gazette littéraire, 1971.

Jacques Chessex
Les Saintes Ecritures
Essais sur vingt-trois écrivains romands.
Lausanne: Editions Galland 1972.

Encyclopédie illustrée du Pays de Vaud
Tome VII
Les Arts de 1800 à nos jours
Les écrivains et le mouvement littéraire contemporains
par Georges Borgeaud et Bertil Galland.
Lausanne: Editions 24 Heures 1978.

Bibliographie des lettres romandes 1941-1974
A la Bibliothèque nationale suisse, Berne, fichier
de 15 000 articles de revues et de journaux suisses
et étrangers de et sur les auteurs romands,
établi sous la direction de Régis de Courten.

INDEX DES NOMS

B: Renvoi à une citation dans la bibliographie ou les notes.
Ill: Illustration.
Les chiffres romains renvoient aux pages de titre et à la préface.

A

Abplanalp, Armand – Ill. 149
Académie des sciences, belles-lettres et arts de Besançon – B 207
Adout, Jacques 179
Aire, L' voir Editions
Age d'Homme, L' voir Editions
Allemann, Fritz-René 176 – B 207
Alliance culturelle romande, Cahiers de l' 197 – B 202, 203, 204, 209
Amiel, Henri-Frédéric XIII, 72, 118, 193
Anacréon – B 221
Andersson, Nils 154 – B 206
André, Paul – B 211
Anex, Georges 14, 20, 44, 51 – Ill. IV, 13 – B 202, 203, 211
Angelico, Fra 63
Annuaire voir Nouvelle société helvétique
Ansermet, Ernest 53 – Ill. 163 – B 201, 211, 214
Anthologie jurassienne 91, 92 – B 204
Apollinaire, Guillaume 99, 166, 193
Apothéloz, Charles 151, 152, 153 – Ill. 149 – B 206
Aristophane – B 217
Arnim, Ludwig Joachim dit Achim von 167
Artémis voir Editions

Artistes associés voir Théâtres
Arx, Cäsar von 152
Atelier, théâtre de l' voir Théâtres
Auberjonois, René 25, 44 – Ill. 17 – B 202, 206, 211
Aubert, Claude 75, 76 – Ill. 78 – B 204, 211
Aujourd'hui (revue) 120
Aury, Dominique 66 – Ill. IV – B 203

B

Bach, Jean-Sébastien – B 223
Bachelard, Gaston 166
Bächtold, Jakob-Marius 185
Baconnière, La voir Editions
Badoux, Eugène 198 – B 211
Baechtold, Jakob B 208
Baldwin, James – Ill. V
Bâle, Université de 168
Balissat, Jean 151
Bally, Charles 191
Bally, Théodore B 221
Balthasar, Hans Urs von 191
Balzac, Honoré de XII, 37, 168 – B 212
Barbey, Bernard 48, 162 – B 211
Bard, Jean 151 – B 211
Barilier, Etienne 51, 142 – Ill. 141 – B 203, 212
Barrault, Jean-Louis 154
Barrès, Maurice 28, 131

233

Index

Barth, Hans   190
Barth, Karl   190
Bassani, Giorgio   132
Baud-Bovy, Daniel   72 – B 212
Baudelaire, Charles   58, 72, 118, 166 – B 227
Baudouin, Charles   72, 198 – B 212
Bauer, Edouard   84
Bazin, Hervé – Ill. V
Beaujon, Edmond   162 – B 212
Beaulieu, théâtre de   voir Théâtres
Beausire, Pierre   165 – B 212
Beauvoir, Simone de   107, 166
Beck   voir Editions
Beckett, Samuel   98
Béguelin, Roland   181, 182 – B 204, 207
Béguin, Albert   X, XIV, 19, 83, 116, 167, 168, 191 – Ill. 169 – B 201, 205, 207, 212, 228
Béguin, Pierre   162 – B 212
Benjamin, Samy – Ill. 157
Benoziglio, Jean-Luc   133 – Ill. 141 – B 212
Benteli   voir Editions
Benziger   voir Editions
Berchtold, Alfred   42, 166 – Ill. 169 – B 201, 203, 206, 212
Berger, Jeanclaude   – B 212
Berger, René   53 – B 212
Bernanos, Georges   168 – B 212
Bernard, Richard-Edouard   – Ill. 126 – B 212
Bernard, Saint   64
Berne, Université de   196
Bernhard, Roberto   178 – B 207
Berthe, reine   23
Berthoud, Dorette   83, 84 – B 204, 213
Bessire, Otto   182
Beuchat, Charles   14, 93 – B 213
Bianconi, Piero   191 – B 208
Bibliothèque de la Suisse romande   197
Bibliothèque des arts   voir Editions
Bibliothèque romande   14, 197 – B 203, 204, 206
Bibliothèque universelle, La (revue)   18
Bichsel, Peter   104, 195, 197 – B 209
Bille, S. (pour Stéphanie) Corinna   51, 59, 66-68, 198 – Ill. 61, 105 – B 203, 212
Biner, Pierre   – B 206
Binswanger, Ludwig   191
Blake, William   119

Blanc, Géo-H.   151 – B 213
Bodinier, Claude   179
Bodmer, Johann Jakob   – B 202, 208
Bohnenblust, Gottfried   195 – B 208
Bolle, Louis   – B 213
Bonard, Olivier   – B 207
Bonhôte, Nicolas   167
Bonnard, André   14, 52, 53, 152 – B 203, 213
Bopp, Léon   XIII, 72, 165 – B 213
Borel, Pierre-Louis   83 – B 213
Borgeaud, Georges   X, 24, 56, 57, 63 – Ill. 60 – B 203, 214
Bory, Jean-René   – B 214
Böschenstein, Bernhard   196
Bosson, Netton   32 – B 214
Boulimie, théâtre   voir Théâtres
Bourget, Paul   131
Bourquin, Francis   92, 127 – B 204, 206, 214
Bouvier, Nicolas   XIII, 51, 112, 199 – Ill. 115 – B 205, 214
Bovy, Adrien   16 – B 201, 214
Bracchetto, Roland   128 – B 214
Brechbühl, Beat   198
Brecht, Bertolt   154,158 – Ill. 149 – B 231
Bridel, Philippe-Sirice, doyen   – B 202, 208
Bringolf, Théo   – B 201
Briod, Berthe   88
Brion, Marcel   – B 205
Brock-Sulzer, Elisabeth   – B 201
Brontë, Charlotte, Emily et Anne – B 220
Bruno, Jean   – Ill. 149
Brütsch, J.-Th.   – Ill. 78
Buache Freddy   – B 214
Buchet-Chastel   voir Editions
Buchet, Edmond   72 – B 214
Buchet, Gérard   – B 202, 214
Budry, Paul   18, 21, 24 – Ill. 24 – B 202, 214
Buenzod, Emmanuel   48, 73 – B 214
Buenzod, Jacques   73
Buenzod Janine   voir Marat, Janine
Buhler, Jean   – B 214
Buñuel, Luis   – B 214
Burckhardt, Carl J.   190
Burckhardt, Jacob   193
Burger, Anne-Marie   77 – B 214
Burkart, Erika   195
Burnand, Jacqueline   – Ill. 149
Burnat, Dominique   51 – Ill. VI – B 214

234

Burnod, Elisabeth   48 – B 214
Buscarlet, Daniel   – B 203
Butor, Michel   130

C

Cahiers de l'Institut neuchâtelois   – B 204
Cahier des lettres et des arts   – B 203
Cahiers de la Renaissance vaudoise   voir Editions
Cahiers du Rhône   X, 14, 168
Cahiers Romands   – B 205
Cahiers Vaudois   18, 21, 24, 37, 70, 119
Cailler   voir Editions
Calgari, Guido   21, 58, 186 – B 203, 208
Calvin, Jean   XII, 69
— Académie de, Genève   70
— Collège de, Genève   70
Camus, Albert   9, 98, 154
Carouge, théâtre de   voir Théâtres
Casagrande   voir Editions
Castella, Paul   voir Editions
Catulle   – B 221
Celan, Paul   128
Céline, Louis-Ferdinand Destouches dit   132, 146
Cendrars, Blaise   X, XIII, 8, 82, 88, 94, 108, 109, 145, 193 – Ill. 86 – B 205, 214
Cendrars, Raymone   109
Centre dramatique de l'Est   voir Théâtres
Centre dramatique de Lausanne   voir Théâtres
Ceppède, Jean de la   – B 228
Chable, Jacques-Edouard – B 215
Chaplin, Charlie   73
Chaponnière, Paul   72 – B 215
Chaponnière, Pernette   72 – B 215
Chappaz, Maurice   XII, XIII, 24, 40, 51, 59, 62-66, 104, 121, 146, 179, 194, 195, 198, 199 – Ill. VI, 60, 105 – B 203, 205, 215, 223
Chappuis, Albert-Louis   10, 42 – B 201, 215
Chappuis, Pierre   127, 128 – B 204, 206, 215
Charles le Téméraire   35
Charpilloz, Alain   – B 207
Chavanne, André   70 – B 203
Chavannes, Fernand   151
Chenevière, Jacques   71-73 – Ill. IV – B 203, 215

Chérix, Robert-Benoît   – B 215
Cherpillod, Gaston   36, 40, 50, 145, 146 – Ill. 141 – B 202, 215
Chessex, Jacques   X, XI, XII, XIII, XIV, 14, 19, 22, 24, 35, 37-42, 51, 53, 65, 95, 102, 104, 117, 119, 121, 128, 131, 144, 145, 166, 179, 194, 195, 198 – Ill. V, 47 – B 202, 205, 206, 215, 216
Chevallier, Samuel   104, 151 – B 205, 216
Chevallaz, Georges-André   162
Chinet, Charles   – B 222
Chopard, Théo   – B 209
Chopin, Frédéric   51
Chrétien de Troyes   – B 212
Cingria, Alexandre   16, 21
Cingria, Charles-Albert   XIII, 16, 18, 21, 22, 24, 25 – Ill. 17 – B 202, 216
Cité, La   voir Editions
Claudel, Paul   21, 133 – B 207
Clavien, Germain   59 – B 216
Clelia   – Ill. 149
Clément Pierre-Paul – B 216
Clerc, Charly   83, 151, 196 – B 208, 216
Clottu (rapport)   196
Cocteau, Jean   21
Coghuf – B 221
Cohen, Albert   XIII, 74, 139, 142 – Ill. IV, 140 – B 206, 216
Collection CH   198
Colomb, Catherine (Marie-Louise Reymond)   14, 40, 48, 49, 137, 138, 139, 142, 166 – Ill. 140 – B 206, 216
Comédie de Genève   voir Théâtres
Comment, Jean-François   – B 221
Commission fédérale d'experts pour l'étude de questions concernant la politique culturelle suisse   – B 209
Condillac, Etienne Bonnot de   135
Conseil œcuménique des Eglises, Genève   70
Constant, Benjamin   X, 84, 165 – B 216
Construire (hebdomadaire)   15
Coopération (hebdomadaire)   15
Copeau, Jacques   44
Cordey, Pierre   165 – B 202, 216
Corneille, Pierre   – B 207
Cornu, Jacques   – B 204
Cornuz, Jeanlouis   19, 104, 113 – Ill. 105 – B 201, 205, 216
Costa-Gavras   159

Courthion, Pierre – B 217
Création, théâtre voir Théâtres
Crisinel, Edmond-Henri 119, 127 – B 206, 217
Cuneo, Anne XIV, 52, 106, 107, 147, 159, 198 – Ill. V, 105 – B 205, 217
Curchod, Alice 49 – B 217
Cuttat, Jacques-Albert 92
Cuttat, Jean 92, 93, 99, 100, 182 – Ill. 97 – B 204, 217

D

Dante Alighieri XI
Dargeant, Robert 162
Davel, Jean-Daniel-Abraham 35 – B 202
Davi, Hans-Léopold 177
Debluë, Henri 50, 102, 104, 107, 117, 151, 154 – Ill. 156 – B 205, 206, 217
Degas, Edgar – B 218
Delachaux et Niestlé voir Editions
Delamuraz, Jean-Pascal X
Delay, Georges-Emile – B 217
Dentan, Michel 103, 166 – B 217
Deriex, Suzanne 48, 50 – B 217
Descoullayes, Jean – B 201
Deshusses, Jérôme 162 – Ill. 78 – B 217
Desponds, André 133 – B 201, 206
Devain, Henri 92 – B 204, 217
Diderot, Denis – B 218, 220
Diggelmann, Walter-M. 50, 104 – B 216
Dimitrijevic, Vladimir – Ill. 12 Voir Editions, l'Age d'Homme
Diogenes voir Editions
Djamalzadeh, Syyed Mohammed Ali – B 203
Domaine public (hebdomadaire) 104, 117
Domaine suisse (revue) 15 – B 205
Donne, John 119
Droz voir Editions
Du (revue) – B 206
Dubouchet, John – B 217
Dufour, Guillaume-Henri 69
Dumur, Jean 162
Dunant, Henri – B 219
Duras, Marguerite 166
Dürrenmatt, Friedrich 82, 151, 152, 154, 180, 190 197, 198 – B 231
Dutoit, Ernest 14, 75 – Ill. 13 – B 204

E

Ecriture (revue) 15, 37, 103, 194 – B 203, 204, 207
Eddas 27
Editeurs et Editions : (Les éditeurs des livres cités dans les *Notes* figurent dans cet index. Pas de renvoi en revanche aux éditeurs des œuvres données dans la *Bibliographie*)
— Age d'Homme, L' 14, 154 – Ill. 12 – B 202, 203, 205, 206, 209
— Aire, L' (Rencontre) 14 – B 202, 203, 205, 206
— Artémis – B 206, 207, 208
— Baconnière, La 14 – Ill. 12 – B 201, 202, 203, 204, 206, 207
— Beck – B 208
— Benteli – B 203
— Benziger 198 – B 209
— Bibliotheca Vallesiana – B 203
— Bibliothèque des arts – 201, 206
— Bibliothèque Romande voir sous ces mots
— Bridel – B 202, 208
— Buchet-Chastel 72
— Cahiers de la Renaissance Vaudoise 14 – B 202, 204, 205, 206
— Cahiers Romands voir sous ces mots
— Cahiers Vaudois voir sous ces mots
— Cailler – B 206
— Casagrande 198
— Castella, Paul 30
— Cité, de la 154 – B 202
— Corti, José – B 207
— Delachaux et Niestlé – B 202, 203, 204
— Diogenes – B 201
— 10 × 18 – B 206, 208
— Droz – B 201, 204
— Engelhorn – B 208
— Eureka – B 205
— Ex Libris 198
— Francke – B 208, 209
— Galland, Bertil 14, 38, 195, 198 – B 203, 207
— Gallimard – B 205, 206, 207
— Garnier – B 206
— Gazette littéraire, Editions de la – B 203
— Générales – B 202
— Grand-Pont, du 146

— Grasset   – B 206
— Guilde du Livre   11, 14, 19, 120 – Ill.
  IV – B 201, 203
— Haupt   – B 207, 208
— Huber   – B 201, 207, 208, 209
— Ides et Calendes   – B 207
— Jeune Poésie   74, 75 – B 204
— Kandelaber   – B 203
— Kindler   1, 2
— Lang, H.   – B 207
— Lettres Modernes   – B 201
— Livre du Mois   14 – B 202, 203, 204,
  205, 208
— Livre de Poche   19
— Malvoisins, des   – B 205
— Marguerat   – B 202
— Mon Village   10
— Morgarten   – B 208
— Nationales   – B 205
— Nuova Accademia   – B 208
— Orell Füssli   – B 209
— Panorama, du   – B 203, 205, 206
— Payot   11, 109 – B 201, 202, 203, 205,
  206, 207, 208
— Pharos   – B 207
— Pillet
— Portes de France   X, 59, 93, 99
— Presses d'Europe   – B 207
— Provincial, du   – B 204
— Rencontre   XIII, 14, 76, 103, 106, 116,
  117, 126 – Ill. 12 – B 202, 206, 207
— Rentsch, E. – B 208
— Rhein   – B 207
— Rouge   – B 203
— Rowohlt   – B 206
— Sagittaire   – B 208
— Schneider, L.   – B 207
— Seghers   128 – B 202, 205, 206
— Seuil, du   168 – B 202
— Trois Collines   20 – B 201, 202
— Tschudy   – B 208
— Universitaires   – B 202, 208
— Verseau, du   – B 202
— 24 heures   – B 205
— Walter   – B 208
Egloff, W.   32
Eigeldinger, Marc   84, 95, 128, 166 – B
  204, 217
Eliade, Mircea   166
Eliot, Thomas Stearns   167

Emmanuel, Pierre   – B 212
Encyclopaedia universalis   X – B 205
Encyclopédie illustrée du Pays de Vaud   34
Engelhorn   voir Editions
Engels, Friedrich   XIV, 187 – B 208
Ermatinger, Emil   – B 208
Ernst, Fritz   184, 185, 190, 196 – B 208
Escarpit, Robert   7 – B 201
Eschyle   152 – B 203, 213
Esprit (revue)   168
Ethnie française (mouvement)   180
Etiemble, René   21
Etienne, Gilbert   – B 205
Etudes de Lettres   – B 202, 205, 206
Eureka   voir Editions
Euripide   – B 213
Excoffier, Jo   – B 206
Ex Libris   voir Editions
Exposition nationale de Lausanne   150

F

Fasani, Remo   191
Faulkner, William   131
Faux-Nez, théâtre des   voir Théâtres
Favrod, Charles-Henri   113 – Ill. 115 – B
  218
Fehr, Karl   – B 208
Felder, Anna   198
Fell, René   – B 218
Fête des Vignerons   151
Feuille d'Avis de Lausanne   voir sous
  ㉔ Heures
Feuille d'Avis de Neuchâtel   – B 205
Fiechter, Jacques-René   92 – Ill. 78 – B 204,
  218
Figaro, Le (quotidien)   71
Flaubert, Gustave   72
Follonier, Jean   56 – B 218
Fondation pour la collaboration confédé-
  rale   198
Fondation Pro Helvetia   196
Fontaine, Anne   – B 218
Fontanet, Jean-Claude   77 – B 218
Fosca, François   – B 218
Fournet, Charles   – B 218
Francillon, Clarisse   XI, 93, 142 – B 218
Francke   voir Editions
Franzoni, François   – B 218
Frei, Otto   – B 201

Freud, Sigmund 71
Frey, Adolf 185
Fribourg
— Collège Saint-Michel 30
— Université de 30, 196
Fringeli, Dieter – B 206, 207
Frisch Max 82, 104, 131, 150, 151, 152, 154, 190, 192, 193, 197, 198 – Ill. 157, – B 211, 230
Frochaux, Claude 50, 162 – B 205, 218

G
Gaberel, Henri – B 218
Gabus, Jean 84 – B 218
Gagnebin, Laurent 166 – B 218
Galland, Bertil X, XIII, 14, 38, 50, 113, 195 – B 201, 203, 205, 218 voir aussi Editions
Gallimard voir Editions
Gallimard, Claude – Ill. IV
Ganoczy, Alexandre XII
Garaudy, Roger 106
Gardaz, Emile 53, 54 – B 218
Garnier voir Editions
Garzarolli, Richard 14, 36, 53 – Ill. 47 – B 202, 219
Gaulis, Louis 80, 104, 107, 152, 155, 159 – Ill. 156– B 219
Gavillet, Aline 198
Gavillet, André – B 219
Gazette de Lausanne (quotidien) 197
Gazette littéraire 15, 53, 116 – B 202, 208
Gebser, Jean 191
Gehri, Alfred 151 – B 206, 219
Genève 70
— Ecole de (critique littéraire) 70, 168, 171
— Conservatoire de 151
— Université de 70, 72, 73, 170
Geninasca, Jacques 166
George, Stefan 119
Giacometti, Alberto 23
Giauque, Francis 93, 127 – Ill. 96 – B 219
Gide, André 37, 51, 71, 95, 166
Gigon, Fernand 113 – Ill. 114 – B 219
Gilles, (Jean Villard) 43, 44, 177, 178 – Ill. 47 – B 207, 219
Gilliard, Edmond 9, 18, 20-22, 24 – Ill. 24 – B 201, 202, 216, 219
Giono, Jean 37

Girard, Pierre 73, 74 – B 204, 219
Giraudoux, Jean 71
Glauser, Friedrich 193
Glossaire des patois de la Suisse romande 178
Godard, Jean-Luc X
Godel, Vahé 75, 77, 118 – Ill. 79 – B 206, 219
Godet, Philippe 85, 88
Goeldlin, Michel 146, 147 – Ill. 141 – B 219
Goethe, Johann Wolfgang von 22, 112, 167, 187
Goldmann, Lucien 106
Goldron, Romain – B 214
Goldschmidt, Hermann Levin – B 208
Golovtchiner, Lova 153 – Ill. 157
Gomringer, Eugen 193
Goncourt, Prix 41, 68 – Ill. V
Gonseth, Ferdinand 92, 162 – Ill. 163 – B 219
Goretta, Claude – Ill. 157
Gotthelf, Jéremias (Albert Bitzius) dit 58
Gracq, Julien (Louis Poirier) dit 132
Grasset, Bernard –B 207
Graven, Jean 56 – B 220
Green, Julien 168
Grégoire, Hélène – B 220
Greiner, Trudi – B 208
Grobéty, Anne-Lise 51, 89, 90 – Ill. VI, 87, 105 – B 209, 220
Grock (Adrien Wettach) dit 92
Grotzer, Pierre – B 207, 212
Groupe d'Olten – B 203, 205, 206
— Almanach du 106
Gsteiger, Manfred IX-XIV – Notice biographique sur la couverture
Guex, André 48, 55 – Ill. 46, B 203, 220
Guex-Rolle, Henriette – B 220
Guggenheim, Kurt 198 – B 231
Guggenheim, Werner Johannes 198
Guilde du Livre voir Editions
Guillaume II 185
Guillemin, Henri X, 84
Guisan, Gilbert 15, 16, 19, 165 – B 201, 212, 220
Guisan, Henri 162
Günther, Werner 18, 179, 196 – B 207, 209
Guyot, Charly 82, 84, 165 – B 204, 207, 220

H

Haggis, Donald R. – B 201
Haldas, Georges XIII, 75, 76, 80, 102, 103 – Ill. 79 – B 205, 220
Haller, Albert de 56, 184
Haupt voir Editions
Hauser, Hermann – Ill. 12 – voir Editions La Baconnière
Heidegger, Martin 166 – B 229
Heinzelmann, Alice 94 – B 221
Hemingway, Ernest 132
Hemmerling, Carlo 151
Héraud, Guy – B 207
Herbert voir Théâtre
Hercourt, Jean 75, 76 – B 221
Herrera Petere, José 75
Hersch, Jeanne 72, 188 – Ill. 78, B 221
Hesse, Hermann 83
Hitler, Adolf 28, 111, 185
Hoffmann, Ernst Theodor Amadeus 167
Hofmannsthal, Hugo von – B 211
Hohl, Ludwig 197 – B 231
Hölderlin, Friedrich 118, 123 – B 221, 228
Homère 123
Honegger, Arthur 150 – B 223
Horace XII
Huber voir Editions
Huber-Staffelbach, Margrit – B 209
Hugo, Victor – B 227
Humeau, Edmond – Ill. 31
Humbert-Droz, Jules 85, 162 – Ill. 86 – B 204, 221
Humbert, Jean 179

I

Ides et Calendes voir Editions
Imer, André 128 – B 221
Imhasly, Pierre 63, 64 – B 203
Imhoff, Marcel – Ill. 149
Inglin, Meinrad 198 – B 211
Institut fribourgeois 182
Institut neuchâtelois – B 204
Ionesco, Eugène – Ill. 149

J

Jaccard, Roland – B 221
Jaccottet, Philippe XI, 34, 50, 113, 118, 120-123, 127, 165, 198 – Ill. VI, 125 – B 202, 206, 209, 221
Jackson, John E. 128
Jakobi, H. – B 208
Jakubec, Doris 14
Jaquillard, Claude – B 221
Jaquillard, Pierre – B 221
Jaspers, Karl 73
Jaurès, Jean 43
Jean-Paul (Jean Paul Friedrich Richter) 167
Jeanne d'Arc 168
Jeanneret, Edmond 83 – B 221
Jeanneret, Martine – Ill. 157
Jedlicka, Gotthard 190
Jenni, Adolfo 191
Jenny, Ernst 184 – B 208
Jeune Poésie (Groupe d'auteurs, Genève) 74, 75, 77 voir aussi Editions
Jorat, théâtre du voir Théâtres
Joray, Marcel 92 – B 221
Joris, Charles 153, 154 – Ill. 156
Joseph, Roger – B 204
Jost, François IX, X, 167, 186 – B 202, 208, 222
Jotterand, Franck XIV, 15, 53, 104, 116, 153, 159, 197 – Ill. 13 – B 202, 203, 205, 209, 222
Jouhandeau, Marcel 21
Journal de Genève 15, 71, 116, 197 – Ill. 13 – B 201
Joyce, James 71, 130, 167 – B 224
Jung, Carl-Gustav 166, 191
Junod, Jean-Michel 112 – B 222
Junod, Roger-Louis 14, 84, 94 – Ill. 97 – B 204, 222

K

Kaegi, Werner 190
Kandelaber voir Editions
Kappeler, Waltrud – B 203
Karsenty voir Théâtres
Keats, John 119
Keller, Gottfried – B 208
Kemp, Robert XIV
Kindler, Helmut voir Editions
Kipphardt, Heinar 158
Klee, Paul – B 217
Knapp, Alain 153 – Ill. 157
Kohler, Pierre 7, 8, 165 – B 201

Kohn-Etiemble, Jeannine   IX
König, Paul   – B 202
Korrodi, Eduard   190 – B 208
Kropotkine, Piotr   82
Kübler, Arnold   176, 177 – B 207
Kuenzi, André   – B 222
Kuès, Maurice   72 – B 222
Kuffer, Jean-Louis   51 – B 222
Küng, Hans   191
Kuttel, Mireille   48 – B 222

L

Labyrinthe (revue)   15
Lachenal, François   – B 201
Laclos, Pierre Choderlos de   166 – B 229
Laederach, Monique   128 – B 222
Lampe, Friedo   – B 211
Landry, Charles-François   34, 35, 42, 48 –
   Ill. 46 – B202, 222
Lang, H.   voir Editions
Lang, Siegfried   20, 196
Langendorf, Jean-Jacques   112 – Ill. 115 –
   B 222
Laubscher, Jean-Pierre   – B 222, voir aussi
   Editions du Grand-Pont
Lausanne
— Académie de   9, 52, 161
— Musée cantonal des beaux-arts   53
— Université de   44
La Voile latine (revue)   17, 27
Leber, Hugo   – B 202
Le Corbusier (Edouard Jeanneret)   XIV,
   82, 162 – Ill. 86 –B 222
Leiris, Michel   128 – B 215
Le Peuple-La Sentinelle (quotidien)   104
L'Eplattenier, Gérard   145 – B 206, 222
Lettres modernes   voir Editions
Liègme, Bernard   84, 104, 107, 159 – Ill.
   156 – B 222
Livre du Mois, Le   voir Editions
Livre de Poche   voir Editions
Livres ouverts (revue)   – B 202
Locarnini, Guido   – B 209
Lossier, Jean-Georges   75 – B 223
Louis II de Bavière   44
Lovay, Jean-Marc   133 – Ill. V, 141 – B
   215, 223
Lucas, Gérald   77, 80 – B 223

Lukács, György   106, 166, 194 – B 208
Lüthy, Herbert   176, 182 – B 207

M

McCarthy, Mary   XIV
Mahler, Gustav   – B 223
Maillart, Ella   XIII, 112 – Ill. 114 – B 205,
   223
Mallarmé, Stéphane   165
Malvoisins   voir Editions des
Manet, Edouard   – B 217
Mann, Thomas   123, 167
Manuel, André   – B 204
Manuel, Luiz   116
Marat, Janine (Janine Buenzod)   50 – B
   203, 223
Marclay, Robert   – B 203
Marcuse, Herbert   98
Marsaux, Lucien (Marcel Hofer)   84, 93 – B
   223
Marti, Kurt   198
Martin, Adrian Wolfgang   195 – B 208
Martin, Isabelle   15, 197 – Ill. 13
Martin, Jean-Georges   – B 223
Martin, Vio   50 – B 223
Martini, Plinio   198
Marx, Karl   XIV, 106, 187 – B 208
Mason, Rainer-Michaël   128
Massignon, Louis   45
Matter, Jean   50 – B 223
Matthey, Pierre-Louis   XII, 118, 119, 123 –
   Ill. 125 – B 206, 223
Mauerhofer, Jane-Suzanne   – B 209
Maupassant, Guy de   71
Mauroux, Jean-Baptiste   30, 162, 164 – Ill.
   31 – B 202, 223
Maurras, Charles   23, 28
Mc Carthy, Mary   106
Méautis, Georges   84
Meienberg, Niklaus   192
Meier, Herbert   198
Melville, Hermann   – B 220
Mentha, Philippe   152 – Ill. 157
Menthonnex, Rudolph   143, 144 – Ill. 79 –
   B 223
Mercanton, Jacques   44, 45, 48, 167 – Ill.
   46 – B 203, 223
Mermod, Henry-Louis   voir Editions

Mermoud, Albert   voir Editions Guilde du Livre – Ill. IV
Messmer, Jean   – B 217
Métral, Maurice   59 – B 224
Mettra, Claude   29 – B 202
Meyer, Conrad-Ferdinand   119, 193
Meylan, Jean-Pierre   – B 204
Michelet, Jules   – B 216
Michelet, Marcel   56
Micheloud, Pierrette   56 – B 224
Monde, Le   X – B 205
Monde des Livres, le   – B 203, 206
Monnier, Jean-Pierre   51, 84, 91, 94, 95, 98, 131, 132, 144, 145, 199 – Ill. VI, 97 – B 206, 209, 224
Monnier, Philippe   70
Monod, Jean   151
Montaigne   168
Montesquieu   171 – B 229
Montmollin, Louis de   – B 205
Mon Village   voir Editions
Morax, René   150, 151 – Ill. 149 – B 206
Mörike, Eduard   167
Morgarten   voir Editions
Moser, Jean   196 – B 208
Mouchet, Charles   75, 77 – Ill. 78 – B 224
Moulin, Jean-Pierre   162 – B 224
Mounier, Emmanuel   168
Müller, Kurt   – B 207
Muller, Philippe   – B 224
Municipal, théâtre   voir Théâtres
Muralt, Béat de   164
Muralt, Pierre-Balthasar de   voir Editions Rencontre   164 – Ill. 12
Muschg, Adolf   198 – B 221
Musil, Robert   123, 130 – B 221

N

National populaire, Théâtre   voir Théâtres
Nationales   voir Editions
National-Zeitung   – B 202, 209
Necker, Jacques   80, 158
Nerval, Gérard de (Gérard Labrunie)   119, 166, 168 – B 212
Neuchâtel
— Centre de dialectologie et d'étude du français régional   179
— Université de   179

Neue Zürcher Zeitung (quotidien)   185, 197 – B 201, 206, 207, 208
Nibelungen   27
Nicole, Georges   14 – B 224
Nicolet, Arthur   88, 93 – B 224
Nicollier, Jean   151 – B 206, 224
Nietzsche, Friedrich   51
Nizon, Paul   198
Nouveau Théâtre de poche   voir Théâtres
Nouvelle Revue Française   23 – B 202
Nouvelle société helvétique   197 – B 206, 209
Novalis, Friedrich, baron von Hardenberg dit   118 – B 228
Nuova Accademia   voir Editions

O

Oberlin, Urs   75
Odier, Daniel   – B 225
Ofaire, Cilette (Cécile Hofer-Houriet)   89 – B 225
Oltramare, Georges   71 – B 225
Onze, Théâtre   voir Théâtres
Orchestre de la Suisse romande   150
Orell Füssli   voir Editions
Orelli, Giovanni   198
Ormond, Jacqueline   50, 112 – B 205, 225
Osiris, Jean   B 225
Ottino, Georges   77 – B 225
Overney, Auguste   29
Ovide   XII

P

Pabst, G. W.   – B 214
Pache, Jean   128 – Ill. 126 – B 225
Panorama   voir Editions du
Pascal, Blaise   168 – B 212
Pasquier, Paul   153 – Ill. 149
Patocchi, Pericle   128 – B 225
Paulhan, Jean   IX, X, 21, 34
Pavese, Cesare   132 – B 226
Payot   voir Editions
Pays du Lac (revue)   15, 37 – B 202
Péclard, Luce   – B 225
Péguy, Charles   133, 168 – B 213
Peiry, Alexis   29 – Ill. 31 – B 202, 225
Pellaton, Jean-Paul   94 – B 225
Perrelet, Olivier   128 – Ill. 126 – B 225

Perrier, Anne 50, 121, 127 – Ill. 126 – B 206, 226

Perrin, Hélène 50 – B 203, 226

Perrochon, Henri 58, 165, 179 – B 203, 207, 226

Pestelli, Lorenzo XIII, 113 – Ill. 115 – B 226

Pharos voir Editions

Philipe, Gérard 9

Philippe, Vincent 9 – B 201, 202

Piaget, Jean XIV, 162, 191 – Ill. VI, 163 – B 226

Piatier, Jacqueline – B 203

Pichard, Alain 164 – B 226

Pichois, Claude 165

Pidoux, Edmond B 201, 226

Piguet, E. – B 208

Piguet, Jean-Claude – B 211

Piguet, Marie-José 51 – B 226

Pindare XII

Pindy, Henri 82

Pingaud, Bernard 133

Pinget, Robert XI, 72, 132, 133, 134, 136, 142, 144 – Ill. 141 – B 206, 209, 226

Pirandello, Luigi – B 226

Piroué, Georges 9, 89, 142 – Ill. 87 – B 205, 226

Pitoëff, Georges 152

Pitoëff, Ludmilla 152

Pobé, Marcel 113

Poncet, Marcel – B 222

Portes de France voir Editions

Portmann, Adolf 190

Potterat, Jean-Charles – B 206

Poulin, Jean-Claude Ill. 13

Pour l'Art (revue) 104

Pourtalès, Guy de 82

Présence (revue) 15

Prestre, Willy A. 84 – B 227

Prix et Grands Prix:
— catholique du roman 58
— de l'Académie française 48
— culturel de la Ville de Lausanne 20
— de l'Institut neuchâtelois 95
— de traduction de l'Académie allemande pour la langue et la poésie 122
— des critiques X, 57
— du rayonnement français de l'Académie française 71
— du roman de l'Académie française 139

— Georges Nicole 51
— Goncourt 41 – Ill. V
— Goncourt de la nouvelle 68
— Rambert 44, 133, 137, 143
— Ramuz 34, 119 – Ill. V
— Renaudot X, 57
— Staline de la Paix 52
— Veillon 35, 50, 95

Pro Helvetia 196

Proust, Marcel 71, 89, 130, 137 – B 207, 213, 220, 226

Py, Albert 75 – B 227

R

Racine 166, 171 – B 224

Radio suisse romande 15, 20, 109, 197 – B 205

Radio TV-Je vois tout (hebdomadaire) – B 205

Ramuz, Charles Ferdinand XI, XIII, 3, 8, 9, 10, 11, 16, 18, 19, 20, 22, 23, 24, 25, 34, 35, 37, 40, 41, 42, 43, 56, 58, 59, 94, 98, 117, 120, 131, 133, 151, 165, 166, 180, 192, 198 – Ill. IV, 17 – B 201, 207, 209, 212, 214, 215, 220, 226, 227

Raymond, Marcel XIV, 49, 73, 104, 116, 128, 165, 170, 191 – Ill. V, 169 – B 203, 205, 206, 212, 227

Réal, Grisélidis – Ill. 105 – B 227

Redard, Georges 179 – B 207

Renan, Ernest 165

Renaud, Madeleine 61

Renaud, Philippe 166

Renaud-Vernet, Odette 113 – B 227

Rencontre voir Editions

Rencontre (revue) 15, 37, 194, 197 – B 209

Renfer, Werner 92 – Ill. 97 – B 204, 227

Rentsch, E. – B 208

Revue de Belles-Lettres 15, 128, 197 – B 202, 209

Revue de Genève 71 – B 204

Revue neuchâteloise 84 – B 201, 203, 204, 205, 206, 207, 208

Reymond, Marie-Louise – B 227

Reynold, Gonzague de XIII, 16, 26, 27, 28, 29, 85, 162, 185, 191 – Ill. 31 – B 201, 202, 204, 208

Rhein voir Editions

Richard, Hughes 94, 109 – B 204, 205, 227

Rilke, Rainer Maria   55, 56, 83, 118, 167 –
  B 221, 228
Ribemont-Dessaignes, Georges   – B 222
Rimbaud, Arthur   63, 118 – B 228
Rivaz, Alice (Alice Golay)   19, 43, 44, 49,
  133, 142, 198 – Ill. 46 – B 203, 227
Rivière, Jacques   – B 227
Robbe-Grillet, Alain   130, 133, 144
Rochaix, François   152, 153 – Ill. 157
Rod, Edouard   9
Roger, Noëlle   – B 228
Rogivue, E.   – Ill. 78
Rohner, Ludwig   191
Rokkan, S.   – B 207
Rollan, Jack   104 – Ill. 105 – B 228
Rolland, Romain   150
Rosenberg (l'affaire)   150
Rossel, Virgile   92, 184 – B 201, 208
Rossetti, Dante Gabriel   119
Rouault, Georges   – B 217
Roud, Gustave   XII, 24, 37, 118, 120, 121,
  122, 123, 127, 137 – Ill. IV, 124 – B 201,
  205, 206, 212, 216, 221, 228, 229
Rouge   voir Editions
Rougemont, Denis de   XIII, 82, 101, 109,
  110, 111, 116, 186, 191, 192 – Ill. 114 – B
  205, 208, 228
Roulet, Claude   165 – B 228
Rousseau, Jean-Jacques   X, 10, 20, 33, 43,
  56, 70, 150, 166, 170 – B 207, 217, 220,
  222, 226, 227, 229
Rousseaux, André   XIV
Rousset, Jean   XIV, 171, 191 – B 207, 228
Rowohlt   voir Editions
Ruchon, François   – B 228
Rychner, Jean   84
Rychner, Max   190

S

Saba, Umberto   – B 221
Sabatier, Robert   – Ill. V
Sacco et Vanzetti   158
Safonoff, Catherine   – B 228
Sagittaire   voir Editions
Sainte-Beuve, Charles-Augustin   9
Saint-Gall, abbaye de   23
Saint-Hélier, Monique   XI, 83, 88, 89, 142
  – Ill. 87 – B 204, 228

Saint-Maurice, collège de   29, 56, 62 – Ill.
  31
Salazar, Antonio de Oliveira   28
Salis, J.R. von   177, 196
Samedi littéraire, supplément du Journal de
  Genève et de la Gazette de Lausanne   15
Sandoz, Maurice   – B 228
Santschi, Madeleine   – B 229
Sapho   – B 213
Sarraute, Nathalie   130, 145
Sartre, Jean-Paul   9, 101, 152, 154, 166 – B
  205, 213
Sauser, Frédéric-Louis   108
Saussure, Ferdinand de   XIV, 191
Savary, Léon   30 – Ill. 31 – B 202, 229
Schaer, Eric   50, 159 – B 229
Schaffner, Jakob   193
Schaffter, Roger   93
Schiller, Frédéric   22
Schiltknecht, Wilfred   196
Schiner, Cardinal   64
Schlunegger, Jean-Pierre   103, 127 – Ill.
  126 – B 229
Schmid, Karl   190, 193, 194 – B 208
Schmidt, Georg   190 – B 208
Schneeberger, Pierre-Francis   77 – B 229
Schülé, Ernest   179 – B 207
Schwander, Marcel   198 – B 207
Schwarzenbach, James   – Ill. 105
Schweizer Rundschau   – B 208
Schweizerisches Idiotikon   178
Schwendimann, Max-A.   – B 203
Schwengeler, Arnold   – B 208
Secretan, Olivier   – B 208
Secretan, Philibert   162
Sedelnik, Vladimir   194 – B 208
Seghers   voir Editions
Senancour, Etienne Pivert de   170 – B 227
Servet, Michel   XII, 80 – B 220
Seuil   voir Editions du
Seurat, Georges   – B 217
Seylaz, Jean-Luc   52, 137, 166 – Ill. 78, B
  203, 206, 229
Shakespeare, William   119 – B 223
Shelley, Percy Bysshe   119
Simon, François   152 – Ill. 157
Simon, Michel   – B 214
Simon, Pierre-Henri   139 – B 206
Simon, Robert   92 – B 204, 229
Simond, Daniel   19 – Ill. V – B 201, 229

Index

Société des écrivains vaudois (aujourd'hui : Société vaudoise des écrivains) – B 203

Société des librairies et éditeurs de la Suisse romande – B 201

Société des Nations, Genève 70, 71, 73, 74, 111

Société jurassienne d'émulation – B 204

Société suisse des écrivains 188, 196 – B 203, 209

Solier, Tristan 92 – B 204

Sophocle – B 213

Soutter, Louis 53 – B 229

Spiess, Henry 16, 24

Spitteler, Carl 72, 198 – B 212

Spoerri, Théophile 190

Staël Germaine de X, XIII, 164, 165, 167 – B 216

Staiger, Emil 190

Staline 52, 85

Starobinski, Jean XIV, 116, 171, 189, 190, 191 – Ill. IV, 78, 169 – B 207, 208, 229

Stauffacher, Werner 196

Steiner, Jörg 197 – B 209

Steiner, Jürg 175 – B 207

Stendhal 22

Stickelberger, Emanuel – B 208

Stifter, Adalbert 45, 48

Stravinsky, Igor 19, 25, 43

Supersaxo, Georges 64

T

Tâche, Pierre-Alain 128 – Ill. 126 – B 229

Tages-Anzeiger (quotidien) 197

Tanner, Alain XII, 42, 80

Tarentule, La voir Théâtres

Tauxe, Henri-Charles XIV, 14 – Ill. 13 – B 229

Térence XII

Théâtres :
— Artistes Associés 153
— Atelier, de l'(Genève) 152
— Beaulieu, de (Lausanne) 153
— Boulimie (Lausanne) 153 – Ill. 157
— Carouge, de 150, 152, 153, 155, 158, 159 – B 206
— Centre culturel neuchâtelois, du 154
— Centre dramatique de l'Est 154
— Centre dramatique romand (aujour-d'hui : Centre dramatique de Lausanne) 150, 153, 155, 159 – B 206, 207
— Comédie de Genève 153, 158
— Création (Lausanne) 153
— Faux-Nez, des ou Compagnie des (Lausanne) 152, 153 – Ill. 149
— France, de 154
— Grand Théâtre (Genève) 153, 158
— Jeunes, des (Orbe) 160
— Jorat, du (Mézières) 150, 151 – B 206
— Karsenty et Herbert (Tournées) 148
— Municipal (Lausanne) 149, 153
— National populaire (France) 154
— Nouveau Théâtre de Poche (Genève) 152, 159
— Onze (Lausanne) 153
— populaire romand (La Chaux-de-Fonds) 152, 153, 154 – Ill. 156
— Stalden, du (Fribourg) 30
— Tarentule, La (Saint-Aubin NE) 160
— Trois Coups, des (Lausanne) 153
— Trois p'tits Tours (Morges) 160
— Vieux Quartier, du (Montreux) 160

Thée, Pierre – B 229

Théocrite XII, 62

Théodule, saint 64

Thévoz, Michel 53 – B 229

Thibaudet, Albert 9

Thierrin, Paul – B 229 voir aussi Editions du Panorama

Thilo, Eric E. 29

Tieck, Ludwig 167

Tinguely, Jean 30

Tolstoï, Léon – B 222

Töpffer, Rodolphe 37, 70

Toulet, Paul-Jean – B 231

Traz, Robert de (François Fosca) 16, 71, 72 – B 230

Tribune de Genève (quotidien) – B 201, 202

Tripet, Edgar 88 – B 204, 205, 230

Trois Collines voir Editions

Trois Coups voir Théâtres

Troillet, Maurice – B 220

Trolliet, Gilbert 75 – Ill. 126 – B 230

Trois p'tits Tours voir Théâtres

Trotsky XIV, 85

Tschäni, Hans 198

Tschudy voir Editions

Tschumi, Raymond 92 – B 204, 230

V

Valbert, Gérard   15
Valéry, Paul   170 – B 218, 229, 231
Vallon, Claude   150 – B 206
Vallotton, Benjamin   42 – B 230
Vallotton, Félix   – B 230
Vasarely   – B 221
Vassilikos, V.   159
Velan, Yves   XIV, 10, 19, 89, 95, 103, 113, 134, 135, 136, 142, 144 – Ill. 141 – B 201, 204, 206, 209, 230
Verseau   voir Editions du
Viala, Michel   159 – Ill. 156 – B 230
Vian, Boris   77
Viatte, Auguste   93 – B 230
Vieux Quartier théâtre du   voir Théâtres
Vigny, Alfred de   – B 217
Vilar, Jean   9, 154, 158
Vinet, Alexandre   20, 161, 162, 164, 166 – B 207
24 Heures (quotidien)   15 – B 201, 206
24 Heures   voir Editions
Virgile   27, 62
Vogel, Jean   92 – B 204, 230
Vogt, Adolf Max   – B 208
Voile latine, la   XIII, 16
Voisard Alexandre   51, 92, 98, 99, 182, 194 – Ill. VI, 97, 105 – B 204, 205, 230
Voltaire   XII, 20, 168
Vuilleumier, Jean   11, 73, 77, 142, 143 – Ill. 78, 141 – B 201, 204, 230

W

Wagner, Richard   51
Walser, Robert   74, 193, 198 – B 231

Walter   voir Editions
Walter, Otto   195 – B 209
Walzer, Pierre-Olivier   X, 91, 92, 93, 165 – Ill. 96 – B 204, 230
Wandelère, Frédéric   30, 128 – B 231
Weber, Werner   185, 190 – B 208
Weber-Perret, Myriam   X, 197 – B 231
Weck, René de   28 – B 231
Wehrli, Max   186 – B 208
Weideli, Walter   80, 104, 107, 116, 158, 197, 198 – Ill. 156 – B 231
Weilenmann, Hermann   – B 207
Welti, Albert J.   152
Wild, Alfred   14, 48 – B 201, 231
Wölfflin, Heinrich   191
Woolf, Virginia   137

Z

Zbinden, Hans   188, 189 – B 208
Zeltner-Neukomm, Gerda   130, 132 – B 206
Zermatten, Maurice   XIV, 29, 58, 59 – Ill. IV, 61 – B 202, 203
Z'Graggen, Yvette   15, 80, 197
Ziégler, Henri de
Ziegler, Jean   XIII, 162, 164 – B 232
Zimmermann, Jean-Paul   88, 152 – Ill. 87 – B 204, 232
Zumthor, Paul   167 – B 232
Zycie Warsawy (revue polonaise)   116

SOURCE
DES ILLUSTRATIONS

TABLE

Préface, par Etiemble IX
La nouvelle littérature romande — Introduction I

Première partie - Œuvres, thèmes, courants

   I   La littérature romande et son public 7
  II   Un renouvellement, un héritage. 17
 III   Fribourg : conservatisme et catholicité 26
 IV   Vaud : la campagne et la ville 33
  V   Valais : nature et technique 55
 VI   Genève : calvinisme et cosmopolitisme 69
 VII Neuchâtel : intellectualisme et révolte 81
VIII Jura : solitude et autodétermination. 91
 IX   La question de l'engagement 101
  X   Le pays natal et le monde 108
 XI   Poésie de l'intériorité. 117
 XII Les formes du roman 129
XIII La situation du théâtre 148
XIV La critique considérée comme littérature 161

Deuxième partie - Perspectives helvétiques

 XV   Langue, culture et politique dans un Etat
        fédéral 175
XVI Littérature suisse et littératures suisses 184
XVII Ecarts et parentés. 188

        Notes 201
        Esquisse d'une bibliographie 211
        Index des noms 233

Achevé d'imprimer
en août mil neuf cent septante-huit
pour Ex Libris et les Editions Bertil Galland
sur les presses des
Imprimeries Réunies, Lausanne.
Maquette du Studiopizz, Lausanne.
Relié par Busenhart, Lausanne